Shirley MacLaine

AMOUR et LUMIÈRE

Shirley MacLaine

AMOUR et LUMIÈRE

Titre original :
Don't Fall Off the Mountain

Photographie de la couverture :
©1988 Roger Ressmeyer Starlight

Typographie et montage :
J.C. Lespérance

ISBN: 2-89077-036-2

Dépôt légal : 2e trimestre 1988
Imprimé au Québec

Cher lecteur,

Depuis que je suis toute petite, je ressens le besoin de m'exprimer. À l'âge de trois ans, j'ai suivi des cours de danse, car je voulais m'exprimer physiquement. Adolescente, je suis passée de la danse au chant, une extension naturelle et logique de cette nécessité d'expression. Plus tard, en tant qu'adulte, je suis allée encore plus loin dans cette voie puisque je suis devenue actrice et que j'ai vécu une forme plus aboutie d'expression. J'adorais cette alchimie complexe : devenir un autre personnage, mettre en évidence un contexte, des motivations, un sens ; explorer mes propres sentiments et pensées dans leur relation à l'autre.

Puis j'ai découvert l'écriture, qui me permet d'exprimer de la façon la plus spécifique et complexe les expériences que j'ai vécues. J'écrivais pour savoir ce que je pensais. J'écrivais pour comprendre mon métier, mes voyages, mes relations avec les autres et, en fait, ma vie. Écrire m'aidait à assouvir mon inextinguible soif de comprendre le pourquoi et le comment de tout. J'aime imaginer que chacun de mes livres est une sorte de carte, qui décrit les endroits où je suis allée et ceux où je me rendrai. *Amour et Lumière* décrit la période où, en tant que jeune artiste, j'ai appris à déployer mes ailes et commencé à assumer mon propre destin. Grâce à une série d'expéditions en Afrique, en

Inde, dans le royaume himalayen du Bouthan et au pays qui donna son nom à ma fille Sachie, le Japon, je suis parvenue pour la première fois à entrevoir l'inconnu, et j'en ai été profondément changée. La période personnelle que je décris dans *You can get there from here* était celle de mon acquisition de la maturité intérieure, intellectuelle et politique. À Hollywood, le *star system* était mort, je me suis donc aventurée dans les sables mouvants de la télévision. Ce fut un authentique désastre, dont je ressentis violemment l'impact. C'est ainsi que j'en suis venue à me tester sur la scène politique, lors de l'élection présidentielle de 1972. J'ai fait campagne pour George Mac Govern, contre Richard Nixon. Cette expérience m'a encouragée à tenter de réaliser un désir que peu d'occidentaux pouvaient satisfaire au début des années soixante-dix. J'ai dirigé la première délégation féminine qui se soit rendue en Chine pour étudier la remarquable émergence d'une culture toute neuve sur les cendres d'une terre ancestrale et mal connue. Le fait d'avoir à nous adapter à une culture étrangère nous a conduites à nous remettre nous-mêmes en question. Nous avons beaucoup appris sur notre propre évolution, et, mieux encore, sur l'extraordinaire capacité de la volonté humaine, lorsqu'elle est bien canalisée, à triompher de tous les obstacles. Tout cela m'a préparée à reprendre ma carrière d'actrice avec plus d'enthousiasme et d'estime pour le métier qui me permettait de gagner ma vie; avec aussi l'envie de chercher ce que je pouvais lui apporter de nouveau et de créatif. Je crois que cette expérience m'a également appris que tout est possible si vous croyez que vous le méritez.

J'ai longtemps hésité avant de publier *Out on a Limb*, qui se trouve être le récit d'une odyssée spirituelle qui m'a entraînée bien plus loin que j'imaginais jamais aller, dans le monde stupéfiant et émouvant des phénomènes psychiques, où les vies antérieures, l'existence de guides spirituels, et l'authentique immortalité de l'âme sont devenues pour moi bien davantage que des concepts. Ils sont devenus réels, se sont mis à faire vraiment partie de ma vie. Ce livre est, je crois, mon journal spirituel, à la disposition de ceux qui sont en quête de la perception intérieure. Il est aussi le témoignage que j'adresse à ceux qui m'ont initiée, et dont j'accepte les dons avec gratitude et humilité.

J'aime à croire que *Dancing in the Light* est la célébration de tous mes «moi». C'est l'exploration satisfaisante de toutes les promesses que je m'étais faites dans *Out of the Limb*. J'y raconte, avec plaisir, humour et bonheur, ce que j'ai vécu en tant que fille, mère, maîtresse, amie, femme en quête d'un destin spirituel, et voix s'élevant pour la paix dans le monde. Je crois que ce livre exprime ma très grande joie d'être parvenue à ce stade de mon évolution personnelle, ainsi que le renforcement de mes plus intimes convictions. Mais l'histoire n'est pas finie. Je suis toujours une femme en quête d'elle-même, des vies qu'elle a peut-être vécues et de l'intime réalité de son être.

Si ma quête de la vérité profonde m'aide à vous offrir, à vous, lecteur, le don de vue, alors je suis récompensée. Mais ma première récompense a été ce voyage à l'intérieur de moi-même, le seul voyage qui vaille la peine d'être entrepris. À travers tout cela, j'ai appris une leçon profonde et significative : LA VIE, LES VIES et LA RÉALITÉ ne sont que ce que chacun de nous perçoit qu'elles sont. La vie ne nous arrive pas. Nous la faisons arriver. La réalité n'est pas en dehors de nous. Nous créons notre propre réalité à chaque instant de la journée. À mon sens, cette vérité est le comble de la liberté et de la responsabilité.

Amour et Lumière,
Shirley MacLaine

Certaines personnes ne figurent pas dans ce récit, parce qu'elles ne l'ont pas souhaité. Quelques noms ont été changés. Mais tous les personnages existent et, bien entendu, tous les événements sont authentiques.

DE LA FAMILLE DE L'INFINI

Salut, oh vent! il te salue,
celui qui erre dans la nuit en quête de lumière,
celui qui cherche le mystique pays d'où il vient:
Oh, vent, je ne suis pas humain:
je suis un étranger,
venu d'une autre planète.
Est-ce de la même planète
que tu es venu, toi, le vent?
Je respire comme un homme,
je vois avec les yeux d'un homme
mais je ne suis pas un homme.
Ô, vent qui bruis dans la forêt,
qui chuchotes inlassablement,
qui tristement soupires,
qui cours à jamais
sur les rives d'un invisible fleuve
né de la nuit:
toi qui n'existes
qu'en une substance quasi tangible,
qui transportes et n'es jamais transporté!
Ô vent, je te salue:
toi seul habites ce monde
auquel j'appartiens:
car je suis une ombre sans corps
venue des profondeurs inconnues
du pays inaccessible
né de l'écume,
transporté par le courant...

Ô, essence même de la pureté
moi aussi, je suis matière :
Je suis interchangeable,
je suis énergie, je suis Un,
unique et indivisible,
seul avec toutes les abstractions
étrangères à cette terre
vouée à l'impur.
Je suis de ta famille, ô vent!
Je te connais comme je me connais.
Tu viens du monde qui est le mien,
tu as franchi le temps.

poème de Somtow Sucharitkul
publié dans le Bangkok Post,
le dimanche 17 septembre 1967

Chapitre 1

Je suis née en Virginie, dans une famille banale, aisée et unie. Pour me conformer à mes origines, j'aurais dû épouser un membre éminent de la communauté, et avoir deux ou trois enfants capables de manger leur Wonder Bread de huit façons différentes. J'aurais dû m'installer dans une rue propre et bordée d'arbres dans la banlieue de Richmond, Virginie, avoir une femme de ménage une fois par semaine, un bridge tous les mercredis et, environ tous les trois ans, la tentation — qui m'aurait submergée de culpabilité — d'avoir une aventure.

On nous enseignait le respect pour les possessions matérielles, car il fallait de dures et longues années de travail pour pouvoir se les acheter. Nous devions, en toutes circonstances, être fiers et conscients de leur valeur. Nous étions les propriétaires de la table où John Adams, (ou peut-être était-ce George Mason) avait pris son petit déjeuner le jour de son mariage; il était dès lors de notre responsabilité de maintenir la tradition culturelle et de conserver la table en parfait état pour les enfants de nos enfants. Il ne fallait donc jamais y poser de verre humide. Il ne fallait jamais toucher au miroir Chippendale de la salle à manger (c'était pourtant un faux, comme je l'ai découvert plus tard). Les trois coupes de Wedgwood et les trois assiettes et cendriers assortis, le vase chinois ancien, la reproduction du «Garçon bleu» dans son cadre doré m'ont toujours fait réfléchir avant d'inviter quelqu'un à la maison. J'avais peur qu'on renverse quelque chose.

Les murs de la maison semblaient faits pour nous rappeler sans cesse que nous étions une bonne famille de Virginie. Tous ceux à qui on faisait la faveur de les inviter étaient censés agir en conséquence. C'était pourtant une maison banale, vraiment, une maison banale, modeste, en briques rouges, hypothéquée et tout. Il avait fallu abattre le grand arbre de la cour car une des branches était malade. J'avais demandé: «Pourquoi, si un bras tombe malade, faut-il couper le corps entier?» On m'avait répondu que le docteur des arbres avait dit que c'était ce qu'il fallait faire.

Je croyais donc que tout ce qui se passait autour de moi était ce qu'il fallait faire. Mes parents m'aimaient, cela ne faisait aucun doute, et, apparemment, j'avais tout ce que je voulais, jusqu'à un certain point, évidemment. Il y avait beaucoup de choses que je voulais, mais ce n'étaient pas des «choses», c'étaient des sentiments.

Mon père était l'autoritaire chef de famille, bien élevé, portant beau, avec une tendance à s'enrober dès qu'il y avait quelques cacahuètes qui traînaient. C'était un homme sévère, aux yeux bleu clair soupçonneux, le censeur de tout ce qu'il inspectait, et le gardien de notre sécurité. Il s'érigeait en juge de nos actions et de notre conduite. Il était terrifiant car il avait toujours l'air non seulement de savoir ce que nous *avions* fait de mal mais aussi ce que nous *allions* faire de mal. Parfois, cependant, il était si fier de nous que son menton semblait vouloir rejoindre son nez. Sa sensibilité était sans fond, mais la peur qu'il avait de ses propres sentiments était souvent pénible à voir.

Ma mère était une créature mince et pâle, presque éthérée, à la nature romantique et qui avait le plus grand mal à supporter le moindre désagrément. En fait, cela n'existait pas, il n'existait rien de désagréable ; c'était soit une erreur soit une mauvaise interprétation.

Tandis que l'une des principales motivations de mon père était de dénicher une dure vérité, de l'exposer, et de se targuer de ses soupçons justifiés, ma mère disait plutôt : « Tu es fatigué, Ira, c'est tout. Tu te sentiras mieux demain matin. » J'ai ainsi passé bien des nuits et bien des matins à sonder le mystère des natures opposées de monsieur et de madame Ira O. Beaty, et aussi à chercher de quelle façon je pourrais le mieux survivre, et garder la tête hors de l'eau. Je voulais croire ma mère, selon laquelle le mal n'existait pas ; malheureusement, et je n'y pouvais rien, je savais que ce n'était pas vrai. Pourtant, vivre ne pouvait pas être toujours aussi suspect que le disait mon père.

Dieu merci, à l'âge de trois ans, un complice est entré dans ma vie. On me l'a tendu, enveloppé dans une couverture. Il criait presque tout le temps. Bien qu'avec plus de finesse et parfois une stupéfiante précision, il n'a plus cessé depuis. Les adultes l'appelaient Petit Henry, à cause de sa ressemblance avec un personnage de bande dessinée. Quand je le regarde, aujourd'hui, je n'arrive pas à me souvenir du moment où il a cessé de ressembler à Petit Henry pour se mettre à ressembler à Superman. Son vrai nom est Warren.

C'était mon petit frère, et nous étions amis, alliés même. Il le fallait, car, autrement nous aurions été rivaux, et nous nous serions disputés les faveurs de nos parents qui, inconsciemment, nous imposaient une dure compétition. Ils ne le savaient probablement pas, mais Warren et moi, oui. Nous nous battions ensemble jusqu'à l'intrusion d'une force étrangère ; alors nous faisions face ensemble. Parfois, j'allais trop loin dans mon allégeance envers lui. Si un plus grand garçon du voisinage entamait une bagarre avec Warren, je me précipitais, tel Rocky Graziano, et l'envoyais au tapis. Warren semblait reconnaissant, mais étonné, car il voulait vraiment assumer ses propres risques ; et mes petits amis me laissaient tous tomber car j'étais une vraie « diablesse », (le surnom qu'on m'avait donné après que, seule fille de l'équipe, j'avais fait quinze fois d'affilée le tour complet du terrain).

La règle de conduite, dans notre entourage, était la conformité. Nous étions tous Baptistes. Jusqu'au plus modeste des habitants des maisons bordées d'arbres du quartier, tous étaient des Baptistes du Sud des États-Unis, aisés, et blancs. Il y avait bien quelques Méthodistes, mais pas assez pour que cela soit gênant. Nous agissions en conséquence de ce que pensaient nos voisins et j'imagine qu'ils agissaient en conséquence de ce que nous pensions (en fait, nous, nous souhaitions qu'ils cessent de penser ce que nous pensions).

Ma mère aimait jardiner. Mais quelques ragots ont circulé par dessus la barrière, au sujet du grand chapeau et du short qu'elle portait. Warren et moi adorions la voir là-dehors, ressemblant à un parapluie en marche, mais papa s'est rangé à l'avis des voisins, elle se faisait trop remarquer, et elle n'est plus beaucoup sortie.

Parfois, j'avais l'impression que maman était introuvable. Elle était quelque part, en bas, mais ni Warren ni moi ne l'avons jamais trouvée.

Lorsque j'ai enfin abandonné l'équipe de base-ball et que j'ai eu un petit ami régulier, papa a suggéré qu'il (Dick, quatorze ans) gagne son argent de poche en repeinturant la maison de quelqu'un d'autre plutôt que la nôtre, car quelqu'un, de l'autre côté de la rue, lui avait dit qu'il lui avait fallu six jours pour repeindre les volets de ma chambre. Donc, au lieu de venir à la maison, Dick me retrouvait à la crique. C'était plus amusant d'ailleurs, et j'ai vite découvert que je n'avais aucune question à poser à mes parents au sujet des oiseaux ou des abeilles. De toutes façons, je ne connaissais ni mon père ni ma mère assez bien pour ça.

Warren était passionné de petites voitures et il connaissait par leur nom tous les modèles depuis l'invention de la roue. Chaque fois qu'il jouait avec ses voitures et qu'il oubliait de les ranger à la fin de la journée, mon père, quand il rentrait à la maison, faisait semblant de trébucher sur l'une d'elles, tombait, et prévenait sévèrement Warren que tant que c'était son propre père, ça n'était pas grave, mais que si la même chose arrivait à un étranger dans notre propre maison, nous aurions une terrible amende à payer. Tant et si bien que Warren a emporté ses voitures dans sa chambre et a fini par ne plus y jouer.

Ainsi, à cause de la discipline parfois excessive imposée par papa, à cause de l'insistance que mettait ma mère à répéter «combien nous avions de la chance, vraiment, d'avoir une vie aussi agréable», à cause des frustrations tordues des voisins, qui critiquaient jusqu'au fait de s'amuser, Warren et moi nous nous sommes mutuellement insufflé le vent de la révolte. Une sorte de révolte complice, pour lutter contre le système. Ça n'a pas été facile, car le directeur de notre école était notre propre père, et nous étions censés donner le bon exemple. Comment pouvions-nous donner le bon exemple et profiter de la vie? Il a fallu un travail d'équipe. Nous nous partagions la tâche d'être des enfants modèles. Warren ne rapportait jamais de boue dans la maison, ne mangeait jamais de gâteaux dans le salon. Je faisais toujours les lits, je lavais les assiettes du petit déjeuner et je fermais les fenêtres quand il pleuvait. À la maison, nous étions des citoyens exemplaires, sinon, on nous aurait soupçonnés. Nos parents étaient donc fiers de nous.

C'était au dehors que nous vivions vraiment. Nous renversions des boîtes à ordures devant les portes des maisons d'autres gens, nous faisions des trous dans des pneus, nous tirions des sonnettes d'alarme, nous sonnions à des portes et nous nous enfuyions en courant, nous volions des gâteaux et des pastilles pour la toux à l'épicerie du coin, nous traversions des boulevards à circulation intense en faisant semblant de boiter et parfois de tomber morts en plein milieu jusqu'au moment où quelqu'un appelait les flics. Nous devions alors courir nous cacher.

Mais le personnage sévère qui présidait nos repas ne savait rien de tout cela. En fin de journée, nous nous asseyions et hochions la tête en signe d'approbation lorsqu'il se plaignait amèrement que de jeunes délinquants gâchent le quartier. À l'autre bout de la table, ma mère écoutait, l'oeil triste, et ne disait rien.

Après dîner, papa allumait sa pipe de bruyère; la fumée s'enroulait autour de sa tête et montait en volutes bleues jusqu'au faux miroir Chippendale, son odeur mêlée à celle de viande rôtie et de sauce. Il reprenait bientôt le fil de son discours, et exposait sa théorie selon laquelle on devrait congeler tous les enfants jusqu'à l'âge de vingt et un ans.

Dans notre acharnement à lui prouver qu'il avait raison, Warren et moi nous nous retirions pour faire nos devoirs — et décider de notre plan d'action pour le lendemain — notre nouveau plan d'action contre la société.

Un petit plan et une petite société, mais il y a un commencement à tout.

J'étais née avec les chevilles très faibles. J'ai commencé à avoir des problèmes dès que j'ai su marcher. Mes chevilles cédaient et se tordaient si facilement que je tombais au moindre faux pas. Dès que j'ai eu trois ans, ma mère m'a donc fait suivre des cours de danse, pour raison thérapeutique. C'est là que s'est ancrée mon imagination et que mon énergie a trouvé à s'exercer. Ce qui n'était au départ qu'une thérapie est devenue ma vie. Et j'avais déjà ce besoin de m'exprimer.

Pendant les quinze années suivantes, les rangées de filles en collant noir et mouillées de sueur, s'exerçant ensemble à la barre fixe au rythme d'un piano qui sonnait comme une casserole, ont incarné mon défi, ma compétition. Il n'a jamais fallu me forcer à y aller. J'ai toujours aimé ça. Certaines des jeunes dames étaient là pour maigrir, d'autres pour passer le cap difficile de l'adolescence, d'autres pour que leurs mères puissent jouer deux heures de plus au bridge. Quelques filles, fragiles mais à la volonté de fer, voulaient vraiment danser et, les muscles endoloris, elles peinaient, suaient et répétaient sans fin. Je suis devenue l'une d'entre elles, non pas fragile, mais à la volonté de fer.

Nous avons déménagé à Arlington, Virginie, et j'ai suivi mes cours dans une grande maison au milieu d'une pelouse, sur l'autre rive du Potomac, à Washington, D.C. Lors de sa rénovation, la maison avait été transformée en studio de danse, le Washington School of Ballet.

Chaque après-midi, en semaine, je passais une heure et demie dans le bus pour aller et revenir de l'école. Elle était dirigée par deux professeurs, des femmes d'expérience, qui ont forgé le professionnalisme dont j'ai fait preuve dans mon travail. La plus âgée, Lisa Gardiner, avait dansé avec Anna Pavlova. C'était une femme digne, aux cheveux argentés, dont la démarche assurée et le maintien me rappelaient les chevaux de Cendrillon. Elle pouvait passer des heures à me raconter ses voyages avec le corps de ballet, ses mains évoluant gracieusement, ses ongles roses et effilés accentuant ses mots. «Si tu choisis de faire quelque chose, tu dois le faire de ton mieux», me disait-elle. «Et surtout, n'attends rien, et la vie te sera douce».

Son associée, Mary Day, avait quinze ans de moins, des pieds minuscules qui pouvaient tourner si vite qu'ils semblaient dessiner une ligne droite, des yeux noirs et perçants, et un tempérament à effrayer un cosaque. C'était un excellent professeur, dont le perfectionnisme exigeant, intolérant et parfois irrationnel faisait de chaque cours un événement.

Telles étaient les femmes auxquelles je me suis efforcée de plaire, cinq jours par semaine, année après année. Nous ne formions pas une troupe professionnelle, puisqu'aucune d'entre nous n'était payée lorsque nous nous produisions en public, mais on n'aurait pu être plus exigeant vis-à-vis de professionnelles. Dès mes douze ans, j'ai fait partie de la meilleure troupe de ballet amateur des États-Unis, j'en suis convaincue. Plusieurs fois par an, nous dansions avec l'Orchestre symphonique national à Constitution Hall. Pour ces occasions, nous répétions la nuit, après les cours. Cendrillon, Le Casse-Noisettes, Le Magicien d'Oz, Hansel et Gretel. Je dansais toujours Hansel, et tous les rôles d'homme, d'ailleurs, car j'étais chaque fois la plus grande de la classe.

Les répétitions se terminaient à minuit. Je courais pour attraper le bus, qui était toujours en avance ou en retard, mais jamais à l'heure. Épuisée, je sommeillais dans le bus pendant une heure et demie avant de rentrer, par une rue tranquille, dans une maison sombre et silencieuse. Je dînais en général de biscuits salés trempés dans du ketchup et du tabasco, accompagnés d'un Ginger Ale. Je mangeais toujours debout, puis je titubais jusqu'à mon lit, vers deux heures du matin. Il ne faut pas s'étonner si ce genre de repas me donnait des cauchemars, toujours les mêmes : nuit après nuit, je ratais le bus.

À six heures et demie, je me levais pour aller à l'école. Et ça a duré, jour après jour, jusqu'à mes dix-sept ans. C'en était fini de l'époque de révolte et de complicité avec Warren. J'avais trouvé une issue, un destin à moi, une vie que je me construirais moi-même afin de ne pas devenir une autre gentille petite Baptiste de la communauté. Je ne voyais plus beaucoup mes parents, ni Warren. Ils dormaient quand je partais pour l'école : Washington Lee était tellement bondé que la moitié des étudiants devaient suivre les cours tôt le matin (bus de ramassage à sept heures), ils dormaient quand je rentrais à la maison le soir, après le trajet d'une heure et demie en bus à la fin des répétitions.

Ma vie était solitaire, surtout pour une adolescente, mais j'avais un but, une raison de vivre. Et j'ai appris quelque chose de fondamental sur moi-même, quelque chose qui est toujours vrai : pour jouir vraiment de quoi que ce soit, il faut que je travaille dur pour l'obtenir.

J'avais environ seize ans quand il s'est passé un incident qui hante toujours ma mémoire. Je rentrais à la maison après une répétition, désespérée parce qu'on m'avait retiré le rôle de Cendrillon dans notre spectacle de Noël. Mademoiselle Day et mademoiselle Gardiner avaient simplement dit que j'étais devenue trop grande, et que j'aurais l'air godiche.

Je sanglotais en montant dans ma chambre pour être seule. Papa descendait l'escalier. Il s'est arrêté, et, en agitant un doigt sous mon nez, il m'a dit que ça m'apprendrait à ne plus essayer de faire des choses dont j'étais incapable. Cet événement ne me prouvait-il pas que si j'essayais de dépasser mes limites, je n'aurais qu'à en souffrir? Ne me l'avait-il pas déjà dit mille fois? Quand le croirais-je enfin? Quand comprendrais-je que je ne réussirais qu'à me faire du mal?

C'était comme la fois où, quelques années auparavant, j'avais chanté «I can't say no», pendant le spectacle de notre école. J'avais vu *Oklahoma* et j'étais tombée amoureuse du personnage de Ado Annie. Je croyais avoir compris à quel niveau se situait le rôle. Je m'étais attifée d'un ridicule chapeau avec une énorme fleur dessus, de grosses godasses, et tout le monde avait ri. Vraiment ri. Mais, selon papa, je ne devais pas me faire d'illusions en faisant confiance à leurs rires, un public de collège n'était pas le monde, je ne savais pas chanter, je n'avais pas idée de ce que jouer signifiait et ce n'était pas parce que j'avais été stimulée et émue par Celeste Holm que ça me donnait le droit de m'approprier ce bel exemple de comédie musicale américaine et de le massacrer sur la scène du collège Washington Lee... Je n'ai plus jamais chanté pendant les spectacles de l'école, pas même l'hymne national. Je m'accordais trop d'importance, je pensais qu'il avait sans doute raison. Il disait que seuls les gens qui avaient appris comme il faut et avaient suivi une formation classique étaient capables de se produire en public, et d'être acceptés. Le pur, le naïf instinct était une chose, mais il ne fallait pas le comparer avec une solide formation. Il fallait être idiot pour oser ouvrir grands les bras, mettre son coeur à nu et dire, sans formation préalable, «Me voici, Monde, j'ai quelque chose à dire». Il fallait être une nullité pour imaginer qu'on pouvait s'en sortir comme ça, on ne pouvait que se faire mal, très mal. Et quelqu'un qui mesurerait le piège mais dirait : «Tant pis, Monde, je le dirai quand même», devrait être enfermé. Ce ne serait pas seulement un fou, mais un fou dangereux. Dangereux, puisqu'il avait la volonté de se nuire.

En ce soir de décembre, après la répétition, je suis tombée dans l'escalier, mon père au-dessus de moi, qui me grondait non seulement pour avoir voulu jouer, mais aussi pour avoir pensé que je pouvais danser Cendrillon et m'être donc rendue ridicule. Je pleurais. J'ai tellement pleuré que j'en ai vomi. Le vomi sur les marches de l'escalier ne l'a pas arrêté. Il continuait d'enfoncer son clou : je ne ferais que me faire du mal si j'osais oser. J'étais incapable de bouger. Je regardais ma mère, dans le salon. Warren n'était pas à la maison. Ma mère est restée tranquillement assise jusqu'au moment où elle a dit : «Allons, Ira, ça suffit». Mais Ira savait qu'il n'en avait pas fini avec moi. Il voyait que, même si j'étais, pour l'instant, transformée en ectoplasme, je ne cesserais jamais d'oser. Et il semblait comprendre que, paradoxalement, c'était lui qui m'apprenait à oser parce que je voyais bien à quel point il s'était déçu lui-même de ne jamais avoir essayé. Un étrange et clair regard de compréhension est passé dans ses yeux lorsqu'il a réalisé que je ne voulais pas lui ressembler. Il a marché sur le vomi et s'est rendu dans la cuisine pour se préparer un verre. C'est alors que je me suis déterminée à exploiter au maximum toutes les qualités que j'avais reçues à la naissance, dont l'audace. Mais ce que je voulais par dessus tout, c'était ne pas me décevoir moi-même.

Chapitre 2

C'était le soir de la représentation de Cendrillon. Je dansais la grand-mère fée. J'étais debout dans les coulisses, après avoir fait mes pliés et autres exercices d'assouplissement. L'orchestre s'est accordé, les lumières ont baissé dans la salle, le public s'est tu. C'était l'ouverture, le rideau allait se lever. Juste avant, je fais quelques grands jetés en traversant la scène. Et je tombe. Une douleur aiguë me transperce la cheville droite, qui plie sous mon poids. Terrifiée, je regarde autour de moi pour voir si quelqu'un s'en est aperçu. Personne. Les danseurs tombent tout le temps. Je regarde ma cheville. Elle est déjà enflée. Je serre à mort les lacets de mes chaussons, et je me redresse. Le rideau se lève.

Sur les pointes, je commence à danser. Chaque mouvement semble m'entraîner en dehors de moi-même. Je ne sens plus la douleur. Je ressens une sensation de triomphe qui me donne de la force, pas une force anesthésiée, comme si la douleur s'était émoussée, mais davantage comme si mon esprit s'était élevé au-dessus de moi et me regardait. Les pas de danse viennent, en un flux aisé, et j'ai l'impression de planer au-dessus de moi-même. Je sais que la douleur est là, mais, d'une certaine façon, je suis au-dessus d'elle. Voilà probablement ma première expérience de la suprématie de l'esprit sur la matière. Un sentiment délicieux. Sur une scène, à Washington, D.C., mon premier contact avec mon don potentiel pour le mysticisme.

Deux heures et demie plus tard, les ballets et les rappels étaient finis. J'ai demandé une ambulance, et je me suis effondrée de douleur. Je n'ai pas pu marcher pendant quatre mois.

J'étais allongée, la cheville cassée. J'ai demandé à ma mère de venir me parler. Nous n'avions pas eu beaucoup de vraies conversations, car j'avais toujours senti qu'il lui était pénible d'aborder les sujets importants. Mais cette fois-ci, il le fallait. Je tâtonnerais un peu, avec l'espoir de trouver la part d'elle-même que je ne ferais pas souffrir.

J'étais dans ma chambre, sur mon lit, le pied reposant sur des oreillers, et je regardais mon visage plein de taches de rousseur dans un miroir à main. La plupart du temps, mon visage me gênait, et j'avais beaucoup de mal à maîtriser ma masse de cheveux roux, indisciplinés et emmêlés.

Ma mère s'est arrêtée à la porte. Elle a jeté un coup d'oeil à mon père, assis dans le jardin, puis elle est entrée dans ma chambre et s'est assise sur mon lit, à côté de moi.

— Qu'est-ce qui ne va pas? a-t-elle demandé, en s'armant de courage pour affronter la catastrophe qu'elle anticipait.

— Je crois que j'ai envie d'être trop de choses, trop de gens, ai-je commencé, en montrant mon mur, recouvert des symboles qui m'ôtaient le repos. Elle a regardé les cartes, les photos de danseuses célèbres, les livres pleins d'autres gens et d'autres lieux et le puissant télescope dont je souhaitais qu'il m'emmène sur la lune. Dans son regard se lisait l'habituelle étincelle de tristesse.

«Il faut que je m'en aille d'ici, que je quitte les horaires, la stricte discipline, la conformité. Peut-être m'ont-ils été utiles, nécessaires même, mais il y a tant de choses dans le monde que j'ai envie de voir, de faire, auxquelles je veux participer.»

Mes paroles lui déchiraient le coeur, je le voyais bien, et je ne pouvais pas supporter l'expression de malheur peinte sur son visage. Elle ne comprenait que trop bien. Elle aussi en avait eu envie, il y avait bien longtemps, quand elle était indépendante d'esprit, avant d'avoir cédé à la tentation de devenir ce qu'elle pensait *devoir* être. Ses amis m'avaient raconté qu'elle était délicieusement insouciante, et que sa gaieté était contagieuse. Je ne l'avais jamais connue comme ça. Je me demandais ce qui avait bien pu se passer, et je crois que je ne voulais pas que ça m'arrive à moi.

Elle a changé de position, sur le lit. «La danse t'étouffe, n'est-ce pas?»

— Oui. Je ne sais pas comment ça a commencé, ni quand, mais la danse est tellement limitée. Mademoiselle Gardiner et mademoiselle Day ne cessent de me répéter que mon visage doit rester impassible, mais je ne peux pas, je ne *veux* pas m'en empêcher. Si la musique me rend gaie, je souris, naturellement. Elles m'ont dit que si je n'arrivais pas à contrôler ça, je ferais mieux de faire du cinéma, ou quelque chose de ce genre-là.

— Qu'est-ce que *toi*, tu as envie de faire pour t'exprimer?, m'a-t-elle demandé.

— Je veux interpréter des personnages, ce qu'ils pensent, ce qu'ils ressentent. Je crois que j'aime les gens, mais je les connais mal. Et je voudrais m'exprimer de façon plus personnelle. Je ne veux pas être une poupée mécanique, dans un art mécanique; et je ne suis même plus certaine que ce soit en dansant que j'y arriverai.

— Tu as réfléchi à d'autres moyens?

— Oui, bien sûr. Mais je ne vais jamais au bout, parce que j'ai peur.

— Peur de quoi?

— Eh bien, je ne sais pas comment l'expliquer. C'est comme une impossibilité de s'échapper de soi-même.

— Explique-toi.

— Voilà. Tu sais combien j'aime la danse espagnole, par exemple.

— Oui.

— Et tu sais qu'à l'école, c'est le cours que je préfère, tu sais que j'ai beaucoup travaillé les castagnettes et les claquements, tu sais que mademoiselle Gardiner et mademoiselle Day trouvent que je suis la meilleure de la classe depuis que Liane est partie?

— Oui, a-t-elle acquiescé. Je le pense aussi.

— Eh bien tu vois, même ça, que j'aime vraiment beaucoup, je n'arrive pas à m'oublier quand je le fais.

— Pourquoi?

— Comment espérer que le public va croire que je suis espagnole, si je suis en réalité une petite Américaine de Virginie? Comment devenir quelque chose de plus si c'est ça que je suis vraiment?

Ma mère a croisé les mains sur ses genoux et s'est assise plus droite qu'elle ne l'avait fait depuis des années.

«En tout premier lieu, il faut que tu prennes en compte l'émotion. Que tu étudies les sentiments des gens. Je crois que c'est une chose que nous pouvons tous comprendre, chez les autres. Nous ne sommes pas toujours capables de comprendre comment ils vivent, ni d'accepter ce qu'ils mangent, ou leur religion, ou pourquoi ils meurent, mais avec un petit effort, nous pouvons tous comprendre ce que ressent quelqu'un d'autre. Que ressent une danseuse espagnole? Elle danse au son de la même musique que celle que nous entendons. Que ressent-elle, en l'écoutant? Si tu parviens à transmettre ce qu'elle ressent, tout le monde croira que tu es une danseuse espagnole, malgré tes cheveux roux et tes taches de rousseur.»

Je l'ai serrée sur mon coeur. Elle n'avait plus l'air écrasée du tout.

«Je pourrai aller à New York? Je pourrai y aller dès que j'aurai fini l'école?»

Toutes ses années de frustration sont remontées à la surface en un instant. Toute tristesse a disparu de son regard. Elle a répondu avec une inébranlable conviction. «Oui, il est temps. Ça ne va pas plaire à ton père. Il va penser que tu vas au-devant de souffrances, de déceptions. Mais après tout, c'est toujours le risque. Je crois que tu es prête à le courir.»

J'étais donc libre de déployer mes ailes. Je me rappelle le matin où j'ai quitté la maison. Warren avait sauté l'entraînement de football. Il était assis au piano, pour célébrer en musique. Il résolvait tous les problèmes en se mettant au piano. Et ce matin-là, il les exorcisait en jouant «Manhattan Towers». Il était devenu grand et beau. Il n'avait plus besoin de moi pour se bagarrer à sa place. Je me demandais quand je le reverrais. Je me demandais quand il déciderait ce qu'il voulait faire de sa vie. Il lui restait trois ans à passer au lycée, trois ans pour se déterminer. À l'époque, je ne savais pas (car il était aussi pudique que nous tous) que tous les après-midi où papa et maman faisaient leurs courses, et où j'étais au cours de danse, Warren descendait dans la cave, se défoulait avec tous les disques d'Al Jolson et mémorisait toutes les pièces d'Eugene O'Neill. En fait, nous allions nous revoir assez vite. Ce ne serait que quelques années de séparation, qui allaient nous permettre à tous les deux de faire notre chemin.

Aucun de nous deux, je crois, n'a jamais sérieusement envisagé qu'il ne réussirait pas à faire quelque chose de sa vie. Il le fallait. Nous le devions, pour pouvoir nous respecter nous-mêmes. Nous voulions nous montrer à la hauteur de nos possibilités, quelles qu'elles soient. Le pénible spectacle de gens qui ne l'avaient pas fait, qui avaient eu peur, et qui s'étaient amèrement déçus, nous l'avions tous les deux subi pendant notre adolescence. Leurs échecs, leurs frustrations étaient si évidents que nous avions, Warren et moi, une image très précise de ce que nous ne voulions *pas* être.

Une des leçons que nous avions bien apprises était de juger de nos actes et de nous conduire selon ce que nous croyions être bon pour nous et non selon ce que d'autres pouvaient croire. En dernière analyse, c'est à nous seulement que nous aurions à rendre des comptes. C'était *lui* qu'il ne voulait pas décevoir. Et c'était *moi* dont je voulais être fière.

En quittant la Virginie, ce jour-là, je me disais donc «Il fera quelque chose. Il suivra son propre chemin, comme je suis en train de le faire. » Et je savais que, quoi que ce soit, cela resterait un plan commun, établi contre l'ordre normal des choses. En un sens, je remerciais maman et papa de nous avoir involontairement conduits sur cette voie.

Quand je suis arrivée à New York, j'avais dix-huit ans, les yeux grands ouverts, j'étais optimiste, courageuse et convaincue que le monde du *show business* allait me découvrir du jour au lendemain. Il faut une bonne dose de naïveté pour supporter New York, il faut aussi un solide sens de l'humour, bizarre et masochiste.

Avec l'argent que j'avais économisé en faisant du *baby-sitting* à Arlington, j'ai pris un appartement au coin de Broadway et de la 116ème rue. C'était un appartement sous-sous-sous-loué, au cinquième étage sans ascenseur d'un vieil immeuble ; pour quarante-six dollars par mois, je disposais de deux chambres minuscules, d'une cuisine, d'une salle de bains, et d'une vue sur l'Hudson. Pour vider la baignoire, je devais soulever deux des lattes du parquet, et ouvrir le robinet qui était dessous. Pour voir l'Hudson, il fallait que je m'aligne très précisément le long d'une fente de quelques centimètres entre deux immeubles en brique. Dans une des chambres, il n'y avait pas de placard, dans l'autre, pas de fenêtre ; quant à la cuisine, elle se réduisait à une plaque chauffante, et à un petit évier crasseux.

Mais le manque de confort ne justifiait pas à lui seul la modicité du loyer. La nuit, des ombres erraient dans les couloirs, des portes s'entrouvraient et des yeux m'observaient pendant que je grimpais mes étages. L'immeuble était bourré de drogués.

La première année, j'ai partagé l'appartement avec douze filles différentes. Elles me lâchaient en me devant la moitié du loyer pour de multiples raisons dont le chômage ou des grossesses hors-mariage. Le premier problème, je l'avais aussi, pas le second.

L'une des filles sortait chaque soir à minuit pour acheter du lait et des biscuits. Je n'ai jamais rencontré personne qui aime autant le lait et les biscuits. Il lui fallait toute la nuit pour les manger. Un matin, elle est arrivée en manteau de vison; elle a déménagé l'après-midi même.

Durant mes premières semaines à New York, j'ai été initiée au royaume des punaises. Il était impossible de dormir. Je me suis plainte de mes compagnons à six pattes auprès de mon propriétaire. Il m'a conseillé de me boucher les oreilles et de fermer la bouche. J'ai fait appel à un exterminateur, qui s'est montré plus sympathique. Mais c'était un Italien de trente ans, avec d'autres appétits. Il a éliminé les punaises du lit. Mais il a laissé la vie sauve aux cafards, pour que je le rappelle.

Au début, je me nourrissais surtout de biscuits anglais, de pain grillé et de miel (pour l'énergie). Ils avaient tous un goût d'ail, car la femme du gardien en mettait tellement dans tout ce qu'elle cuisinait que personne d'autre dans l'immeuble n'avait besoin d'en acheter. Chaque soir avant de me coucher je m'asseyais et j'observais l'armée des cafards, qui défilait vers la cuisine en traversant le salon. Je pouvais presque les entendre grogner lorsque, nuit après nuit, ils n'y trouvaient que les mêmes vieilles miettes de biscuits.

L'été était étouffant, et l'appartement sombre comme une tombe. Je grimpais sur le toit par l'escalier de secours et je m'agrippais précautionneusement, dans l'espoir de tenir assez longtemps pour prendre un peu de soleil. À la place, je me retrouvais couverte de suie.

L'hiver était un cauchemar d'un autre ordre. Il manquait plusieurs vitres à la double fenêtre de la chambre. Elles n'avaient jamais été remplacées. La neige s'infiltrait entre les immeubles et s'entassait sur le sol en dessinant des formes identiques à celles des vitres manquantes tandis que je grelottais dans mon lit.

Il n'y avait pas de travail, surtout pour les danseurs. J'avais eu la chance d'être engagée pour l'été dans un théâtre de verdure du New Jersey, mais pour la saison la compétition était trop sévère. Je consacrais chaque centime que je possédais à mes leçons de danse, absolument essentielles dans le cas d'un éventuel contrat. La nourriture était moins importante. Je mangeais dans un self, où j'avais appris à économiser chaque *dime* (dix cents) d'une façon qu'aurait approuvée Horatio Alger lui-même, et que partageaient tous les apprentis-danseurs de New York. Sur le comptoir des thés glacés, il y avait de longues rangées de verres contenant chacun une tranche de citron. Je prenais plusieurs verres, j'allais les remplir au distributeur d'eau, je les rapportais à une table et j'y versais une bonne quantité de sucre. Sans que ça me coûte un centime, je me remplissais l'estomac d'une délicieuse limonade, avant de dépenser le précieux *dime* pour un pain aux raisins au beurre de cacahuète. Ça a duré environ un an, et il m'en a fallu dix de plus pour simplement envisager de regarder à nouveau une limonade ou du beurre de cacahuète.

Mes parents n'en avaient pas vraiment les moyens, mais ils étaient prêts à m'aider. Je ne leur ai jamais rien demandé. Je ne le voulais pas. J'avais choisi cette vie, je n'avais qu'à me débrouiller comme je le pouvais.

Je n'avais plus un sou et mon propriétaire avait déjà affiché mon avis d'expulsion sur la porte quand le Destin m'a conduite à une audition du Servel Ice Box Show. Ce n'était pas exactement ce dont je rêvais, mais ça allait me permettre de manger.

On engageait pour une tournée, dans le Sud. Une soirée dans chaque grande ville, devant un public de congressistes ou de représentants de la société Servel. En temps normal, ils n'auraient pu trouver que des nullités pour un boulot pareil, mais, à l'époque, même les danseurs solistes faisaient des pieds et des mains pour être engagés dans le corps de ballet.

J'étais en rang, avec les autres candidates, face au théâtre obscur, et j'attendais le commencement de l'audition lorsqu'une voix brusque appela du dernier rang : « Eh ! Vous là ! avec les jambes. »

Personne n'a bougé.

« Vous, la rousse avec les jambes jusqu'aux épaules, avancez. »

J'ai regardé à droite et à gauche. Les filles autour de moi étaient petites. « Moi, monsieur ? » ai-je demandé timidement.

— Ouais. Comment vous vous appelez?
— Shirley Beaty, monsieur.
— Shirley Batty[1]? Drôle de nom.
— Pas Batty, Beaty.
— C'est bien ce que je disais, Beauty.
— Pas Beauty. Bay-tee.
— D'accord, BAY-TEE. Vous n'auriez pas un deuxième nom?
— Si, monsieur, MacLaine.
— Parfait. Vous êtes engagée, Shirley MacLaine.
— Mais je n'ai pas encore dansé.
— Personne ne vous l'a demandé. Vous avez des jambes, n'est-ce pas?
— Oui, monsieur.
— Bon, alors, si vous voulez faire partie de ce spectacle, allez signer votre contrat avec le régisseur.
— Oui, monsieur.
— Une minute. Vous savez faire des fouettés, vous savez, tourner en rond sur le même pied?
— Oui, monsieur, voulez-vous que je vous montre?
— Pourquoi? Vous mentez?
— Bien sûr que non, monsieur.
— Bon, alors, vous voyez bien, c'est inutile. Vous devrez faire ces fouettés autour de la machine à glaçons jusqu'à ce que la glace soit prise. Et si la machine tombe en panne, vous continuez — compris?
— Oui, monsieur.

J'ai traversé la scène en songeant à ma courte vie de dur labeur, à la discipline de fer du ballet, à l'argent dépensé en leçons, aux terribles horaires auxquels je m'étais astreinte, et tout ça pour enfiler un collant de danse et rester debout.

— Attends une minute, petite. Tu as quel âge?
— Juste vingt et un ans, monsieur.
— Tu avais pourtant dit que tu ne mentais pas.
— Eh bien, je...
— Laisse tomber. C'est toi la menteuse, pas moi.

1. Batty signifie cinglé.

À Raleigh, en Caroline du Nord, la machine à glaçons est tombée en panne. J'ai fouetté, fouetté, presqu'à en devenir Chantilly, pendant que les vendeurs, à qui ce spectacle finissait par donner le vertige, sifflaient et applaudissaient pour que je m'arrête.

Dans la plupart des villes, nous jouions dans des cinémas désaffectés. Le plateau l'était aussi, et danser dessus tenait du prodige. Un pianiste et un chef d'orchestre faisaient partie de la tournée et, pour constituer l'orchestre, nous engagions des musiciens sur place.

Les musiciens avaient l'ordre de s'arrêter de jouer dès que le rideau était tombé. Le prochain lever de rideau signifiait que nous étions prêts pour le numéro suivant. Les musiciens respectaient leurs instructions à la lettre. Parfois, il arrivait que les types engagés pour baisser le rideau prennent plus de temps que d'habitude pour fumer leur cigarette, et qu'ils laissent passer le moment. Voyant que le rideau ne tombait pas, les musiciens enchaînaient sur le numéro suivant. Pour rattraper la musique, nous nous changions sur scène et nous dansions en nous habillant. Chaque fois que c'est arrivé, les représentants de Servel réclamaient un bis.

Le *Lac des cygnes* était la *pièce de résistance** du spectacle, et le fait de le danser autour d'une machine à laver Servel pimentait la chorégraphie. En tant que Reine des Cygnes, j'ai décidé de forcer un peu la dose.

Revêtue d'un superbe tutu blanc, j'avais resserré mes lacets et j'étais prête à affronter la scène difficile qui m'attendait.

Les accords majestueux du *Lac des cygnes* retentissaient dans les allées du cinéma abandonné, qui allait être bientôt transformé en bowling. En évitant ostensiblement les clous rouillés qui pointaient un peu partout, j'ai fait mon entrée.

J'avais noirci mes deux dents de devant, et j'ai dansé toute la scène un sourire béat sur les lèvres. J'ai été virée, et on m'a renvoyée à New York.

*En français dans le texte.

Chapitre 3

Mon mari et moi nous sommes rencontrés dans un bar de la 45ème rue à New York, en 1952.

Bien à l'abri dans le corps de ballet de Me and Juliet, mon esprit insubordonné s'était rapidement soumis. La routine était insupportable. La sécurité du chèque hebdomadaire, maigre mais régulier, me mettait dans mon état habituel de non-productivité. Aucun défi à relever, semblait-il.

J'ai levé les yeux. Il était debout à côté de notre table.

«Shirley», a dit ma copine du ballet, «Steve Parker».

Il était de taille moyenne, et en me levant pour lui faire de la place, j'ai vivement enlevé mes hauts talons. Il l'a remarqué, et il a souri. Nos regards se sont croisés. Dans le sien, il y avait la vérité la plus bleue que j'aie jamais rencontrée. Je m'y suis presque accrochée. Son nez et sa mâchoire étaient parfaitement dessinés, et la ligne de son menton si ferme que j'ai pensé qu'il savait exactement où il allait. Il avait environ douze ans de plus que moi. Je suis restée bouche bée.

«Salut», a-t-il dit. «Pourquoi ne pas refermer la bouche et vous asseoir? Vous buvez?»

— Non, je ne bois pas, ai-je répondu en me fourrant dans la bouche tout le haut de mon verre de Ginger Ale pour me rendre intéressante. J'avais dix-neuf ans.

— Charmant, a-t-il dit, et qu'est-ce que vous donnez comme bis?

— J'essaie de le sortir, ai-je marmonné en réalisant que le verre était coincé. Il s'est penché vers moi et m'a retiré le verre de la bouche avant qu'il ne se casse.

Je suis tombée immédiatement amoureuse de lui.

«Vous avez besoin qu'on prenne soin de vous», a-t-il dit en riant. «Ne faites plus de tour comme ça, ou je risque de tomber amoureux de vous.»

Quatre heures plus tard, il me demandait de l'épouser. Comme j'étais une respectable jeune femme originaire de Virginie, je l'ai fait attendre jusqu'au lendemain matin pour lui donner ma réponse. C'était oui.

Il n'a pas été étonné. «Bon, voilà une bonne chose de faite. Ce n'était qu'une question de temps, d'ailleurs.»

Il avait raison, et il a toujours été le seul être à avoir immanquablement raison à mon sujet. Il me connaît mieux que je ne me connais moi-même. Il sait ce qui me donne vie, et ce qui me retire la vie. Ma vie a commencé quand je l'ai rencontré.

Le monde a retrouvé ses couleurs. La frustration s'est transformée en courage et le travail pénible en concentration inspirée. Ensemble, nous lisions des livres, une sorte de livres dont je ne soupçonnais pas l'existence. Il avait voyagé dans le monde entier et bien que sa soif d'inconnu ait été en partie satisfaite, il a reconnu les mêmes aspirations chez moi. Si je voulais me connaître moi-même, disait-il, il fallait que j'apprenne à connaître les autres. Il m'a encouragée à ressortir ma vieille collection de cartes et nous nous y plongions, revendiquant comme nôtres les pays les plus éloignés, et faisant le voeu d'appréhender l'âme de chacun d'entre eux. Nous nous sommes promis de nous consacrer à essayer de comprendre les peuples et les idées, au-delà de notre petite expérience locale.

Il semblait être une extension de ce que je voulais pour moi-même, et plus je devenais dépendante de lui, plus je gagnais d'indépendance dans ma vie.

Énigmatique, l'air sophistiqué, Steve était un homme autoritaire, mal à l'aise cependant parmi les jeunes loups du milieu théâtral. Acteur de métier, shakespearien par affinités, il mettait en scène, «off Broadway», des pièces «qui voulaient dire quelque chose», mais sa formation le poussait dans d'autres directions et il ne pouvait se satisfaire du mode de vie style champ de bataille imposé par le monde du spectacle.

Il avait passé sa jeunesse à bord d'un cargo. Il avait neuf ans lors de la Grande dépression. Son père, un ingénieur naval, avait perdu son travail. La même année, sa mère avait contracté la tuberculose. La famille s'était séparée. On avait placé sa mère dans un hôpital de l'Assistance en Nouvelle-Angleterre et son père, qui cherchait désespérément un emploi, avait fini par en trouver un sur un cargo qui partait pour l'Orient — pas en tant qu'ingénieur, en tant que chauffeur.

N'ayant pas d'autres parents, Steve s'était donc embarqué avec son père et s'était installé dans la couchette d'une étroite cabine, qui était devenue son nouveau foyer. Le monde et ses ports lui avaient servi de terrain de jeu, leurs habitants, de compagnons. Monsieur Parker lui enseignait tout ce qu'on pouvait savoir sur les bateaux, y compris à pelleter le charbon, et le soir ils parlaient du monde et des lieux qu'ils visiteraient ensemble.

Dès l'enfance, l'endroit préféré de Steve avait été le Japon. Son père l'autorisait parfois à passer quelque temps chez de vieux amis de la famille, les Hasagawas. Alors, il allait à l'école dans le port de Yokohama pendant que le cargo faisait route vers Kobe, Osaka, Nagasaki, Niigata, Shanghai, Hong Kong, Taipe et revenait à Yokohama. Chaque fois que le navire retournait aux États-Unis, Steve allait en Nouvelle-Angleterre pour voir sa mère.

Le garçon aux yeux bleus, beau et robuste, et à la nature fermement indépendante, était devenu plus asiatique qu'occidental. Il faisait ses devoirs en japonais et, dès l'âge de douze ans, il parlait, lisait et écrivait plusieurs autres langues asiatiques. Mise à part la séparation d'avec sa mère, ces cinq années de vie errante lui avaient plu. En 1936, il était retourné aux États-Unis. La Dépression s'achevait lentement, et la famille avait été réunie pendant une heureuse année. Puis sa mère était morte. Son père, abattu et découragé, ne lui avait survécu qu'un an. Steve se retrouvait seul au monde. Après une adolescence de petits boulots et de maigre subsistance, il s'était débrouillé pour terminer ses études secondaires. Peu après, le bien-aimé pays de son enfance bombardait Pearl Harbour.

Il s'était engagé dans les parachutistes et s'était bientôt retrouvé combattant au corps à corps des gens avec qui il était allé à l'école. Sa connaissance des Japonais, de leur langue et de leurs coutumes, constituait un atout inestimable pour sa compagnie. Il avait donc continué le combat. Pendant une mission dans la jungle de Nouvelle-Guinée, il s'était trouvé séparé de sa compagnie. Il avait survécu grâce à des chasseurs de têtes, qui l'avaient recueilli.

Steve avait fait partie des premières troupes qui avaient débarqué à Hiroshima, après la bombe. Il avait parcouru les ruines de ce pays qu'il avait autrefois aimé. Perdu, désemparé, il avait maudit ses attaches avec les deux mondes.

Il était resté dans l'armée, aucune autre voie ne s'ouvrant alors à lui. Il avait été démobilisé à l'âge de 22 ans, avec les plus hautes distinctions et le grade de capitaine. Il retournerait dans son ancien monde, il en était sûr. La question était de savoir quand, et comment.

Steve et moi nous sommes rencontrés en 1952, mais notre passion était si intense que nous avons oublié de nous marier jusqu'en 1954. Une année décisive, d'ailleurs, pour deux raisons.

The Pajama Game était une comédie musicale adaptée du roman de Richard Bissel *Sevent Cents and A Half.* Ça parlait de la vie dans une usine de pyjamas, dans l'Iowa. Au début de l'année 1954, Steve m'a poussée à auditionner pour une place de choriste. Le metteur en scène, George Abbott m'a engagée parce que, disait-il, dès que j'ouvrais la bouche sur scène, on m'entendait respirer jusqu'au troisième balcon.

Dès que nous avons commencé à tourner le spectacle en province, pour nous préparer à affronter New York, nous avons été convaincus que nous tenions un succès et qu'une nouvelle reine allait briller au firmament des étoiles de Broadway, en la personne de Carol Haney. Aucun critique ne trouvait de mots assez forts pour exprimer son ravissement devant son talent d'actrice, de chanteuse et de danseuse.

La nuit précédant la première représentation à New York, on m'a désignée comme doublure de Carol. Je n'avais jamais répété, mais, disait le producteur, Hal Prince, «Ça n'a aucune espèce d'importance. Carol est du genre à entrer en scène avec une jambe cassée.»

La première à New York de *Pajama Game* a eu lieu le 9 mai 1954, à l'enthousiasme général des critiques, tant pour le spectacle que pour Carol. Elle était assistante-chorégraphe depuis des années, mais maintenant le public s'écrasait devant l'entrée des artistes pour apercevoir la merveilleuse artiste qu'il avait découverte «du jour au lendemain». On l'appelait la révélation de la décennie, dans le domaine de la comédie musicale.

Quant à moi, tout laissait croire que je deviendrais la choriste du siècle. Quatre soirées sont passées. Je n'avais toujours pas répété en tant que doublure, mais dès que je n'étais pas en scène, j'observais Carol depuis les coulisses et j'essayais d'apprendre le rôle, même si je doutais fort d'avoir jamais besoin de le savoir. On ne jouait que depuis quatre jours, et j'étais déjà complètement déprimée. C'était un succès! j'étais à nouveau abonnée au chèque hebdomadaire, à une agaçante sécurité, et à la routine.

Après la première matinée du mercredi, je suis rentrée à la maison pour préparer le dîner de Steve. Pendant que nous étions à table, le téléphone a sonné. C'était l'un des producteurs de *Can-Can*, qui me proposait de devenir la doublure de sa première danseuse.

«Vous devez bien vous douter, a-t-il dit, que rien n'empêchera jamais Haney de monter sur scène, alors que la nôtre cède la place de temps en temps.»

Je lui ai demandé un peu de temps pour réfléchir.

Pendant que nous finissions de dîner, nous en avons discuté, Steve et moi. Il pensait que si je trouvais que c'était au-dessus de mes forces de m'engager pour longtemps dans *Pajama Game*, je ferais mieux de quitter ce spectacle tout de suite. Nous sommes tombés d'accord et avant de retourner au théâtre, j'ai rédigé ma lettre de démission, dans l'intention de la remettre le soir même. Il se faisait tard. Je me suis précipitée dans le métro. J'aurais aussi bien fait d'y aller à pied. Le train est tombé en panne dans un tunnel et je suis arrivée au théâtre hors d'haleine, avec une demi-heure de retard.

Hal Prince et le co-producteur, Bobby Griffith, qui est mort depuis, faisaient les cent pas devant l'entrée des artistes en se tordant les mains.

— Où étais-tu donc passée?

— Je suis terriblement désolée. Le métro est tombé en panne. Je vais me dépêcher. De toutes façons, je n'entre qu'au milieu du premier acte.

— C'est ce que *tu* crois! HANEY S'EST CASSÉ LA CHEVILLE CET APRÈS-MIDI ET TU DEVRAIS DÉJÀ Y ÊTRE!

J'avais ma lettre à la main. Je l'ai vite fourrée dans mon sac. Le monde a tourné quatre fois sur lui-même, le nombre de fois où j'avais regardé jouer Carol. De mon cerveau a jailli une abominable certitude, qui ne m'a plus lâchée: *«Je sais que je vais faire tomber le chapeau melon de «Steam Heat», je sais que je vais faire tomber le chapeau melon de «Steam Heat»!*

Le numéro «Steam Heat» avait lieu au début du deuxième acte. C'était un des temps forts du spectacle. Deux hommes et une femme l'interprétaient, en chantant et en dansant. On s'y jetait un chapeau, on le lançait en l'air, on le rattrapait, et cela du début jusqu'à la fin.

Ils m'ont poussée jusqu'à la loge de Carol. J'ai demandé à quelqu'un de téléphoner à Steve. Je tremblais tellement que je n'ai pu me maquiller toute seule. (J'étais sûre de faire tomber le chapeau.) Une habilleuse a bouclé la fermeture du costume du premier acte : il m'allait. Puis les chaussures sont arrivées. Catastrophe. Je n'y casais même pas le gros orteil. J'ai couru au sous-sol, où je m'habillais d'habitude, et j'ai trouvé une paire de tennis noires, à moi. Ils n'allaient pas avec le costume, mais s'il prenait au public la fantaisie de regarder mes pieds, j'étais dans de mauvais draps de toutes façons.

Au-dessus de moi, j'entendais le public s'impatienter et taper des pieds pour protester contre le retard du lever de rideau.

John Raitt, le rôle principal masculin apprenait les paroles de ma chanson, au cas où je les oublierais et Eddy Foy, un autre des rôles principaux, était si nerveux qu'il avait vomi dans sa loge.

Je suis montée en courant et j'ai attendu dans les coulisses pendant que le régisseur entrait en scène, devant le rideau baissé, et réclamait l'attention.

«Mesdames et messieurs, la direction a le regret de vous annoncer que Carol Haney ne jouera pas ce soir. Son rôle sera tenu par la jeune Shirley MacLaine. Je vous souhaite une très bonne soirée.»

Ses derniers mots s'étaient perdus dans un brouhaha effarant. De nombreux spectateurs s'étaient levés, et se dirigeaient droit sur la caisse pour se faire rembourser. Le Chaos. De son pupitre, le chef d'orchestre, Hal Hastings, observait la scène, l'air égaré. Il ignorait complètement en quelle clé je chantais, et même si je chantais. Néanmoins, il a levé résolument sa baguette. Les musiciens se sont redressés sur leurs chaises. Ils ont commencé à jouer l'ouverture, dans l'espoir de noyer le vacarme qui régnait dans la salle.

Au milieu de l'ouverture, Steve est arrivé en courant. Pendant un instant, il est resté immobile, comme un zombie.

Puis il m'a pris la main. «Voilà qui devrait t'apprendre la patience», m'a-t-il dit. «Et dis-toi bien que la plupart des gens n'ont pas cette chance. Alors, au nom de tous ceux qui attendent, profites-en au maximum.»

Et, en marmonnant «merde*», le *bonne chance* des acteurs, il m'a tapoté le derrière et il est parti s'asseoir dans la salle. Sa serviette de table dépassait de la poche de sa veste.

L'ouverture était finie. J'avais tellement envie d'aller aux toilettes que je n'osais pas marcher.

Le rideau s'est levé.

Avec une profonde respiration, je suis allée jusqu'au centre de la scène. Du coin de l'oeil, je voyais toute la troupe, massée dans les coulisses et qui observait. Le public s'est soudainement tu. On aurait dit qu'il comprenait ce que je ressentais. Il y avait là les gens les plus importants de la profession. Ils étaient venus voir Carol Haney, et c'est moi qui étais sur scène à sa place. J'ai respiré une dernière fois, et j'ai dit ma première réplique. Ma voix, forte et rauque, m'a explosé dans les oreilles. La réplique était supposée faire rire. Rien. Juste quand j'enchaînais sur la seconde réplique, le public a ri de la première. Je n'avais pas attendu assez longtemps, je ne leur avais pas laissé le temps. Ce n'était pas parce que moi j'étais prête qu'ils l'étaient, eux. J'ai ralenti le tempo et bientôt nous étions dans le rythme. Je les ai sentis se détendre, et je me suis détendue aussi. Il n'y a rien de pire qu'un public qui tremble pour un acteur. Subitement, la vague de communication que j'avais espérée toute ma vie était là. Ce n'étaient ni les applaudissements ni les rires qui me comblaient. C'était le courant magnétique qui passait d'un être humain à un autre, en un incessant flux et reflux. J'étais enfin en phase avec le public.

John Raitt a chanté «Hernando's Hideway» à ma place et je me rappelle comme la chanson de Carol m'a paru étrange dans la voix de quelqu'un d'autre. Pendant des semaines, je l'avais écoutée dire ces répliques, chanter ces chansons; maintenant nous nous mettions à deux pour accomplir ce qu'elle faisait seule.

*En français dans le texte.

Ouverture du deuxième acte, «Steam Heat». Le smoking de Carol m'allait, et même le chapeau melon, fait à ses mesures, tenait sur ma tête.

La trompette a joué en sourdine dans la fosse tandis que le rideau se levait sur un numéro qui était déjà considéré comme un classique de la comédie musicale. Tous les trois, nous sommes restés en place tant que les applaudissements ne se sont pas calmés. Je retenais ma respiration, je sentais le poids du chapeau melon sur ma tête, j'avais envie de répéter une fois encore le premier des mouvements.

À l'unisson, nous avons dansé jusqu'à la rampe, nous avons lancé nos chapeaux en l'air et nous les avons rattrapés au même moment. Le public a applaudi de nouveau. J'allais peut-être m'en sortir, après tout. La trompette menait à son crescendo l'orchestre qui swinguait. On aurait dit que le théâtre se balançait. Chaque mouvement a parfaitement marché. Puis la musique s'est arrêtée. C'était le moment de la «pièce de résistance*», que nous jouions dans le silence.

Nous tournions le dos au public. À l'unisson, nous enlevions nos chapeaux, nous les laissions rouler le long de nos bras, nous les lancions très haut et les rattrapions quasiment d'un même mouvement. Et c'est arrivé. J'ai fait tomber mon chapeau. Le public a eu un hoquet. Le chapeau a roulé jusqu'au bord de la fosse d'orchestre, où il a eu le bon goût de ne pas tomber. Comme je tournais le dos au public, et que je n'avais pas vraiment réalisé que je n'étais plus dans le choeur, je n'ai pas eu le réflexe de contrôler ma réaction.

«Merde», ai-je marmonné, en pensant que mes deux partenaires seraient les seuls à m'entendre.

Les premiers rangs ont eu un nouveau hoquet, et le mot s'est répandu dans toute la salle. Et voilà, me suis-je dit, j'ai fait tout ce chemin, j'ai attendu tout ce temps et maintenant... quelle façon d'en finir!

*En français dans le texte.

J'ai couru jusqu'à la rampe, j'ai ramassé le chapeau, j'ai fait un vague signe d'excuse au public et j'ai fini le numéro. Je ne me rappelle pas grand'chose d'autre. J'ai oublié s'ils ont applaudi ou non, et tout le reste du second acte est flou.

Le spectacle était fini. Le rideau s'est baissé et relevé pour le salut.

Le public s'est levé. Il ovationnait, envoyait des baisers. Je me sentais comme enveloppée dans une caresse géante. La troupe a reculé, a formé un demi-cercle autour de moi et a applaudi aussi.

J'étais debout, seule, dans la veste de pyjama rayée assortie au pantalon de bagnard d'Eddy Foy. J'ai ouvert les bras et j'ai invité le reste de la troupe à se rapprocher et à partager l'ovation mais ils ont reculé encore, en me laissant au centre de la scène. J'ai été submergée par un terrible sentiment de solitude. Un danseur est habitué à faire partie d'une équipe. Il consacre son talent à devenir le maîllon d'une chaîne, il ne pense pas à lui-même comme à quelqu'un de différent, de spécial. Ce désir existe certainement, mais il est continuellement refoulé. Ce soir-là, le soir de *Pajama Game*, tout a basculé. J'étais en dehors de la chaîne, je me sentais seule et pourtant je savais que, dorénavant, j'avais une famille. Le rideau se levait et se baissait, encore et encore. Les applaudissements se prolongeaient. Maintenant, je savais qu'à tout moment je pourrais sortir du rang et exister. Je m'appartenais et il ne me restait, dorénavant, qu'à travailler à l'épanouissement de ma personnalité, du mieux que je pouvais. Plus de dents noircies, plus de machines à glace. Tout avait changé. Il me fallait penser à un autre niveau, plus élevé, de travail et de combat. Le talent n'est rien d'autre que de la sueur.

Je suis allée m'effondrer dans ma loge. Steve m'attendait. «Il va falloir que tu travailles», a-t-il dit. «Ta scène d'ivresse du second acte était complètement ratée, donc, la première chose à faire est de te sortir d'ici et de t'emmener te saoûler quelque part, comme ça, tu sauras l'effet que ça fait.» En souriant, il essuyait la transpiration qui me coulait sur le visage. «Au fait, tu as été formidable.»

— Vraiment?

— Pour eux, oui. Mais tu as encore un long chemin à faire.

— Merci, ai-je marmonné, en lui en voulant un peu de ne pas me laisser me reposer sur mes lauriers.

— À propos, ce merde était absolument déplacé. J'imagine qu'une fille peut arriver à sortir du choeur, mais qu'on a plus de mal à sortir le choeur de la fille. Je viens de parler avec Hal Prince. Carol Haney ne reprendra pas avant trois semaines. Allons nous saoûler, maintenant.

Le deuxième soir où je remplacais Carol Haney, j'ai rencontré un autre des hommes qui allait bouleverser le cours de ma vie. Je ne le savais pas, à l'époque, mais nous allions plus tard nous affronter violemment, tant en justice que sur des scènes pas du tout judiciaires. Les paroles qu'il a prononcées sont celles que toute jeune Américaine normalement constituée est supposée mourir d'envie d'entendre.

«Mademoiselle MacLaine, a-t-il dit, je m'appelle Hal Wallis, et je désire vous proposer un contrat de cinéma, à Hollywood.

Il était venu m'attendre dans les coulisses, je sortais de ma loge.

Hal Wallis...

Un homme bien habillé, manifestement prospère, légèrement voûté, les yeux malins et calculateurs, le visage ressemblant à une poire bronzée. Je connaissais son nom, je savais que c'était un producteur important, mais je n'allais tout de même pas me pâmer devant lui.

— C'est bien vous qui faites tous ces films avec Dean Martin et Jerry Lewis? ai-je demandé.

— Oui. Je les ai découverts, eux aussi.

— Aussi?

— Oui, et je viens de vous découvrir. J'étais dans la salle, ce soir.

— Vous voulez dire que vous allez faire de moi l'une de ces filles qui montent et qui descendent les escaliers en maillot de bain jaune?

— Vous avez une préférence pour une autre couleur?

Et ce n'était qu'un avant-goût de ce qui allait suivre.

Comme l'avait proposé Wallis, nous l'avons retrouvé, Steve et moi, un peu plus tard. Je portais un jean, assorti à celui de Steve. Nous avions rendez-vous au bar de l'hôtel Plaza pour discuter sa proposition.

Le maître d'hôtel, sans doute prévenu du fait que nous risquions d'être non-conformes, nous a conduits, nous et nos jeans, jusqu'à une table de coin; là, Wallis, qui avait ravalé son souci des apparences et arborait une grimace mi-figue mi-raisin, nous a accueillis.

Après l'apéritif, nous avons pris un potage, de la salade, d'épais steaks saignants, des pommes de terre au four et des salades de fruits. Mais Wallis se contentait de grignoter quelques céréales. Au fur et à mesure de la conversation, j'ai compris pourquoi. Il entretenait une relation très particulière avec ses quelque quarante millions. Il ne supportait pas de se séparer d'un seul des sous qui en faisaient partie.

Il m'offrait un contrat de sept ans assorti de clauses privilégiées, privilégiées surtout pour lui. Après avoir terminé la dernière cuillerée de notre dessert, Steve et moi avons décidé qu'il était préférable de remettre cette décision à plus tard, lorsque j'aurais un agent pour me représenter. Et nous voulions savoir si d'autres propositions nous seraient faites.

Nous avons remercié Wallis et nous sommes rentrés chez nous pour travailler ma scène d'ivresse.

Les agents flairent vite la chair fraîche. Sur le pas de ma porte, des représentants de trois agences m'attendaient. Si, une semaine plus tôt, j'avais essayé d'obtenir un rendez-vous avec n'importe lequel d'entre eux, je n'aurais même pas réussi à sortir de l'ascenseur. En regardant Steve discuter avec eux, je me demandais comment moi ou n'importe quelle autre fille de mon âge pouvait s'occuper de ça toute seule. Je comptais sur lui pour tout.

Tout en continuant à tenir Wallis à l'écart, je me suis efforcée, avec l'aide de Steve, d'améliorer ma prestation dans *Pajama Game*. Chaque soir, après la représentation, Steve me faisait répéter et invitait certains metteurs en scène de ses amis à me donner leur avis et à me faire part de leurs critiques. Il m'a aussi trouvé un agent de confiance, qui ne semblait pas affilié à la corporation des requins, et qui s'est débrouillé pour que des représentants de toutes les grandes compagnies de Hollywood viennent me voir jouer.

Ils sont venus, ils ont regardé, et je me demandais pourquoi ils se donnaient tout ce mal. Quand nous parlions, je découvrais qu'il n'y avait que deux choses qui les intéressaient:

1. Quelles étaient mes mensurations?

2. Accepterais-je de jouer n'importe quoi?

Aucun ne m'a fait d'offre concrète. Il ne restait plus que Wallis, l'homme au nez de limier.

J'ai demandé son avis à Hal Prince. «Ne va pas à Hollywood tout de suite, a-t-il répondu. Tu n'as pas assez d'expérience. Reste à Broadway, fais quelques spectacles de plus.

— Dans le choeur?

— Ça n'a pas d'importance. Si tu pars pour Hollywood dès maintenant, on n'entendra plus jamais parler de toi.

Mon nouvel agent a négocié mon contrat avec Wallis. Il ne me liait que pour cinq ans au lieu de sept.

J'ai signé avec Wallis.

Hal Prince s'est lamenté: «Tu le regretteras.»

Carol Haney est revenue, j'ai repris ma place dans le choeur et j'ai attendu que Hal Wallis m'appelle à Hollywood.

Deux mois plus tard, Carol avait une laryngite épouvantable. Elle ne pouvait pas dire un seul mot. Une fois encore, je l'ai doublée, et une fois encore il y avait quelqu'un d'exceptionnel dans le public: un représentant d'Alfred Hitchcock.

Il est venu dans ma loge après la représentation.

«Monsieur Hitchcock cherche quelqu'un qui ait l'air susceptible d'avoir des visions pour jouer le rôle principal de son prochain film, *The Trouble with Harry*, a-t-il déclaré. Je crois que vous feriez très bien l'affaire.

— Moi? Mais je suis déjà sous contrat, avec Hal Wallis, l'ai-je prévenu.

— Monsieur Hitchcock le sait. Il voudrait vous rencontrer demain à son hôtel, le St. Regis. Si vous lui plaisez, il s'arrangera avec Wallis.

Le lendemain, à l'heure dite, j'ai sonné à la porte de la suite d'Hitchcock. «Entrez, ma chère». C'était bien son accent, parfaitement reconnaissable. Il a ouvert la porte. «Asseyez-vous, et dites-moi dans quels films vous avez joué.»

Je me suis dit, bon, ça va être vite liquidé. «Aucun, monsieur.»

Hitchcock m'a regardée en hochant la tête. Il arpentait la pièce. «Y a-t-il une émission de télévision que je pourrais visionner?»

— Non, monsieur, je n'ai jamais fait de télévision.

— Bon. Et à Broadway, dans quels spectacles avez-vous joué un rôle?

— Dans aucun, monsieur, je suis choriste.

Il arpentait toujours la chambre. «Vous voulez dire que vous n'avez jamais joué?»

— Non, monsieur. Sauf en doublure.

Il s'est brusquement arrêté. Tout d'un coup, il a levé la jambe, a posé lourdement le pied sur un fauteuil, et reposé son coude sur son genou, le tout en un seul mouvement. «Voilà qui vous laisse comme deux ronds de flan, n'est-ce pas?»

— En effet, monsieur. Je me suis levée. «Dois-je m'en aller, maintenant?»

— Bien sûr que non. Asseyez-vous. Tout cela signifie que j'aurai à vous débarrasser de beaucoup moins de mauvaises habitudes. Je vous engage.

Je suis tombée à la renverse dans mon fauteuil.

— J'aurai besoin de vous sur le tournage, dans le Vermont, d'ici trois jours. Pouvez-vous vous libérer?

J'avais envie de répondre, «Aussi sûr qu'une mule a un derrière», mais je ne le connaissais pas assez bien.

J'ai quitté le Saint Regis dans un rêve, et j'ai flotté jusque chez moi. Steve m'attendait. J'ai claironné la nouvelle. Le Vermont, dans trois jours. Et, en fin de compte, je n'aurais pas à porter de maillot de bain jaune.

Steve était heureux. En plus de tout le reste, le tournage avait lieu dans la région où il avait passé une partie de son enfance.

Mais quand nous avons annoncé la nouvelle à Hal Prince et à Bobby Griffith, ils ont trouvé que nous commettions une grave erreur.

— Mais acceptez-vous de rompre mon contrat de choriste? ai-je demandé.

— Pourquoi pas? Tu reviendras.

Le lendemain, entre la représentation de l'après-midi et celle du soir, Steve et moi nous sommes mariés, ce qui n'a surpris personne.

Après la cérémonie, je suis retournée au théâtre pour ma dernière apparition dans *Pajama Game*, j'ai remercié Hal et Bobby d'avoir été aussi compréhensifs, j'ai dit au revoir à tout le monde, et je suis partie pour ma nuit de noces, l'une des plus cocasses, sans aucun doute, des annales matrimoniales.

J'ai connu un couple qui avait passé sa nuit de noces à jouer aux dames, entièrement nus. La nôtre n'a pas été tout à fait aussi terrible, mais presque. Et ça n'a même pas été pour raisons psychiatriques, mais pour raisons légales.

Selon les lois en vigueur à New York, avant de me marier, j'étais mineure. C'étaient mes parents qui avaient signé mes contrats avec mon agent et avec Wallis. Maintenant que j'étais mariée, j'avais beau n'avoir toujours que vingt ans, j'étais considérée comme majeure. Je pouvais, si je le voulais, annuler mes contrats et les renégocier moi-même.

Je n'avais pas, à l'époque, l'intention d'annuler mon contrat avec Wallis. Mais mon agent, que nous avions cru de confiance et indépendant, l'entendait autrement. Il avait presque immédiatement revendu la moitié de mon contrat à Famous Artists, une énorme agence, et j'étais en droit de lui en vouloir.

Les agents ont une sorte de sixième sens qui les prévient lorsque l'un d'entre eux est en conflit avec un de ses «poulains». Une fois encore, j'étais une proie intéressante, et le fait de tourner avec Hitchcock me donnait apparemment un nouveau lustre.

J'avais sous-loué mon appartement le matin même; Steve habitait au Lambs Club, dont les femmes n'avaient pas le droit de franchir le seuil. Comme nous n'avions pas d'argent, nous avions pris une petite chambre au Picadilly Hotel, juste en face du théâtre.

Après avoir fait nos adieux, nous avons quitté le théâtre par l'entrée des artistes.

Dès lors, c'est devenu la tarte à la crème.

Six représentants de Famous Artists bloquaient le chemin. Ils brandissaient de nouveaux contrats, nous les agitaient sous le nez, jouaient des coudes, se marchaient mutuellement sur les pieds, en criant: «Résiliez, résiliez!... Signez avec nous! Nous ferons de vous une étoile. Votre nom en lettres de feu... Signez votre nouveau contrat ici même!»

Nous nous sommes repliés à l'intérieur du théâtre et nous leur avons claqué la porte au nez. Nous avons couru vers l'entrée du foyer, et là nous avons eu droit à une autre scène de foule, une clique agglutinée, la bave aux lèvres, les yeux brillants. Quand nous nous sommes montrés, un homme très petit a tenté de se glisser à travers les barreaux de la caisse pour parvenir jusqu'à nous. Nous nous sommes enfuis à nouveau et nous avons demandé au veilleur de nuit de nous aider. Il nous a fait sortir du théâtre par un passage secret si ancien que Fanny Brice et Nicky Arnstein avaient dû l'emprunter et nous sommes arrivés au Picadilly en croyant que nous avions échappé au pire.

En sortant de l'ascenseur, nous avons vu que la porte de notre chambre était grand ouverte. Entassés dans la chambre comme des sardines dans une boîte, il y avait d'autres agents, brandissant d'autres contrats et nous menaçant de la pointe de leurs stylos à bille.

Le placard était vide. Toutes nos affaires avaient disparu.

«Nous vous avons réservé la Suite nuptiale à l'hôtel Sherry Netherlands, aux frais de Famous Artists», a déclaré un homme noiraud qui était en fait le président de Famous Artists. «Et nous y avons fait transporter vos vêtements, pour les faire repasser.»

Une énorme bouteille de Champagne trônait sur la petite table branlante, un magnum, avec du caviar sur de la glace, tout autour. Un type rondouillard aux cheveux coupés en brosse faisait de grands gestes vers la bouteille de Champagne. «Avec les félicitations de la William Morris Agency», clamait-il.

En équilibre précaire près du bord de notre lit conjugal, il y avait une pièce montée d'un mètre de haut. Un mot y était épinglé : «Nous reviendrons plus tard, quand les autres crétins seront partis!» C'était signé MCA.

J'ai éclaté de rire.

Steve a pris les choses en main. «Eh bien, messieurs, que nous suggérez-vous de faire? Il est évident que nous ne pouvons pas signer avec vous tous.»

Le président de Famous Artists, celui qui nous avait déménagés au Sherry Netherlands, a pris la parole :

— Voulez-vous que nous allions à la Suite nuptiale, et que nous discutions de tout cela dans un environnement plus agréable?

— À condition qu'on y aille tous, se sont exclamés les autres.

— Une limousine attend en bas, offerte par William Morris, a dit le noiraud. On y va?

Steve et moi échangions des regards amusés. «Shirley et moi, nous aimons marcher, a-t-il répondu. Nous vous rejoindrons.»

Leur réaction a été apoplectique. Ils ont tous cru que nous voulions fuir, ou que nous allions nous rendre à un rendez-vous avec l'un d'entre eux au détriment des autres.

Ils nous regardaient, et se regardaient mutuellement, d'un oeil soupçonneux. Comme des déménageurs professionnels, ils ont ramassé tout ce qu'il y avait dans la chambre, et nous nous sommes mis en route.

L'étrange caravane s'est ébranlée, conduite par Steve et moi. Des agents, encore des agents, marchaient derrière nous, en portant le Champagne, le caviar, et la pièce montée. La limousine et son chauffeur intrigué avançaient lentement sur la chaussée, à notre rythme.

Nous avons pris la direction de l'est par la 44e Rue, jusqu'à la Cinquième Avenue, puis nous sommes remontés jusqu'à la Cinquante-neuvième, où se trouve le Sherry Netherlands. C'est la pièce montée la responsable : à mi-chemin, un passant a crié : «Hé, belle dame, lequel est le mari?»

Tout le monde s'est retrouvé dans le hall du Sherry Netherlands et on nous a fait monter vers les fastueuses régions supérieures. La suite ressemblait à un décor de conte de fées. Elle était peuplée d'autres méchants agents. Un buffet royal était servi sur une table de quatre mètres de long, recouverte de Damas d'un blanc de neige et flanquée de gens qui ressemblaient à la Garde royale de la Couronne d'Angleterre.

Nos vêtements fraîchement repassés étaient accrochés dans les trois placards de la chambre à coucher et une femme de chambre s'affairait non loin, au cas où nous aurions eu envie de nous changer.

Le lit de noces était recouvert de dentelle suisse d'un blanc éclatant. De chaque côté du lit, les lampes de chevet ressemblaient à des sorbets à la pêche. La salle de bains était tout en verre, et la baignoire encastrée était grande comme une piscine. Les lavabos s'élevaient comme un bijou de porcelaine blanche dans un océan de moquette rose et on aurait pu jouer au polo dans le vaste espace qui s'étendait entre le lavabo et la baignoire.

Si un tel décor ne pouvait pas tuer un mariage, c'est qu'il était indestructible.

«Hey ! Steve ! ai-je crié en écoutant l'écho de ma propre voix, crois-tu que nous devrions leur demander s'ils veulent rester et regarder ?»

Ce n'était pas la peine de leur demander. Une longue nuit de veille allait commencer.

Installé dans un bon fauteuil, Steve a débouché le Champagne et a invité tout le monde à boire avec lui. Les agents, impressionnés par ce geste de camaraderie, ont accepté, tout comme les Gardes royaux. Ce qu'ils ignoraient, c'est que plus Steve boit, plus il parle. Si on organisait un marathon de boisson et de paroles, il gagnerait haut la main.

Le téléphone sonnait sans arrêt. Les bureaux à Hollywood des différentes agences appelaient pour connaître l'évolution de la situation. Steve interceptait tous les appels et parait à toutes les questions par un interminable commentaire sur les Brooklyn Dodgers et sur les projets d'interdiction des essais nucléaires.

Les agents étaient perchés sur le bord des fenêtres, sur les bras des fauteuils, sur le bureau. Leurs yeux s'embrumaient et Steve les envoyait au tapis un à un. Un peu après minuit, les Gardes royaux se sont envolés sur leurs chapeaux.

Je me suis endormie sur le sofa, et quand je me suis réveillée, à sept heures le lendemain matin, les agents étaient encore là, affalés dans tous les coins de la pièce. Et Steve parlait toujours.

À pas feutrés, nous nous sommes changés et nous avons fait nos valises. Avant de partir, nous avons sauté sur le lit voluptueux, juste pour pouvoir dire que nous nous en étions servi. Puis nous sommes partis pour l'aéroport, direction le Vermont, et le monde du cinéma. Je me suis dit que beaucoup de temps s'était écoulé depuis que, debout dans ma cuisine, je trempais mes biscottes dans le tabasco.

Chapitre 4

L'équipe technique était en plein boulot. Tout le monde hurlait.

«Pique-la moi un peu!»

«Chauffe-la de deux points!»

«Okay. Maintenant, tu la baises!»

«Dans tes marques, mannequin, ou je te coupe en deux!»

«Pique-moi un glingue dans c'te feuille!»

Alfred Hitchcock s'est approché de moi en se dandinant, l'oeil pétillant, son ventre rond en avant.

— Bonne période suivant la mort, a-t-il dit.

— Je vous demande pardon?

— Véritable lame, ma chère, véritable lame.

— Comment?

— Et après votre première réplique, pattes de chien.

D'accord, j'étais comme deux ronds de flan.

Quand j'ai pu me faire traduire, j'ai compris le sens de tout ça. Les techniciens avaient dit:

«Baisse un peu ce projecteur!»

«Remonte-le deux degrés!»

«C'est bon. Fixe-le!»

«À ta place, acteur à la manque, ou tu ne seras qu'à moitié dans la lumière!»

«Débrouille-toi pour que ce décor tienne debout!»

Quant à Hitchcock, il m'avait dit, dans son argot personnel :

— Bonjour[1]

— Détendez-vous[2]

— Après votre première réplique, faites une pause.[3]

Je le regardais, l'oeil rond.

«Détendez-vous», a dit Hitchcock.

Nous étions au Vermont, et pourtant nous n'y étions pas. Le Vermont était le monde réel. Nous étions dans un nouvel et étrange royaume mythique qui possédait ses propres lois et ses propres valeurs : une maison de production de Hollywood en tournage. Ses citoyens, dont je faisais maintenant partie, se conduisaient comme si les territoires environnants (Rutland et Stowe) n'existaient pas. Les drapeaux de notre pays étaient faux, et fabriqués en papier monnaie; les mots d'ordre nationaux étaient Travaillez, Prenez du bon temps et Oubliez, ou, parfois, Apprenez et Écoutez. La structure sociale était aussi rigide et précise que n'importe quelle hiérarchie militaire : nom, grade, montant du salaire.

L'assistant-metteur en scène s'est approché de moi, soucieux de préserver l'ordre hiérarchique.

— Pourquoi mangez-vous sous cet arbre, avec eux?

— Parce qu'elle me coiffe, qu'il me maquille, et que ce sont les seules personnes que je connaisse sur tout ce tournage — et que ce sont mes amis.

— Vous déjeunerez à la table à nappe rouge et aux couverts d'argent qui a été dressée spécialement pour vous. Vous êtes la vedette.

— Un jour, peut-être, ai-je répondu. Pour l'instant, je suis une choriste.

1. Jeu de mots intraduisible : Good morning, bonjour en anglais, se prononce comme mourning, deuil.

2. Jeu de mots intraduisible : relax, détendez-vous en anglais, se prononce comme Real Axe, vraie hache.

3. Jeu de mots intraduisible : pause se prononce en anglais comme paws, pattes d'un animal.

En soupirant, il s'est penché vers moi pour m'aider à me relever. «Si vous voulez réussir, vous devez jouer le jeu. Venez avec moi, maintenant.»

Tristement, j'ai remarqué que mes deux amis les sous-fifres, se dépêchaient de partir en terminant leur carton de lait. On n'embarrasse pas une vedette de sa camaraderie.

J'ai remis mes hauts talons. Ni le vin français ni l'échelon supérieur ne se négocient sans chaussures.

Sur un tournage de film, tous les frais sont pris en charge par la compagnie. J'avais un mal fou à réaliser que je pouvais manger tout ce que je voulais sans avoir à payer. Chaque matin, au petit déjeuner, je prenais des crêpes, des saucisses, des oeufs, quatre toasts avec de la confiture et un jus d'oranges pressées. Comme dessert, je me faisais apporter une de ces gaufres au sirop d'érable du Vermont fabriquées à la frontière de notre résidence. Vers onze heures du matin, je fonçais à la salle à manger prendre une part de tarte aux pommes faite maison et du café. Au déjeuner, je me resservais deux ou trois fois de tout, et je reprenais de la tarte aux pommes avec de la glace. À l'heure du thé, la compagnie proposait d'exquises pâtisseries à la française, avec crème fouettée et copeaux de chocolat. Lorsque sonnait l'heure du dîner, je mourais encore de faim. Après un gros steak, des pommes de terre au four accompagnées de crème aigre et de ciboulette et du pain chaud beurré, je commandais un homard du Maine, que la compagnie faisait venir par avion, et quel que soit le dessert que le chef avait préparé ce jour-là, j'en prenais deux parts avant d'aller me coucher.

En trois semaines, j'avais pris douze kilos. J'avais commencé le film mince et svelte. La dernière fois que j'ai enterré Harry, je ressemblais à un ballon dirigeable.

... Et, sur un tournage, les gens prenaient vraiment soin de vous. J'ai senti un grain de poussière s'infiltrer dans mon nez. Je me suis mouchée dans un Kleenex, mais la poussière était bien installée, ce n'était plus qu'une question de temps, maintenant. À côté du plateau, j'observais avec ferveur la technique des autres acteurs, j'essayais d'apprendre comment on se comporte dans une production qui coûte trois mille dollars par jour. Mais le grain de poussière était monté trop haut, et je ne pouvais plus me retenir.

«Atttchoummm!» J'ai éternué très fort, gâchant une bonne prise. «Je suis terriblement désolée», ai-je marmonné pour m'excuser, mortifiée jusque dans l'âme.

«Désolée, bon sang!» a crié l'assistant-metteur en scène. «Pour l'amour du ciel, les gars, je me fous éperdument de la foutue chaleur qu'il fait ici, fermez toutes les portes! La petite risque de tomber malade!» Voilà qui satisfait le Narcisse qui sommeille en vous.

... Et le fait que je sois en lune de miel était si romantique que l'imagination affamée d'amour de la compagnie s'en était emparée.

«Qu'est-ce qui a bien pu lui passer par la tête, de se marier à ce stade de sa carrière? Elle ne devrait avoir aucun lien.»

«Elle a dû être mal conseillée. En tous cas, il est interdit de plateau.»

J'ai dû abandonner la protection du mur contre lequel je m'appuyais pour répéter la scène du long et passionné baiser avec mon partenaire — dix fois, avant que ce soit assez convaincant pour être tourné.

Chaque matin à quatre heures et demie, le tonnerre frappait à ma porte. C'était le messager, le héraut, qui m'enjoignait d'entrer à nouveau dans le royaume.

Je quittais Steve, et je me mettais en route dans l'air froid du Vermont. Quand le soleil se levait et que les caméras étaient prêtes à tourner, je devenais la capricieuse jeune veuve du scénario, et je me traînais dans le paysage vallonné du Vermont en enterrant, creusant et enterrant encore le corps de mon mari jusqu'à ce que je manie la pelle, que j'essuie la saleté et que je sourie, avec la dose exacte de désinvolture voulue par monsieur Hitchcock.

Je quittais Steve. Cette pensée me faisait mal. Fallait-il en passer par là? Avais-je travaillé toute ma vie pour réaliser mon rêve de m'exprimer à la seule fin de m'apercevoir, lorsque cela arrivait enfin, que l'essence même de mon existence en était compromise? Je repensais à l'année de mes vingt ans. Sous de nombreux aspects, elle avait été bonne. Mais notre histoire d'amour ne faisait que commencer. Je quittais Steve, en ces froids matins d'automne, et il semblait le comprendre. La véritable histoire n'a commencé que lorsque la situation s'est inversée.

Steve et moi sommes arrivés à Hollywood pour terminer *Mais qui a tué Harry* avec un dollar trente-cinq en poche. Tout ce que nous possédions, y compris une avance sur mon salaire du film, nous l'avions dépensé pour payer nos dettes à New York et organiser notre nouvelle vie au pays de la frime.

Les yeux brûlants et à demi fermés par le smog, nous avons vu nos premiers habitants de Hollywood. Ils étaient bronzés, ils avaient les dents couronnées et portaient d'immenses lunettes noires. Ils avaient bien des visages, mais pas d'yeux. Le soleil éclaboussait chaque recoin et les immeubles d'un blanc éclatant me faisaient loucher.

C'en était fini de l'atmosphère tendue et affairée de New York. Ici, les gens bougeaient au ralenti.

Les hommes en shorts de tennis, ingurgitant des gin tonic et naviguant dans les couloirs de l'aéroport, ne travaillaient pas vraiment pour les compagnies aériennes. Ils étaient les cadres surpayés de Hollywood, qui avaient fait leur chemin dans la vie. En Californie, les plus gros contrats de l'industrie du film se décident sur des terrains de golf, ou au bord de piscines turquoise où l'odeur de viande grillée flotte sur une douce brise, où circulent des airs de jazz provenant des chaînes stéréo de maisons dont les gens ne sortent que rarement.

Accompagnés par un représentant de la MCA toujours sous influence newyorkaise (costume noir, cravate noire) on nous a emmenés en Cadillac faire le tour de Bel-Air et de Beverly Hills, qui, avec leurs avenues bordées de palmiers et leurs rond-points, leurs Rolls Royce et leurs jardiniers japonais, étaient les duchés d'émeraude, les voluptueux, les chatoyants reflets des fabuleux profits qui coulaient à flot de l'industrie du film.

Des gouvernantes en uniforme blanc poussaient de luxueux landaux, afin de donner aux duchesses le temps de se languir dans le confort pastel de leurs patios et de, parfois, se déplacer pour laisser pendre une fine main dans l'eau de la piscine.

Habillés de dentelle suisse et tenant de splendides jouets, les enfants des heureux privilégiés de cette terre étaient menés par la main, et évitaient les flaques de boue dans lesquelles ils auraient peut-être aimé jouer. Surveillés par leur gouvernante, ils conduisaient de vraies petites automobiles, ou montaient des chameaux propulsés par des batteries, qui d'un mouvement de balancier, leur faisaient traverser le désert jusqu'à la nuit tombée.

Pour Steve et moi, chacune de ces maisons était un palais, et une nouvelle surprise. Elles s'élevaient sur le sommet de collines cultivées ou se nichaient, en forme de L ou en forme de U, le long de pentes ombrageuses; on aurait dit des pierres précieuses, serties dans un tapis de jade. Nous avons contemplé ce pays enchanté jusqu'à en avoir mal aux yeux, et notre sens des réalités nous a rappelé que nous étions complètement fauchés.

Beaucoup de temps a passé avant que nous ne retournions à Beverly Hills ou à Bel-Air, même en passant. Nous avons alors réalisé que ce que nous avions vu en ce premier après-midi n'était qu'une vision superficielle. Hollywood n'était pas vraiment comme ça. Pas exactement.

Nous avons acheté à crédit une Buick verte d'occasion. Elle ressemblait à un char. Nous l'avons payée quarante-cinq dollars. Nous sommes partis pour Malibu, où nous avons loué un minuscule appartement dans un immeuble bâti sur pilotis, qui tremblait à chaque vague qui venait s'écraser à ses pieds. Je me levais tous les matins à quatre heures et demie pour faire la maîtresse de maison: je repassais, je lavais, je faisais le ménage et je cuisinais, avec un livre de recettes (bizarrement, tout avait le même goût que dans le Self). À six heures, Steve me conduisait au studio où étaient tournées les dernières séquences de *Mais qui a tué Harry?*

Un soir tard, en revenant du studio, nous étions arrêtés à un feu rouge et nous bavardions tranquillement lorsque quelque chose nous a brutalement heurtés par derrière. Je me suis retrouvée les pieds en l'air. J'ai appelé Steve, en hurlant. Je ne savais plus où était le haut, où était le bas, je ne pouvais plus remuer la tête. La voiture s'est arrêtée. Nous avions valsé à vingt mètres de l'autre côté de l'autoroute, face à la circulation qui venait en sens inverse. Le coffre était sur le siège avant, et Steve était coincé dessous. «Ça va?» m'a-t-il crié. Il était par terre, dans une position impossible, l'un de ses bras passé dans le volant.

Quand j'ai vu ce qui lui était arrivé, la rage m'a aveuglée. Je suis arrivée à m'extraire de la voiture et j'ai couru à la voiture qui nous avait heurtés. Une blonde oxygénée était assise au volant, calme, comme s'il ne s'était rien passé. Je l'ai accablée d'injures. Elle a souri. Je me suis rendu compte qu'elle était sonnée, et j'ai abandonné.

Steve a été transporté à l'hôpital en ambulance. Il souffrait de graves blessures et d'une vertèbre déplacée. J'ai porté une Minerve pendant un mois. Je ne l'enlevais qu'au moment où le metteur en scène criait «Moteur».

On a découvert que la blonde était notre voisine. Quant à la Buick, elle a été remplacée par le tardif cadeau de mariage de Hal Wallis, une MG. Steve étant à l'hôpital, je n'avais pas le choix. J'ai appris à conduire.

Quand *Mais qui a tué Harry?* a été fini, on s'est mis à parler de moi comme d'une jeune étoile qui monte. Le nom de famille de Steve, personne ne le connaissait. Le service de publicité a «suggéré» qu'il serait bon qu'on nous voie à des «premières». J'ai emprunté une vieille robe de Joan Crawford au département des costumes et nous sommes arrivés, sans chauffeur, dans notre MG — une voiture vraiment peu faite pour les robes longues. Tandis que je me débattais pour sortir mes jambes, des stars, du passé et du présent, des célébrités, jeunes ou vieilles, montantes ou sur le déclin, émergeaient de leurs limousines avec chauffeur et foulaient l'épais tapis marron déroulé de la chaussée au foyer de la salle, acclamées par des hordes d'admirateurs.

Les stars n'assistaient bien évidemment pas aux premières pour voir les films. Elles venaient pour être vues, et leurs entrées étaient des concours d'applaudissements. Les rois et les reines de Hollywood avançaient royalement sur le tapis, l'air indifférent au brouhaha. Mais tous leurs sens, tels des potentiomètres, enregistraient soigneusement chaque décibel. «Trois minutes d'applaudissements, ce soir; la semaine dernière c'était quatre. Peut-être que ma robe ne me va pas, peut-être que j'aurais dû attendre trente secondes de plus dans la limousine, pour être sûre qu'il n'y avait plus personne sur le tapis. Quelle est cette agitation derrière moi? Est-ce que je devrais me retourner pour regarder? Non, ils me verraient manifester de l'intérêt pour quelqu'un d'autre. Je vais quand même glisser un oeil. Oh! c'est cette idiote de blonde ingénue de la télévision. Qu'est-ce qu'ils ont donc à hurler comme ça? Elle entre dans leur salon tous les jeudis soir, alors pourquoi toute cette excitation? Il y en a mille comme elle.»

Et cetera et cetera. Voici une vision de paradis en hermine blanche, un flocon de neige surmonté d'une masse de cheveux rouges. Voici une svelte panthère moulée de lamé or, couronnée d'un turban d'or. Voici une glace à l'abricot, avec des noeuds de velours chocolat juste où il faut, amoureusement pendue au bras du chevalier servant que lui a choisi le service publicité.

Et les hommes — des pingouins amidonnés de frais, de nouvelles dents éclatantes de blancheur, onctueux, faisant des grâces, alors qu'ils préfèreraient cent fois boire un verre dans un bar ou jouer au poker dans une arrière-salle. Ils étaient là pour obtenir un regard, un signe de tête approbateur du Grand Patron: «Bravo, mon garçon, voilà ce qu'on appelle bien se conduire...»

Les sourires et les dents éclatantes cachent l'angoisse. «S'il vous plaît, dites que vous m'aimez encore» disent réellement les rois et les reines. Et, quand leur cote baisse, ils rentrent dans leurs palais et dorment d'un sommeil agité.

Quand *Mais qui a tué Harry ?* est sorti, il a fait l'effet d'une bombe, une bombe artistique, d'un humour supérieurement subtil, mais néanmoins une bombe. Ma cote a légèrement monté. J'étais la cocasse jeune découverte, la cocasse jeune vedette, la cocasse jeune comédienne à l'authentique cocasserie, la cocasse de la scène, à Broadway, la cocasse d'Arlington qui vit maintenant dans une bicoque cocasse, à Malibu. Cocasse était un mot auquel je n'échapperais jamais, qui me poursuivait depuis l'enfance.

Les magazines et les échotiers avaient enfin quelque chose de nouveau à écrire dans leurs colonnes.

Elle vit dans une bicoque d'une pièce à Malibu.

Elle n'a jamais nagé dans une piscine de Hollywood.

Elle ne possède aucune robe habillée, ni la moindre fourrure.

Il arrive que le gardien du studio ne la laisse pas entrer le matin, en lui disant que les listes de figurantes sont closes pour la journée.

Elle est mariée à un homme sympathique et compréhensif; ils ont l'air très amoureux...

Je n'avais jamais pensé à devenir une star, ou une célébrité. Pour moi, le vedettariat n'était pas un but; il était un produit annexe. De toute ma volonté, je voulais faire ce que j'étais capable de faire. Faire autre chose me semblait non seulement du gâchis, mais dangereux. Car, si le talent ou la personnalité existent, il faut qu'ils s'expriment. S'ils n'en trouvent pas le moyen, ils se retournent sur eux-mêmes et vous rongent le ventre comme un renard.

Il y avait beaucoup de choses que j'ignorais, au sujet du vedettariat. J'ai commencé à les apprendre. J'étais particulièrement fière d'avoir commencé tout en bas de l'échelle. Ma lente ascension m'avait donné le temps d'apprendre, de m'adapter, et de penser. À chaque étape, j'avais pu faire le point avec moi-même, je ne m'étais jamais perdue. Maintenant que j'étais célèbre, je n'avais plus jamais le temps. Le vertige me prenait quand je tentais de faire l'effort de comprendre ce qu'il advenait de moi. Mon emploi du temps était frénétique. Je n'avais jamais le temps de réfléchir. Je n'avais que le temps de façonner et de produire une marchandise séduisante et attirante, et de l'exhiber.

C'était un sentiment qui ne me plaisait pas. Lentement, progressivement, je me perdais moi-même. Des pans entiers de ma personnalité m'échappaient pour toujours, récupérés par les autres pour servir leurs propres buts. Je voulais bien être généreuse mais je ne voulais pas me disperser moi-même aux quatre vents. J'en éprouvais à la fois de la colère et de la répugnance.

Monsieur Hal Wallis était, est toujours, un personnage impressionnant. Il marche légèrement voûté et traîne un peu les pieds. Il porte des chandails de golf en laine et des mocassins noirs, comme tous les autres types, mais, il n'y a rien à faire, il n'est pas comme les autres types. Il constitue une race à lui tout seul. Avec son flair et son sens du commerce, il a produit quelques-uns des meilleurs films de l'histoire du cinéma. Malheureusement, jamais avec moi.

Pour Hal Wallis, j'étais restée «la gamine que j'ai trouvée dans le choeur». Je lui appartenais. La question ne se posait pas. Et j'ai compris qu'un contrat était un contrat, et qu'il était mon patron; au début je ne lui en voulais pas de la modicité de ce contrat. Après tout, j'avais été hissée d'une place de choriste à soixante-quinze dollars par semaine jusqu'à la relative chimère d'en gagner quelques centaines de plus. Mais je n'appréciais pas d'être considérée comme une boîte de petits pois.

J'avais appris à travailler dur; ça me plaisait. L'effort me convenait, et j'étais prête à engager toute mon énergie pour m'améliorer. Mais on ne demande pas à une boîte de petits pois d'essayer. On la change d'étagère, on la vend ou on l'achète, selon les lois du marché. On redessine l'emballage pour qu'il plaise au public. On lui colle une étiquette, on la marque au fer et si ça fait mal, eh bien, les petits pois n'ont pas de sentiments. Ils ont cédé leurs terminaisons nerveuses au fabricant, qui après tout, est celui qui sait ce qu'il convient de faire. Si un seul petit pois s'avise de penser, la révolte gronde dans toute l'usine. Ma petite révolte verte et ronde allait venir, mais il allait me falloir quelques années pour fourbir mes armes.

Wallis m'a prise sur l'étagère pour accompagner un produit Dean Martin et Jerry Lewis. Le film s'appelait *Artistes et Modèles*, et, comme je l'avais toujours craint, c'était moi qui portais le maillot de bain jaune. C'était moi qui entrais et sortais en courant, et en criant «Par où sont-ils partis?» Et quand finalement j'attrapais Jerry (Jerry était pour moi, l'autre actrice avait Dean), j'étais censée lui sauter dessus et le maintenir au sol. Je représentais toutes les pauvres filles incapables d'attraper un homme sans le clouer au sol. Je crois que c'est alors que je me suis rendu compte que l'on pouvait faire rire et pleurer en même temps.

Elle vit TOUJOURS dans sa bicoque de la plage.

Elle est TOUJOURS mariée à cet homme, comment s'appelle-t-il déjà? et ils ont l'air très amoureux.

Mais combien de temps cela peut-il durer?

C'est écrit sur le mur.

Monsieur MacLaine.

Steve ne venait jamais sur le plateau pendant les tournages. Il était très souvent seul. Il a traversé notre expérience hollywoodienne en me soutenant affectivement tandis que je luttais pour m'accrocher à la réalité. Nous n'en avons jamais parlé ouvertement mais je savais que la vie qu'il menait et sa croissante réputation d'être «son imprésario» lui déplaisaient. Il était fier de mes progrès, et heureux de mon autonomie. Mais il ne pouvait accepter de devenir un mari de Hollywood.

Chaque soir, il venait me chercher au studio, de bonne humeur et intéressé par les événements de la journée. Il s'enquérait des procédés techniques mis en oeuvre et me parlait de sa journée : il faisait des recherches dans des laboratoires de film en couleurs, il rencontrait des hommes d'affaires qui envisageaient des productions internationales. Il semblait suivre son propre chemin.

Nous retournions à notre bicoque sur pilotis, heureux des vagues du soir qui venaient mourir sur le rivage. Nous aimions la mer. Les vagues nous apportaient des messages venus d'autres pays et nous parlaient un langage que nous comprenions. Je trouvais souvent Steve abîmé dans la contemplation des déferlantes, silencieux et pensif, tandis que s'éveillaient peu à peu les sirènes endormies de sa passion pour les voyages. Il avait l'impression de stagner, de ne rien produire. Il savait qu'il ne mettait pas son propre potentiel en oeuvre, et cela lui enlevait toute paix. Le seul foyer qu'il avait jamais eu était notre vie commune, mais le véritable foyer d'un homme est lui-même.

Un soir, nous avons marché longtemps sur la plage, nous avons creusé un trou et nous avons fait cuire nos steaks sur un feu. Nous riions, nous parlions de la chance que nous avions de nous être rencontrés, de notre bonheur ensemble, mais je sentais que quelque chose n'allait pas. J'étais couchée sur le sable, je regardais le ciel sans étoiles et j'attendais, certaine que quelque chose était sur le point d'arriver. Il fallait que ce soit lui qui en parle. Moi, je ne pouvais pas. Finalement, il s'est décidé à parler : «Je vais te dire quelque chose, Shirl, et je voudrais que tu essaies de comprendre».

C'était le moment, le moment peut-être le plus important de nos vies, de sa vie, en tout cas.

«Quand nous nous sommes mariés», a-t-il continué doucement, «je ne savais pas si tu avais l'étoffe nécessaire pour réussir. Maintenant, je le sais, et c'est une bonne chose. Je suis fier de toi, plus fier que tu ne le sauras jamais. Mais je veux être fier de moi, aussi. Il faut que je le sois. Il faut que j'existe par moi-même. Je ne veux pas être ton imprésario et je sais que tu ne le veux pas non plus.»

J'attendais. Il a remué le feu éteint.

«Si je reste à Hollywood, je serai toujours monsieur MacLaine. C'est inévitable. J'ai vécu dans cette ville assez longtemps pour le savoir et je vois bien ce qui arrive aux pauvres types qui sont dans la même position. Mais ça ne va pas m'arriver, nous arriver. Il faut que tu comprennes et que tu m'aides à sauvegarder ce que nous sommes.»

J'attendais toujours.

«Je veux retourner au Japon», a-t-il dit.

J'étais stupéfaite. Je savais que nous avions un problème à régler, mais je ne m'attendais pas à une solution aussi radicale. Il a continué. «Je ne me sens pas chez moi, ici. J'ai renoué certains contacts, et j'ai envie de produire des spectacles de théâtre au Japon. Je connais bien ce pays, je le comprends. Je peux lui apporter quelque chose. Ici, je ne peux rien apporter, et d'ailleurs je n'en ai pas envie. Tu es sur la bonne voie. Tu n'as plus autant besoin de moi qu'avant. Tu es une adulte maintenant, et tu as besoin de me respecter. Or, tu ne me respecteras jamais si je ne me respecte pas moi-même. Je t'en prie, essaie de comprendre que je dis cela pour sauver notre mariage, pas pour le remettre en question.»

Je me sentais sans force. Je n'avais jamais pensé à une seule journée sans Steve. Depuis que nous nous étions rencontrés et mariés, nous ne nous étions jamais séparés plus de huit heures de suite. Ma vie, mes pensées, mon souffle tournaient autour de cet homme qui m'avait offert le monde. Et maintenant, il voulait partir, il voulait être lui-même, il voulait faire quelque chose qui me rendrait fière de lui comme il était fier de moi. Je n'avais qu'une envie, c'était de hurler dans le vent. De lui hurler à lui, «Ne me quitte pas! Ne me quitte pas!» Mais je me suis levée et j'ai souri, en osant à peine envisager les conséquences de ce que j'allais dire: «Pourquoi pas?»

En fait, j'ai dit, avec une feinte de bonne humeur, «Essayons».

Peu de temps après cette nuit sur la plage, j'étais assise, de l'autre côté d'un immense bureau, en face d'un homme charmant qui fumait un cigare plus haut que lui et parlait dans cinq téléphones à la fois. C'était un concentré d'intelligence humaine, haut d'un mètre soixante. Il s'appelait Mike Todd.

Le cigare fiché entre les dents, remontant la fermeture éclair de son jean, il s'engouffra dans son bureau en désordre comme l'ouragan Zelda, et avec une heure de retard sur notre rendez-vous. Comme un gag bien répété, tous les téléphones se sont mis à sonner simultanément dès qu'il est entré. Il se rhabillait, il répondait aux téléphones et il me parlait en même temps.

— Écoute, petite, je prépare un film. Je veux que tu sois dedans, d'accord?

— *Le Tour du monde en quatre-vingts jours*, et je veux que tu joues une princesse hindoue comme on en a jamais vu. D'accord?

— Une princesse hindoue, avec les cheveux roux et des taches de rousseur?

— J'ai dit comme on en a jamais vu, n'est-ce pas?

— Mais, Mike, tu ne crois pas...

— Écoute, petite, m'a-t-il interrompue, j'ai entendu dire que le Japon vous intéressait, toi et ton mari, non?

— Si, mais quel rapport avec...?

— Simplement qu'il y a un tournage au Japon. Vous partez immédiatement. Alors?

Et voilà. «À quelle heure est l'avion?»

— Demain matin, dix heures. Va au maquillage et fais-toi teindre en brune. On s'occupera des taches de rousseur à Tokyo.»

J'ai pris le scénario et je suis vite partie annoncer la nouvelle à Steve. Ça tombait miraculeusement bien, et on allait nous payer le voyage en plus.

En sortant de la maison, j'ai redemandé à Mike Todd s'il était bien sûr de vouloir une hindoue mi-écossaise, mi-irlandaise.

«Qu'est-ce que ça peut foutre? a-t-il répondu. Les gens sont tous des gens. Tu as épousé un Japonais mi-irlandais mi-écossais, non? Et si je viens vous rejoindre, je serai un Joop, c'est comme ça que les Japonais appellent les Juifs.»

À une époque quelconque, durant l'Âge de Pierre, Mike Todd et Steve Parker avaient sûrement dû être frères.

Chapitre 5

À Noël 1955, un an et demi après le soir où j'avais remplacé Carol Haney, nous étions à Tokyo.

Je n'avais jamais quitté les États-Unis, excepté pour un court voyage au Canada, lorsque Warren et moi étions très jeunes. Les cultures différentes et les noms à consonance étrangère n'existaient pour moi qu'en tant que symboles. J'en avais tellement rêvé, pourtant, de cet ailleurs, que lorsque je me suis retrouvée plongée dans un milieu étranger, j'avais l'impression d'être somnambule. Je n'étais en rien préparée aux réalités de l'étranger. Surtout celles du Japon.

Des vendeurs en tablier blanc se pressaient dans un univers enchanté de tout petits objets. Les ombres de familles à table se profilaient sur des paravents shoji. Des têtes saluaient tandis que les ombres s'inclinaient en de cérémonieuses révérences. De minuscules enfants ressemblant à des poupées, aux cheveux noirs retombant sur le front en d'épaisses franges, jouaient avec des cages à grillons abritant des grillons vivants, censés porter bonheur à toute la famille pendant une année. La coutume occidentale de Noël faisait vendre des services à thé peints à la main, des bois sculptés et des jouets de toutes sortes. Des jouets actionnés par télécommande, d'autres deux fois plus grands que les enfants, tous joyeusement enrubannés de rose, rouge ou orange.

J'avais l'impression que le Japon était un paradis pour les enfants. Les gosses se promenaient en liberté et sans surveillance dans les allées bondées des grands magasins, sans crainte et sans risque. On n'avait jamais entendu parler de rapt d'enfant. Les jours de grandes courses, des centaines de gamins hors d'haleine, le nez coulant, étaient récupérés en fin de journée. Ils disaient au revoir à de petits Pères Noël orientaux et on les renvoyait chez eux, bien enveloppés dans leur *futon*, après une paisible prière à Bouddha.

Certes, l'Est avait subi notre influence, mais comme il était resté différent ! La majorité des femmes japonaises portaient des kimonos et se protégeaient du froid de décembre en jetant sur leurs épaules de grands châles de laine épaisse ou de fourrure. Elles avaient l'air si doux, si fragilement féminin. Mais d'autres, et le contraste n'en était que plus grand, avaient l'allure féline de toutes les jolies femmes orientales habillées à la mode occidentale. Ces dernières étaient invariablement en compagnie d'hommes occidentaux.

Le Japonais traditionnel observait, en un silencieux désarroi, l'air de ne pouvoir assumer la transition. Son costume ancestral lui semblait pompeux et incongru lorsqu'il regardait son reflet dans les vitrines des magasins, mais le complet occidental qu'il s'était fait faire ne lui allait pas non plus. La démarche arrogante des anciens samourais, qu'il affectait encore, donnait un mauvais pli aux tissus anglais, et la carrure ajustée restreignait sa liberté de mouvement d'homme au passé de guerrier.

Trop rapide, semblait-il penser. Tout était trop rapide, la rencontre avec l'Ouest, le bond dans la modernité importée d'une autre culture. Ses femmes prenaient la parole, sa fille exigeait l'égalité avec ses frères. Le désarroi se lisait sur le visage du Japon, et j'en étais le témoin — un témoin lui aussi désorienté, et qui ne savait pas reconnaître le vrai du faux — un témoin guidé par un homme qui comprenait leur évolution mieux peut-être qu'ils ne la comprenaient eux-mêmes. Et un homme qui comprenait que ce premier séjour dans un pays étranger allait me transformer pour la vie.

Steve Parker était heureux d'être chez lui. Il avait attendu la bonne occasion, elle s'était vite présentée, pour nous deux.

Les rencontres succédaient aux rencontres — salut oriental, tapes dans le dos à l'américaine, le thé, pris dans de délicates petites tasses, suivi par des alcools forts. Les cigarettes que l'on s'offrait portaient les noms de *Paix, Espoir, Colombe*. On plaisantait sur l'occupation, sur le général Mac Arthur, sur les pilotes kamikazes. La guerre était enterrée, sauf lorsqu'il était question de Sachiko. Partout où nous allions, tout le monde voulait que Steve parle de Sachiko.

Steve m'avait raconté que son unité de parachutistes avait été la première à entrer dans Hiroshima après la bombe. La dévastation était indescriptible. Presque toutes les familles avaient été touchées. Des milliers d'enfants erraient parmi les ruines, dans un état de choc si grave, si profond, qu'ils ne parvenaient même pas à pleurer. Parmi eux, une petite fille de deux ans, aux yeux comme des soucoupes et au sourire perpétuel. Apparemment, elle n'était pas blessée et bien que sa famille tout entière ait disparu, elle était trop petite pour réaliser l'étendue de sa perte. Il lui avait demandé son nom. Elle l'ignorait.

Elle le suivait partout où il allait. Malgré les règlements, Steve lui avait donné de la nourriture et des vêtements, et lui avait trouvé une petite chambre où vivre. Il l'avait appelée Sachiko, ce qui signifie heureuse enfant en japonais, il l'avait nourrie, et aimée. Elle commençait à apprendre l'anglais, et adorait jouer avec son Papa-san. Officieusement, Steve avait adopté une fille. Réalisant qu'il lui serait impossible de se séparer d'elle, il avait entrepris les formalités officielles d'adoption. Lorsque les papiers avaient été en règle, il lui avait annoncé qu'il allait la ramener aux États-Unis, et qu'il s'occuperait d'elle sa vie durant. Sachie était folle de joie. Elle souriait, souriait.

Deux semaines plus tard, elle entrait d'urgence à l'hôpital, où elle mourut des suites des radiations.

Je commençais à comprendre la profondeur des racines de Steve au Japon. C'était comme s'il avait vécu une vie tout entière avant que nous ne nous soyons rencontrés. Manifestement heureux, il me faisait visiter son autre monde. De minuscules fenêtres s'entrouvraient, qui me permettaient de jeter un rapide coup d'oeil sur son passé, ce passé qui l'avait rendu tel qu'il était.

Parmi ses repaires favoris, il y avait eu un «bar louche», dans un quartier excentrique de Tokyo. Strictement réservé aux initiés, ouvert tard la nuit, cet endroit devait une partie de sa popularité au fait qu'à Tokyo il était interdit de servir de l'alcool à partir d'une certaine heure. Dieu lui-même devait ignorer l'existence de cet endroit, à plus forte raison un Américain.

Le propriétaire était dehors, dans la rue sombre, devant son immeuble sinistre, et éclairait de sa lampe électrique les clients qui descendaient l'escalier tortueux menant au bar. Il a reconnu Steve à l'instant où nous sommes descendus du taxi. Ils ont renoué les liens de leur vieille amitié et nous avons suivi le rayon de lumière.

Quelques tables avec des bougies étaient disposées devant le bar. Les gens riaient et plaisantaient dans une langue à laquelle je m'habituais peu à peu. Le zinc était fêlé, le miroir derrière le bar terni et brisé par la guerre, ou par le temps. Quelques personnes nous ont regardés entrer d'un air étonné. Ils ne s'attendaient évidemment pas à voir des étrangers envahir leur intimité, mais avec la politesse japonaise, ils ont simplement changé de position, et ont baissé les yeux au lieu de nous regarder en face.

Nous nous sommes assis au bar et nous avons commandé des Scotch avec de l'eau gazeuse. J'ai pris une cigarette dans mon paquet, appelé *Paix*, et je l'ai portée à ma bouche en attendant que Steve l'allume. Rien. Il continuait à parler comme si de rien n'était, en regardant la cigarette bien en face. Puis il en a pris une de son propre paquet et m'a tendu les allumettes! Sans un mot, j'ai respecté le rituel qui prévaut dans deux endroits au monde, le Japon et chez nous. J'avais encore beaucoup à apprendre de ce mariage entre deux mondes.

Tandis que nous bavardions, j'ai remarqué que Steve regardait avec attention le reflet d'un homme assis au bar, à notre gauche. C'était un Japonais d'environ trente-cinq ans, en complet trois pièces, et dont la bouche s'ornait, en plein milieu, d'une ravissante dent en or.

«Qui est-ce?» ai-je demandé à Steve.

Il a secoué la tête. «Je ne sais pas exactement, mais je suis sûr de le connaître.»

L'homme avait l'air aussi hypnotisé que Steve. Il regardait, et détournait les yeux, l'air embarrassé. Enfin, leurs regards se sont croisés. En tant qu'occidental, Steve a fait le premier pas. «Bonsoir, je m'appelle Steve Parker», a-t-il dit en japonais. L'homme s'est présenté aussi.

— J'aime énormément cet endroit. Je suis toujours heureux d'y revenir, a dit Steve, un peu bêtement.

— Tout à fait, a répondu l'homme, tout aussi bêtement. Il a fait un temps magnifique, aujourd'hui.

J'avais eu l'occasion d'apprendre que les Japonais ne vont jamais droit au but. Là-bas, la plus courte distance d'un point à un autre est toujours le cercle.

Ils ont parlé de leurs familles, de l'endroit où ils étaient nés. Je n'ai pas été présentée, puisque je n'étais qu'une *okusan*, une épouse; ce n'était pas plus mal, d'ailleurs, car j'aurais bousculé le protocole en demandant directement à l'homme s'il se souvenait de Steve. Ils en étaient à parler de la guerre lorsqu'ils sont subitement tombés dans les bras l'un de l'autre et que les larmes leur sont montés aux yeux. «*Leyte*», ont-ils crié.

Leyte. 1944. Chargés d'assurer la sécurité de rizières d'une importance vitale à Leyte, aux Philippines, Steve et son unité marchaient dans la nuit, à la recherche de l'ennemi. La pleine lune leur jouait des tours en dessinant des ombres sur les rizières. Steve était assez loin du soldat le plus proche pour ne pas être facile à voir.

C'est alors que, surgi de nulle part, un soldat japonais s'était dressé devant lui. Ils étaient restés immobiles, à quelques pas l'un de l'autre, se fixant mutuellement, l'un et l'autre incapables de tuer le premier. Puis, d'un même mouvement, ils avaient tourné le dos et s'étaient éloignés.

Steve était tombé dans une rizière, et s'était ouvert le nez sur sa propre baïonnette. Ça lui avait valu une médaille.

Le visage du Japonais s'était inscrit à jamais dans l'esprit de Steve, et réciproquement; maintenant, dans un bar de Tokyo, par une nuit sans lune, ils allaient devenir amis pour toujours, convaincus l'un et l'autre de se devoir la vie.

Steve m'avait beaucoup parlé de son enfance au Japon, de son identification au peuple japonais, et de son horreur d'avoir à tuer pendant la guerre. Maintenant, je voyais sa fierté devant leur progressive victoire sur la ruine et le malheur. Je connaissais l'histoire de Sachiko, et le sentiment de paix dont il était saisi à chaque retour.

Mais c'était plus encore. Mike Todd l'avait appelé «japonais mi-irlandais mi-écossais»; il ne se trompait pas de beaucoup. Je commençais à comprendre que l'homme que j'avais épousé n'était pas seulement un Américain qui avait vécu en Orient. Steve était un véritable oriental de pensée, de philosophie, de sentiments, de caractère. Son appréciation artistique, son sens de la beauté et de l'amour étaient orientaux, en fait tous les aspects de sa personnalité. De plus, il se montrait plus animé et plus dynamique, ici, au Japon, qu'il ne l'avait jamais été à Hollywood. S'il menait à bien ses projets et ses négociations, il resterait ici, ferait des affaires, s'installerait chez lui. Que ça me plaise ou non, le Japon allait jouer un grand rôle dans ma vie. J'allais donc essayer de comprendre ce pays où la patience et la courtoisie sont un mode de vie, où personne ne trouverait bizarre qu'on passe un dimanche entier à étudier un pétale de fleur, où je voyais deux Japonais s'incliner toujours plus bas l'un devant l'autre, puisque le plus bas on allait, le plus courtois on se montrait, ce qui ne les empêchait pas de se cogner la tête en se relevant.

Un taxi heurte un vendeur de nouilles à bicyclette. Les nouilles et les pièces de la bicyclette s'envolent, suivies par le vendeur, qui atterrit dans la rue étroite. Une foule se rassemble. Le chauffeur de taxi remarque son pare-chocs cabossé et, en se lamentant, se précipite vers le cycliste, qui s'est relevé et se tient debout au milieu des nouilles. Ils s'inclinent pour s'excuser. Le chauffeur de taxi s'en va. Le vendeur balaie ses nouilles dans le caniveau, et part à pied.

Deux hommes se baladent dans la rue. L'un d'entre eux risque un jeu de mots osé. L'autre, embarrassé, rit timidement et se couvre la bouche de son poignet. Puis, faisant signe à son compagnon de ralentir un instant, il urine dans le caniveau. Une femme, qui marche derrière eux, fait semblant de ne rien voir, car les Japonais ne voient que ce qu'ils veulent voir.

Un jeune Japonais décide de traverser une rue au milieu de la circulation. Il ne pense qu'à une chose : arriver de l'autre côté de la rue. En ce qui le concerne, la circulation n'existe pas. Il traverse le rond-point avec la rectitude d'une flèche bien lancée. Les freins grincent, les avertisseurs retentissent. Il passe à quelques centimètres de la mort. Il ne voit rien. Il est arrivé de l'autre côté.

Un jour, quelqu'un est tombé dans la rue, maladie, ou accident. Les passants l'ont ignoré. C'était son destin. Telle était la volonté de Bouddha-*Shikataganai* — et personne ne doit intervenir dans ce destin, car cela mettrait la victime dans une situation d'obligé pour le restant de sa vie. La victime comprend toujours, et supporte seule son fardeau.

Personne ne répond à une question directe, à moins que le protocole ne soit observé dans sa langue maternelle et qu'il ne soit certain que la question s'adresse bien à lui grâce au préfixe Ano-ne.

Nous commandons des Gibson dans un restaurant habitué à la clientèle occidentale et une serveuse qui ressemble à une poupée, habillée d'un kimono aux couleurs vives, prend l'air intrigué jusqu'à ce que nous lui expliquions qu'un Gibson est un martini avec un oignon. Elle nous apporte fièrement un plateau sur lequel se trouvent une bouteille de Martini, un gros oignon cru, un couteau et une planche à découper.

Nous demandons une tasse de café au garçon. En souriant, il va à la cuisine, anxieux de rendre service. En chemin, quelqu'un l'interpelle et lui demande une serviette. Il oublie le café, il va chercher la serviette, et, au passage, quelqu'un lui demande l'addition. C'en est trop pour lui.

Vous interrompez un Japonais pendant qu'il parle au téléphone. Il pose le récepteur à côté de lui et engage avec vous une interminable conversation, en oubliant complètement la personne à l'autre bout du fil.

Un de mes amis, propriétaire d'un célèbre magazine japonais, m'a invitée à son bureau pour prendre le thé et bavarder. Au milieu de la conversation, il est sorti. Quarante-cinq minutes plus tard, il n'était pas revenu. Je suis partie à sa recherche et je l'ai trouvé à genoux devant un ravissant bouquet de fleurs. Il méditait, car ça lui apportait la paix.

Un jour, j'ai demandé si un monsieur Tartempion avait appelé. On m'a répondu que non. Un peu plus tard, j'ai appris qu'il y avait quinze autres messages, qu'on ne m'avait pas transmis puisque je n'avais rien demandé.

Steve s'enquérait pour savoir si tel ou tel détail d'une affaire était résolu. On lui répondait que oui, alors que ce n'était peut-être pas du tout le cas. Mais il aurait été impoli de répondre non alors qu'il voulait entendre oui.

J'ai envoyé quelqu'un que je ne connaissais pas me faire une course. Je lui avais donné largement plus d'argent que nécessaire. Entretemps, j'ai dû partir pour un rendez-vous. Des heures plus tard, le coursier m'a retrouvée dans un tout autre quartier de la ville, et m'a rendu la monnaie.

Le Japon est un pays qui, dans sa relation au temps, ignore l'urgence; ce qui compte, ce sont les relations humaines, c'est de se protéger à tout prix contre d'éventuels conflits grâce à une courtoisie hautement ritualisée. Au Japon, la valeur esthétique de la courtoisie est infiniment plus importante qu'à l'Ouest celle des bonnes manières. Une vérité négative s'incline souvent devant la courtoisie. La courtoisie, donc, compte davantage que la franchise.

L'une des forces les plus dynamiques au Japon, est le souhait de se trouver en harmonie avec la nature. Les Japonais n'essaient jamais de la conquérir. On dit : «Sois un bambou, plie avec le vent, sous le vent, penche gracieusement, et tu ne casseras jamais». Il ne s'agit pas de soumission, mais de l'unique façon de gagner. Le pays s'entend avec la nature. Son peuple n'a pas endigué l'eau, ni dompté la sauvage nature, ni conquis l'espace. Il s'accorde avec les éléments, et crée un équilibre pour entretenir la vie en s'inclinant devant une force plus grande. C'est la loi de l'effort inversé : Si tu te noies, détends-toi et tu flotteras.

Au Japon, la frontière entre le bien et le mal n'est pas clairement définie. Chaque événement est envisagé sous tous ses points de vue. En cas de dispute, on fait appel à un médiateur, qui n'accorde pas obligatoirement la victoire au «droit», mais préfère trouver un compromis. Personne ne doit être amené à perdre la face, ce qui est la plus grave des offenses que l'on puisse infliger à quelqu'un : on y sacrifie parfois le *droit*. D'ailleurs, le *droit* n'est pas forcément pertinent, ce sont les gens et leurs sentiments qui le sont.

En affaires, on ne fait pas confiance aux négociations vite menées. Si quelque chose n'apporte aucun enseignement, ne procure pas de plaisir, c'est que ça n'en vaut pas la peine, et qu'il vaut mieux l'éviter. La *façon* dont on fait les choses est plus importante que le résultat.

J'allais essayer de comprendre le Japon — essayer d'en faire partie — non seulement à cause du défi que cela représentait, mais aussi parce qu'il était en grande partie constitutif de l'homme que j'avais épousé.

Steve était plus heureux que je ne l'avais jamais vu. Il faisait de longues promenades à pied, prenait de longs bains chauds, avait de longs soupirs de bonheur. Il observait avec ravissement mon adaptation progressive et raillait gentiment mes difficultés.

L'impossibilité où je me trouvais d'affecter de l'indifférence dans les bains collectifs (au milieu de Japonais de sexe masculin allongés, tout nus, et discutant d'affaires) le faisait rire sous cape. Il ne pouvait s'empêcher de trouver tordante la maladresse de mon grand corps anguleux dans le minuscule et délicat environnement japonais. J'avais les jambes trop longues pour m'agenouiller. En deux minutes, c'était la crampe. Si je les allongeais devant moi, je m'effondrais en avant, et de toutes façons elles dépassaient de l'autre côté de la table. Je pouvais rarement marcher en me tenant droite. Je me cognais la tête dans le cadre des portes. On ne trouvait pas de chaussons, ou de *tabi* (des chaussettes japonaises avec des doigts) assez grands pour mes pieds. Je ne savais où mettre mes affaires, ou mon petit fouillis; il n'y avait ni coiffeuses ni placards. Il y avait cependant une sorte de table de toilette, à quelques centimètres du sol. Si jamais elle comportait un miroir, tout ce que je pouvais y voir, c'étaient mes pieds. Et j'avais toujours les pieds gelés car mes chaussures restaient à la porte d'entrée.

On apprend aux Japonais que le mode de vie spartiate est le seul qui conduise au bonheur. On pense et on médite mieux si l'on a un peu faim, un peu froid et si l'on n'est jamais tenté d'écouter les voix des sirènes de l'auto-satisfaction. Seule la discipline obtenue grâce aux privations peut soulager. Telle est le chemin bouddhiste. Il est répugnant d'étaler sa richesse. Même riche, un homme n'achète jamais rien pour le seul plaisir de la possession. Son statut social se mesure à d'autres aulnes: il possède les meilleures geishas, fréquente les maisons de thé les plus réputées et les clubs de golf. En tout cas, ce n'est jamais chez lui, ni à son bureau, que l'on trouve les preuves matérielles de sa prospérité.

Ce monde en dehors de moi prenait de plus en plus de réalité. Je ne savais plus où donner des oreilles ou des yeux devant la découverte de tant d'autres coutumes, d'autres cultures. Ma curiosité des autres et de leurs modes de vie était intarissable. Plus j'apprenais sur les autres, plus j'apprenais sur moi-même. Je commençais à comprendre pourquoi j'étais devenue actrice. Depuis toujours, j'adorais revêtir et incarner la défroque de quelqu'un d'autre, devenir quelqu'un d'autre; ce faisant, je n'en étais que plus fidèle à moi-même.

Le monde regorge de personnalités, de points de vue divers, de modes de vie différents. J'aime essayer de comprendre tout ce qui est différent : chaque fois, en chemin, je découvre quelque chose de différent en moi-même.

Nous étions venus au Japon pour tourner des scènes d'extérieur du *Tour du monde en quatre-vingts jours*. Un matin tôt nous sommes montés à bord d'une jonque de pêche, dans le village de Numazu, pour tourner une scène censée se passer dans le port de Yokohama. Je tournais le dos aux caméras car, sans maquillage, il était impossible de camoufler les taches de rousseur. Le vent s'est levé, la mer s'est agitée et la caméra est tombée par-dessus bord. C'en était fini des tournages en extérieur.

Puis je suis tombée malade. D'abord, j'ai cru que c'était le mal de mer, et j'ai essayé de ne plus y penser, mais je n'ai pas pu. Personne n'a le mal de mer sept jours après avoir débarqué sur la terre ferme. Les spaghettis étaient l'unique nourriture que je pouvais absorber, en me forçant. Pour une mystérieuse raison, le vert me donnait mal au coeur. Steve a appelé un médecin, qui a diagnostiqué une grippe asiatique et m'a prescrit quelques jours de repos. J'avais toujours considéré le sommeil comme une corvée : dorénavant, je n'arrivais jamais à avoir le sentiment d'avoir assez dormi. Apathique, presque tout le temps fatiguée, je suis passée des spaghettis à d'énormes plaques de chocolat aux noisettes.

Je m'étais prise de passion pour le théâtre japonais. Il me transportait. C'était un monde, une vie en soi qui, à la fois, maintenait les traditions ancestrales et détrônait par sa modernité n'importe quel autre théâtre. Les plateaux étaient communément deux fois plus grands que celui du Radio City Music Hall. Deux cents figurantes au moins y étaient déployées en éventail. Le public ne s'étonnait en rien de l'opulence des costumes de brocard et de soie aux mille couleurs. Le coût ne comptait pas, et à juste raison, car le moins qu'on puisse dire est que le théâtre japonais était riche. Les représentations se succédaient à longueur de journée, et il n'y avait jamais un fauteuil de libre. Les gens se pressaient dans les allées et à l'arrière de la salle comme si les règles de sécurité n'existaient pas. Beaucoup apportaient de la nourriture et assistaient à plusieurs séances. Certains grignotaient des *osembe* et du poisson séché; le bruit de papiers froissés et de mastication résonnait dans toute la salle. Les Japonais mangeaient sans cesse. Ils ne s'asseyaient pas à table pour s'empiffrer pendant un seul et gros repas, mais ils prenaient de petits repas tout au long de la journée : boulettes de riz au poisson cru, légumes au vinaigre et au *wasabe*, une sorte de raifort, riz enveloppé dans du *nori* (une algue) et noyé de sauce *shoyu*, le tout inévitablement accompagné de thé vert sans aucun goût.

J'ai assisté à des représentations de théâtre No. Les acteurs portaient des masques peints, plus grands que nature. Chacun de leurs mouvements était travaillé; on ne pouvait oublier qu'ils transmettaient la tradition ancestrale inhérente à l'une des plus anciennes formes d'art qu'il y ait sur la terre. Les acteurs ne se contentaient pas de jouer. Ils étaient les gardiens du passé, de son formalisme, de sa rigidité, de sa splendeur. Le public ne venait pas seulement pour se distraire, mais aussi par esprit de devoir et de respect. Peut-être les rituels du passé lui procuraient-il un sentiment de sécurité et un soulagement devant les rigueurs du présent.

Le théâtre Kabuki, une forme artistique spécifique au Japon, ressemblait à un conte de fées immense et tragique. La vie était brossée à grands traits, bien qu'en d'exquis détails. Des couleurs animées, aux reflets irisés, me caressaient les yeux. J'avais presque peur de regarder de trop près, et que l'illusion ne se dissipe. Soudain, les acteurs magnifiquement habillés étaient au-dessus de moi, ils s'étaient laissé glisser du plateau sur une rampe qui descendait dans le public. Des arcs-en-ciel de fleurs étaient tressés dans leurs masses de cheveux aile de corbeau. Les blancs visages peints des geishas avaient une expression féminine, étonnée, un peu soumise. Les geishas se déplaçaient en de souples mouvements, défiant le poids des somptueux kimonos ceinturés d'*obis* rigides étroitement serrés, qui les empêchaient presque de respirer. Les obis étaient attachés dans le dos par de superbes rubans multicolores. De grandes et douces manches bruissaient doucement sur la tête des spectateurs. De ravissantes petites mains en sortaient, qui battaient gentiment l'air en des mouvements retenus.

On entendait le claquement des bois et le son des flûtes interrompues par le battement du tambour. Le Shogun entra en scène d'un seul bond, rugissant. Ses yeux, remontés en oblique, étaient soulignés de rouge écarlate. Sa bouche était peinte en noir, les coins retombant. Ses pieds étaient largement écartés. Son kimono aux couleurs voyantes était attaché serré sur ses hanches et accentuait l'arrogance de sa démarche. En brandissant son épée de samourai, et en émettant de profonds sons gutturaux il s'est dirigé vers l'une des geishas à la noble contenance. Arrivé devant elle, il s'est agenouillé, et s'est lamenté.

La pièce s'appelait *Chushingura*. Elle était authentique, et l'une des plus célèbres des pièces Kabuki. Steve tenait à ce que je la voie comme un exemple du code de l'honneur révéré par le peuple japonais. C'est un conte de vengeance. Quarante-neuf guerriers samourai commettent un meurtre collectif pour venger l'assassinat de leur maître et, leur dette d'honneur payée, ils se font hara-kiri. Des flocons de neige tombent sur les morts tandis que le rideau est fermé par des personnages au masque noir. Le public avait les larmes aux yeux, l'orgueil resplendissait sur leurs visages émus. L'honneur compte plus que la vie.

Après la représentation, un vieux directeur de plateau nous a emmenés dans la loge du *sensei*, le professeur. Des acteurs en train de se démaquiller nous ont salués au passage. Des techniciens graissaient des plate-formes tournantes d'acier épais, capables de faire tourner le plateau à n'importe quelle hauteur et à n'importe quelle vitesse.

Une porte shogi était entrouverte. Le sauvage Shogun était agenouillé devant une petite coiffeuse. De la salle, on aurait dit un géant mais quand il s'est relevé pour saluer Steve, on s'est aperçu qu'il ne mesurait guère plus d'un mètre cinquante. Il s'est incliné très dignement et nous a invités à prendre le thé. Steve a bavardé avec lui en japonais. Il s'arrêtait de temps en temps et se penchait vers moi pour me traduire l'essentiel de leur conversation. Le *sensei* me considérait avec reproche, car je ne parlais pas la langue de mon mari. Sa propre vie était enracinée dans le passé de son pays, et il était manifeste qu'à ses yeux toute concession à la modernité, du type apprendre l'anglais, était totalement dérisoire.

La porte a glissé à nouveau et une geisha à l'odeur de fleur est entrée dans la pièce, s'est agenouillée devant nous telle une fleur fragile, nous a souhaité la bienvenue et a exprimé son espoir que la représentation nous avait plu. Quand la geisha est sortie, j'ai dit mon admiration pour tant de grâce et de beauté, rares même au théâtre.

«Mes humbles remerciements», a dit le *sensei* en japonais. «Cette personne est un véritable artiste, que j'ai bien formé. Voyez-vous, c'est mon fils.»

C'est ainsi que j'ai appris que seuls les hommes peuvent interpréter le théâtre Kabuki. Le fils du *sensei* avait été formé pour jouer les rôles de geisha dès l'âge de sept ans, un de ses frères pour jouer ceux de samourai. Ils ne joueraient jamais un autre rôle. Chaque membre de la compagnie Kabuki descendait des familles théâtrales d'origine. Ils formaient un milieu clos, de sang théâtralement royal.

L'impact du théâtre japonais est immense. Il est à la fois ancien et moderne. Ses réussites techniques sont remarquables : fausses averses à l'air aussi vrai qu'une pluie d'avril, banquises et blizzards rivalisant avec la réalité, bâtiments en flammes pendant ces catastrophes qui ont régulièrement secoué le Japon, les tremblements de terre. Les toits de temples anciens, les escaliers de monstrueux palais s'effondrant sous les yeux de spectateurs terrorisés, tandis que de la vraie fumée monte des cendres et que les samourais et leurs geishas luttent dans les décombres juste avant d'être supprimés par la cruelle épée du seigneur de guerre voisin. C'est absolument fascinant, le public occidental pourrait certainement l'apprécier. Steve formait le projet de le lui présenter. Son avenir résidait dans le théâtre d'Asie. Et moi, j'étais tout à fait disposée à prendre le Japon pour deuxième patrie.

Quant à mon apathie et ma maladie, il semble que tous les gens que nous avons rencontrés avant de quitter le pays du mushi mushi (salut salut), et qui nous félicitaient d'un air entendu, avaient compris plus vite que nous de quoi il retournait. Nous n'en étions pas complètement sûrs encore, mais il semblait bien que nous avions quelque chose de fabriqué au Japon. Si c'était une fille, nous l'appellerions Sachiko. Nous espérions qu'elle serait une enfant heureuse.

Chapitre 6

Si j'avais nourri quelque illusion que ce soit sur le fait que l'approche de la paternité retarderait le retour de Steve au Japon, elle aurait été rapidement totalement dissipée. L'idée de créer une famille ne l'a rendu que plus déterminé à prouver de quoi il était capable, et il est reparti presque immédiatement.

J'ai passé une grossesse plutôt mélancolique en Californie. Mon état ne me permettait pas de travailler. *Mais qui a tué Harry ?* avait pondu son oeuf artistique en Technicolor, et dans *Artistes et Modèles*, je n'étais qu'une comparse. Le montage du *Tour du monde en quatre-vingts jours* était en train de se terminer lorsqu'un ami très proche m'a téléphoné pour me prévenir que je ferais mieux d'accoucher en vitesse et de recommencer à travailler rapidement, car, après la sortie du film, je risquais un chômage prolongé.

Droit dans les dents. Et il avait raison. C'était peut-être bon pour Todd de mâcher joyeusement un cigare hors de prix et d'engager pour s'amuser une princesse hindoue comme on n'en avait jamais vue. Tout ce que je pouvais espérer, c'était que les critiques regardent ailleurs. Dès que j'apparaissais sur l'écran, on avait l'impression que quelqu'un venait de partir. Ma carrière d'actrice, semblait-il, s'était enlisée dans une colossale erreur de distribution, encore aggravée par le fait que je ne savais pas jouer.

Je n'avais rien d'autre à faire que de subir en silence l'intolérable attente. Les journées devenaient de plus en plus longues, les nuits de plus en plus solitaires, le ventre de plus en plus gros et le chagrin insupportable.

On avait installé un interphone entre la salle de travail et la salle d'attente de la maternité où se tenait Steve, épuisé par le vol.

«Parlez à votre mari. Parlez bien fort. Vous allez être les toutes premières personnes à savoir si vous avez un garçon ou une fille», m'a dit le charmant docteur après que le bébé soit né.

J'étais sous sédatif. J'ai regardé le cordon ombilical, qui n'était pas encore coupé. «Comme il est grand. J'ai l'impression que c'est un garçon.»

«Bébé Parker — un garçon», a confirmé l'assistante car je n'avais pas parlé assez fort.

«Bien», a dit Steve. «Du moment qu'il est en bonne santé.»

Le docteur a secoué la tête doucement. «Je crois que vous devriez jeter un autre coup d'oeil, Shirley.»

«Mais, c'est une fille!»

«Bébé Parker — un garçon et une fille», a annoncé l'assistante.

Steve a crié: «Des jumeaux? Formidable!»

«Bébé Parker — un seul. Une fille.»

«Qu'est-ce qui s'est passé?, a demandé Steve. Où est le garçon?»

L'infirmière s'est chargée de l'interphone. «Il n'y a absolument aucun problème, monsieur Parker. Votre femme s'est trompée, c'est tout. Je suggère le port de lunettes lorsqu'elle rentrera chez elle. Elle vous fait dire que le bébé est en bonne santé. C'est une fille. Sans aucun doute possible. Elle mesure 46 centimètres, elle pèse six livres exactement. Elle a les cheveux roux.»

«Et elle ressemble à un croisement entre Pablo Casals et Winston Churchill», ai-je rajouté sombrement.

On a emporté le bébé à la pouponnière et on m'a ramenée dans ma chambre. Moi, une mère. J'avais beaucoup de mal à me faire à cet écrasant sentiment de responsabilité. Comment allais-je prendre soin d'elle? Je ne savais pas ce qu'il fallait faire, je n'en serais jamais capable.

Qu'avais-je fait, de donner naissance à un faible enfant dans mon univers dépourvu de toute sécurité, de toute certitude? Le monde où était né cet enfant était mixte, oriental et occidental. Allait-il appartenir aux deux? Ou auquel des deux?

Pendant la grossesse, ce n'était qu'un gros ventre, quelque chose qui bougeait et donnait parfois des coups, sans visage, sans avenir ni personnalité. Maintenant, le ventre avait disparu, et elle était là. Elle était parmi nous. Je la *voyais* bouger, je l'*entendais* pleurer et très bientôt j'allais *prendre dans mes bras* cette petite personne remplie d'espoir et d'exigences, qui, un jour, allait se lever et marcher, et me demander, à moi, aide et conseils. Qui était vraiment cette enfant, d'ailleurs? En un après-midi, l'arrivée pure et simple de bras, de jambes et d'une tête me conduisait à remettre en question tout ce que j'avais accompli jusque-là. C'était moi qui apprenais, moi qui ne me sentais pas à la hauteur de ce que j'allais avoir à donner.

Et Steve? Le bébé allait-il comprendre qui il était, ce qu'il voulait faire, ce qu'il devait faire? Souffrirait-elle de la séparation? Me verrait-elle souffrir, sans savoir pourquoi? Et quand viendrait son tour, serait-elle une femme? Une vraie femme qui comprendrait que rien n'était plus important que d'être une femme? Tout d'un coup, je me suis aperçue que je ne m'étais jamais posé ce genre de questions à mon propre sujet.

L'infirmière est entrée dans la chambre. «Que faites-vous debout? Ça ne fait qu'une demi-heure», a-t-elle dit.

J'ai marmonné quelques mots qui revenaient à dire qu'elle ne pouvait pas comprendre ce que cela signifiait d'être une mère et elle m'a tendu le petit paquet doux et chaud.

Steve est entré. «Merci pour notre nouvelle Sachiko», a-t-il dit. Des larmes brillaient dans ses yeux.

Je me suis détendue. Sachie a remué. Et tout d'un coup, c'était comme si j'avais été mère de toute éternité.

Notre cabane de Malibu était trop petite, maintenant. Il nous fallait une maison avec de vraies chambres, une vraie cuisine, un vrai chauffage et de la place pour les employés de maison. Il était temps de sortir du cocon.

C'est ainsi que nous avons rejoint l'humanité : nous avons loué une grande maison. Elle était verte à l'extérieur, et rose à l'intérieur ; les planchers étaient blancs, la grande chambre à coucher donnait sur le Pacifique. Nous faisions partie de la Colonie de Malibu, patrie des stars de cinéma les plus réputées, où vous pouviez avoir Marion Davies pour plus proche voisine sans même le savoir, où les enfants des privilégiés jouaient ensemble sur la plage tandis que leurs célèbres parents se cantonnaient derrière de hauts murs gardés par les sables.

Nous pouvions nous l'offrir parce que nous avions conclu un contrat de location de deux ans. Ça nous coûterait trois cents dollars par mois, et le propriétaire savait que nous prendrions soin de la maison, puisque nous devions y rester pendant deux années. À Malibu, les locations saisonnières étaient catastrophiques pour l'état des maisons. En fait, j'ai l'impression que quelqu'un avait soufflé au propriétaire que les Parker ne donnaient jamais de réceptions.

La maison nous a avalés. Les quelques meubles de la cabane disparaissaient dans des pièces aux portes de verre coulissantes et au très haut plafond. Nous ignorions tout du monde de l'abondance. La maison s'imposait à nous plutôt que l'inverse. J'avais l'impression de porter la robe de quelqu'un d'autre.

Elle plaisait beaucoup à Steve, cependant, et plus tard Sachie allait joyeusement ramper sur les parquets spacieux. César, notre bouledogue d'un an, et Bolo, notre chat qui se prenait pour un chien, l'ont immédiatement adoptée.

Peu après le déménagement, Steve est reparti pour le Japon. Sa présence à Tokyo était nécessaire pour que démarre sa compagnie de théâtre.

Travailler était la seule solution. Sachie était heureuse, en bonne santé et bien entourée. Elle m'accompagnait quand j'allais faire des courses et gloussait de bonheur devant les bruits et les images de son nouveau monde. Si on me proposait un rôle, une nurse s'occuperait d'elle pendant mes heures de travail.

Mais le téléphone était muet. Wallis faisait des films avec des gens qu'il *n'avait pas* sous contrat. Les autres producteurs avaient dû me voir dans *Le Tour du monde en quatre-vingts jours*. J'ai commencé à paniquer.

C'est alors que j'ai découvert la télévision. Pendant quelques mois, j'ai retrouvé mon équilibre en chantant et en dansant dans de nombreuses émissions de variétés. J'ai récupéré mon tonus habituel, c'était bon d'être à nouveau plongée dans le milieu. Mais toujours pas de films.

Désespérée, j'ai accepté de jouer en tournée un spectacle de Broadway. Cela faisait presque trois ans que je n'avais pas affronté le public, trois ans depuis la dernière représentation de *Pajama Game*. On aurait dit que les lumières s'étaient éteintes.

Hermione Gingold et Francis Lederer faisaient partie de la troupe de *The Sleeping Prince*. Le spectacle avait été monté avec des bouts de ficelle, ce n'était pas plus mal, d'ailleurs, parce que personne n'allait le voir. Au bout de deux semaines, le producteur nous a demandé de réduire notre salaire de moitié. Nous avons accepté. Nous aurions mieux gagné notre vie en vendant des hot-dogs, mais la critique a été plutôt bonne à Los Angeles, où nous sommes restés deux mois, ainsi qu'à San Francisco et à Santa Barbara, où nous avons joué pendant trois semaines. Les critiques étaient particulièrement aimables à mon endroit. J'apprenais peut-être à jouer, après tout. Hal Wallis m'a fait l'honneur de venir me voir le soir de la dernière, à San Francisco.

«La critique dit du bien de toi, et je crois bien qu'elle a raison», m'a-t-il dit. «Passe au bureau en revenant à Los Angeles. On parlera.»

Parler? Aurait-il quelque chose à me proposer?

Oui. Et bien au-delà de mes espérances.

Les bras ouverts, il m'a reçue sur le pas de la porte de son sanctuaire et s'est mis à m'embrasser d'une façon que j'ai trouvée fort suspecte. Ça ne ressemblait pas à un baiser professionnel. On aurait dit un baiser de cinéma. C'était la première fois qu'une chose pareille m'arrivait. Je me suis détournée.

«Tu étais très bien dans la pièce», a-t-il dit. «Je ne m'attendais pas à ça.»

Voilà l'idée qu'il se faisait de la flatterie. Il me tenait toujours dans ses bras. Ma mère m'avait toujours dit: «Quelle que soit la situation dans laquelle tu te trouves, conduis-toi comme une dame.» Des coups de poing dans les côtes, est-ce que c'était ça, se conduire comme une dame? Non. J'ai éternué. Et j'ai éternué encore.

«Gesundheit», a-t-il dit amèrement.

Nous étions tous les deux éclaboussés. Je lui ai proposé un mouchoir en m'excusant. «Bon. Assieds-toi», a-t-il dit.

Je me suis assise devant son bureau, et lui derrière, entouré de plaques commémoratives et des statuettes des Academy Awards, de magnétophones luxueux, de photos des énormes poissons qu'il avait pêchés et d'une pile de manuscrits. Il a pris celui du dessus.

«Ça te plairait de tourner dans la prochaine comédie dramatique de Danny Mann?»

Danny Mann avait mis en scène mon bout d'essai.

«J'adorerais ça», ai-je répondu.

— Alors c'est d'accord. Le film s'appelle *Hot Spell*. Début du tournage le 6 mars.

— J'ai quel rôle?

— Je te le dirai le 6 mars.

Et voilà. Nous avions parlé. J'avais envie de vomir. J'ai quitté son bureau dans un brouillard.

Pensivement, j'ai suivi le chemin solitaire qui menait à la maison sur la plage. La nurse surveillait Sachie. Apparemment, elle ne m'attendait pas si tôt. La porte de la maison était grande ouverte. Mes chaussures ne faisaient aucun bruit.

Ce que j'ai vu et entendu m'a sidérée. Sachie se traînait sur le tapis, vers la nurse. Leona était à genoux par terre et lui tendait les bras en disant : «Ça c'est mon mignon bébé, le bébé de sa maman. Viens voir maman. C'est moi, ta vraie maman. L'autre méchante dame ne t'aime plus.»

J'étais pétrifiée. Leona ne m'avait pas vue. «Mon mignon bébé». J'ai couru au premier étage, j'ai vidé toutes ses affaires dans une valise et j'ai appelé un taxi. En montant dans le taxi, elle m'a jeté un regard noir de haine.

J'ai pris Sachie sur mes genoux et j'ai regardé l'océan pendant un long moment.

Sachie et moi, nous avons vécu seules dans la grande maison sur la plage. *Hot Spell* ne commençait que dans huit semaines. Steve voyageait à travers le Japon, je ne pouvais le joindre que par lettre. Chaque soir, je prenais la plume pour lui parler, Sachie sur mes genoux, César et Bolo à mes pieds. Le chauffage ne marchait pas bien. Nos seules sources de chaleur étaient la cheminée et nous-mêmes. Après dîner, nous nous serrions les uns contre les autres devant le feu, en retardant autant que possible la glaciale montée dans les chambres à coucher. Sachie était en bonne santé, elle ne s'enrhumait jamais. Sa vie tournait autour de moi : elle était dans mes bras pendant que je faisais les courses, et sur son petit siège d'enfant pendant nos promenades en voiture.

Et les ragots ont commencé.

Pauvre Shirley, abandonnée, toute seule, avec un enfant si adorable.

Il doit prendre du bon temps avec une geisha, là-bas. Ils prennent leurs bains ensemble, vous savez.

Ça ne lui suffisait donc pas de rester à la maison et de s'occuper de sa carrière ? Qu'est-ce qu'il fait, d'ailleurs ?

Il devrait quand même savoir que c'est elle qui a du talent, dans la famille. Pas lui. Au fait, dans quels films a-t-elle tourné ?

Un commérage incessant. Et les colporteurs de ragots n'étaient pas les seuls à prendre pour cible «la pauvre petite solitaire». Les vautours commençaient à roder. Apparemment, il n'y a rien qui excite la convoitise du mâle ordinaire comme une jeune mère, relativement jolie, mariée, et *seule*. Aucun risque, ils se sentent en sécurité. Aucune chance qu'elle exige quoi que ce soit. Et elle *doit*, n'est-ce pas? Ne fût-ce que par pure frustration? Eh bien, non.

J'ai beaucoup appris sur la vie par le simple fait de déchiffrer entre les sales lignes de leurs ragots. J'étais une énigme. Je les intriguais. Ils ne savaient pas dans quelle catégorie me ranger. Dur. Mais sur un point, ils avaient raison — j'étais désespérément seule.

J'ai commencé à accepter les invitations aux soirées de Hollywood, un phénomène unique dans le monde occidental. On n'est invité que si on travaille. Le tournage de *Hot Spell* avait commencé. On pouvait donc m'inscrire sur les listes. Tant qu'on acceptait les invitations, on continuait à en recevoir. J'ai vite fait partie du groupe. Le groupe des soirées.

En acceptant les invitations, je savais que je trahissais le sentiment de solitude que j'éprouvais, ma dépendance, mon besoin d'eux. Je me rendais, en quelque sorte, ce qui faisait grand plaisir à ceux qui avaient baissé les armes il y avait bien longtemps et qui attendaient avec impatience que d'autres suivent leur exemple et se joignent à eux. Ça m'est arrivé, mais ça n'a pas duré très longtemps.

Les soirées se ressemblaient toutes : une même scène, répétée à l'infini. Les adresses étaient différentes, mais les décors étaient identiques. Pelouses vert émeraude, parkings immaculés, Rolls Royce gravissant l'allée de gravier. Les invités qui arrivaient en Buick garaient leur voiture dans la rue, hors de vue.

Un maître d'hôtel vous accueille, en habit noir ou blanc. Il s'incline devant vous sans un mot. L'écho de voix célèbres filtre jusque dans l'entrée, où vous retenez votre respiration en vous concentrant pour vous préparer à les affronter. Vous vous demandez s'ils étaient aussi angoissés que vous en arrivant. Vous levez la tête, vous vous redressez, vous rentrez le ventre et vous vous passez une dernière fois en revue, des pieds à la tête.

C'est alors que vous l'entendez arriver. Elle, votre hôtesse, ses hauts talons achetés à Paris claquant sur les parquets, ses jupons bruissant sous une jupe de la bonne longueur. Des clips en diamant brillent à ses oreilles, juste en dessous d'une coiffure parfaite. Elle est parfaitement consciente de leur aveuglante splendeur, elle n'oublie jamais combien elle les a payés, surtout quand elle vous adresse un sourire enjôleur mais vide, et qu'elle vous complimente, l'air protecteur, sur vos bijoux fantaisie. On préférerait qu'elle ne les remarque pas. Elle vous emmène dans le living, car elle se rappelle que vous avez dit que vous viendriez seule. Vous espérez que tous les visages célèbres ne vont pas se lever vers vous en même temps, les stars, les metteurs en scène, les producteurs, les agents, les épouses de maris célèbres, et les maris des femmes célèbres. Vous aimeriez prendre la soirée à petites doses, mais, comme tout le monde, vous avez votre rôle à jouer, et c'est à vous d'entrer en scène. Et vous voilà plongée dans l'irrésistible flot de salutations exclamatives : les «ma chéééérie!», les accolades, les baisers sur la joue. Les femmes, vous les sentez reculer insensiblement, de peur qu'une trace de rouge à lèvres ne macule leur maquillage impeccable. Vous bavardez, et vous savez que personne ne dit ce qu'il pense, et que tout le monde le sait. Faire semblant est le code de bonne conduite. Il faudrait être idiot, ou incroyablement naïf, pour faire preuve de la moindre honnêteté. Si par hasard cela arrive, chacun regarde son voisin, l'air embarrassé, et fait remarquer combien c'est charmant d'avoir ici quelqu'un qui a encore des illusions à perdre. L'honnêteté n'est généralement pas très attirante. Elle bouleverse le niveau normal de communication; de plus, il est dangereux de dire la vérité en public.

Pourtant, inconsciemment, les jouteurs attendent avec impatience qu'émerge une parcelle de vérité; dès lors, c'est comme dans un jardin assoiffé après la pluie. La vérité commence à fleurir. Les visages à l'expression figée et indifférente se détendent. Chacun s'aperçoit que la communication a changé de vitesse. Maintenant, on va en venir au fait. Mais il se passe quelque chose de bizarre : la méchanceté prend le dessus et chacun participe à la mise à mort. On fait de l'esprit, cruellement. La personne (le sujet de conversation) est anéantie. Et de la façon la plus amusante qui soit.

Et vous voilà le témoin de l'anéantissement; vous vous sentez d'abord coupable et choqué : ce n'était pas le but que vous recherchiez. Vous ne vouliez qu'un peu de vérité. Et puis, à votre stupéfaction, vous vous entendez réagir avec un plaisir sadique. Vous analysez les raisons de votre allégresse et vous vous rendez compte que c'est uniquement parce que c'est drôle. Pourtant, votre coeur sait combien c'est cruel, en fait.

C'est au moment où la nausée vous saisit qu'on annonce que le dîner est servi.

Comme de superbes marionnettes, les profils célèbres sont conduits à la salle à manger. Ils se demandent à côté de qui ils vont jouer jusqu'à la fin de la soirée.

Mouvements de nervosité, sourires glacés et exclamations ravies : on vient de s'installer à côté de quelqu'un qu'on ne peut pas souffrir. Et se succèdent, somptueusement servis, poulets, riz sauvage, coeurs d'artichauts aux petits pois et petits oignons, suivis de plaisanteries qui n'incitent pas à se nourrir de patates. Les serveurs, serveuses et sommeliers sont toujours un peu troublés par la pléthore de visages célèbres et adorés; leurs bras et leurs mains tremblent légèrement sous le poids des plats sophistiqués.

La conversation est éminemment prévisible : «Mais ce film était pseudo-réaliste. Ça ne se passe pas comme ça dans la vie.»

«Non, la vie, c'est ici!»

Hommes et femmes font semblant de s'intéresser à leurs voisins de table. Parfois, ils poussent la curiosité jusqu'à échanger leurs numéros de téléphone privés, dans l'intention de jeter un coup d'oeil clandestin sur l'ennui de quelqu'un d'autre.

On peut cependant s'amuser de bribes de conversations.

«Parlons un peu de toi. Qu'as-tu pensé de mon dernier film?»

«Mais son dernier film était catastrophique. Je me moque qu'il soit fait pour le rôle.»

Si on parle d'autre chose que de films, les mouvements nerveux s'accélèrent. Il est impossible d'aborder un autre sujet. On abandonne rapidement et on retourne en terrain connu.

«La semaine dernière, à Grauman, nous avons fait quatorze mille entrées.»

Puis vient le dessert. Le plus souvent, il est flambé — une production spectaculaire, de gala, pesant ses neuf cents calories et qui lance ses feux dans l'obscurité, accompagné d'un café servi dans de délicates petites tasses. Les pieds se font de plus en plus nerveux sur les tapis d'Orient.

Un monde en soi, peuplé de personnages à la beauté renversante. Et sympathiques, quand ils sont seuls. Ensemble, ils représentent un déprimant conglomérat de perte convergente d'identité.

Ils étaient aimables avec moi. La raison pour laquelle ils m'invitaient n'avait pas d'importance. Ce qui comptait, c'était qu'ils m'invitent. Pourtant, je trouvais tout ça bien inutile et bien creux; en général, après ma journée de travail, je me retirais dans ma lointaine maison sur la plage. Je dînais seule devant la fenêtre panoramique; j'écoutais rouler les vagues, je contemplais les embruns qui éclaboussaient les vitres et s'écoulaient en de lentes rigoles. Je n'avais jamais chaud. On me rendait rarement visite. Malibu était loin, surtout en hiver. C'était froid, humide, sauvage. Ça ne devenait plus gai que pendant les rares séjours de Steve à la maison, et encore, car ils étaient habituellement assombris par des disputes.

Au bout d'un an et demi, je m'étais mise à lui en vouloir de ses absences. Je le soupçonnais, même, tombant dans le même travers contagieux que les commères.

«Pourquoi est-ce si long?» criais-je à n'en plus finir. «Ta compagnie est montée. Il y a déjà deux films de finis. Pourquoi ne produis-tu pas de spectacles vivants, comme tu as dit que tu le ferais? Pourquoi ne les présentes-tu pas ici?»

Patiemment, il essayait à nouveau de m'expliquer l'Orient.

Pendant l'un de ses séjours, nous avons eu une dispute particulièrement violente. Apparemment, nous n'avions plus rien à nous dire. Ce qu'il énonçait dépassait ma compréhension. J'étais partie me coucher, en le laissant dans le salon.

Il avait déposé un poème de Rudyard Kipling sur l'oreiller :

Aujourd'hui, il n'est pas bon pour la santé du Chrétien de hâter l'Aryen

Le Chrétien s'exaspère, l'Aryen sourit et remporte la victoire

Le combat achevé, une pierre tombale blanche porte le nom du défunt,

Sur l'épitaphe on peut lire, «Ici repose un pauvre fou qui tenta de hâter l'Orient».

Chapitre 7

J'ai essayé. J'ai fini *Hot Spell*, et j'ai tourné un film insignifiant l'un après l'autre. J'étais pieds et poings liés par mon contrat avec Hal Wallis. Je n'y pouvais strictement rien. Je lui était reconnaissante de me trouver du travail, mais la qualité de ce travail n'arrivait pas à la cheville de la solitude qui en était le prix.

Le plateau est devenu ma bouée de sauvetage, mon foyer, comme il l'avait été pour d'innombrables acteurs avant moi. Les films peuvent être insignifiants, et totalement dépourvus de valeur artistique, tant pour les acteurs que pour le monde entier. Pendant le tournage, quelque chose de beaucoup plus important arrive à l'acteur : il fait partie d'une famille.

Le metteur en scène devient le père d'enfants dépendants. Chaque technicien est votre frère, et si vous êtes *vraiment* aimable avec lui, il se préoccupe *vraiment* de votre bien-être, de votre confort, de vos angoisses. Tous sont vos partenaires d'espoirs et de rêves et ils vous forcent, parfois jusqu'à l'extrême limite de votre résistance, à donner le meilleur de vous-même. Leurs sourires d'approbation, leur humour parfois ravageur vous tiennent chaud. S'il vous arrive d'être de mauvaise humeur, ou désagréable, ils ne le voient pas. Ils font leur boulot, de façon raffinée et diplomate ; ils savent qu'à l'intérieur de vous-même vous avez peur, vous êtes angoissée, que la tempête s'apaisera et que l'amitié prévaudra à nouveau. Les membres de l'équipe technique sont des gens méconnus qui font l'esprit d'un film. Ils sont confrontés à l'essence même de l'hypersensibilité chez les acteurs, les auteurs, les metteurs en scène. Avec constance, ils s'efforcent de maintenir une bonne ambiance sur le plateau, malgré, bien souvent, l'intolérable mufflerie et même la cruauté exercées par les tyrans de l'échelon supérieur qui se défoulent en s'en prenant au «petit peuple». L'équipe est l'épine dorsale de la fabrication d'un film. Son apport est bien supérieur à ce que croient les membres de l'équipe eux-mêmes.

Tourner dans un film vous prend corps et âme. Votre maison devient un lieu négligeable, où vous prenez votre repas du soir et où vous dormez. Votre véritable foyer est un salon construit en studio, aux murs amovibles et aux lumières accrochées sur des câbles.

Votre matinée ne commence pas avant que les deux hommes qui vivent dans les cintres n'aient tourné les boutons des projecteurs qui vont éclairer votre journée. Ils vous saluent de là-haut, et vous êtes heureuse d'être là. Vous vous efforcez de connaître chacun de vos frères par son nom, parce que vous savez que ça lui fera plaisir. De temps à autre, des petits riens tombent de là-haut : aussi bien quelque chose à manger en buvant votre café qu'une chanson ou une plaisanterie qu'ils ont entendue la veille. Leurs vies sont étroitement mêlées à la vôtre car eux aussi voient rarement leur famille.

Vous commencez une scène, et le personnage que vous interprétez devient votre seule réalité. Vous vous sentez bien, en sécurité : votre équipe-famille vous protège. Ils ne vous quittent jamais des yeux. Ils sont toujours prêts à effacer une ombre disgracieuse, à améliorer les lumières, à vous indiquer votre meilleur angle. Vous leur faites une confiance aveugle, car vous savez qu'ils sont complètement impartiaux. Si vous n'avez pas dormi de la nuit, ils ne se plaignent pas des ombres que vous avez sous les yeux ; ils apportent tranquillement un projecteur de plus, et effacent pour le public ce qu'ils ont vu sur le plateau.

La relation qui s'instaure sur un plateau de cinéma peut rivaliser de professionnalisme et d'intimité avec celle qui existe entre le médecin et son patient. Le metteur en scène vous guide, canalise vos émotions et vos sentiments dans la bonne direction, vous encourage et vous aide à trouver le meilleur moyen de communiquer. Vous apprenez vite que ce serait tricher que de cacher ou de nier vos sentiments profonds. Vos collègues ne peuvent se satisfaire d'une image superficielle et vous ne trompez que vous-même en n'ayant pas le courage de donner tout ce que vous avez. Au début, la nature de ce travail semble être une terrifiante intrusion au coeur de votre intimité, jusqu'à ce que vous ayez compris que personne ne trahira ce que vous révélez de votre personnalité profonde. Ils vous en sont reconnaissants, ils vous approuvent et ça leur devient plus facile d'en faire autant.

C'est ainsi que, pour médiocres et futiles que semblent certains films, votre implication personnelle est importante. Vous êtes totalement mobilisé dans un seul but ; lorsque chacun se sépare, le soir, vous êtes fatiguée mais vous savez que vous avez une famille. Et en rentrant dans votre maison solitaire et sombre, vous ne souhaitez qu'une chose : que le matin revienne et que vous vous retrouviez une fois encore au sein de votre famille.

Je savais que je menais une vie terriblement déséquilibrée. J'avais mon travail et j'avais Sachie. Au fur et à mesure des mois et des films, je l'aimais toujours davantage.

Et un beau jour, je n'ai plus eu Sachie. Steve avait une hépatite, il était seul dans un hôpital à Yokohama. Je lui ai envoyé Sachie pour Noël. Elle a voyagé toute seule par avion, bien attachée sur son siège, toute souriante et excitée à l'idée de revoir son papa. La gouvernante que nous avions engagée au Japon irait la chercher à l'aéroport.

«C'est bon, on a fini» a crié l'assistant-metteur en scène. «Merci à tous. Je crois que nous tenons un bon film. On boit un verre sur le plateau d'à côté, avec les compliments de la production. J'espère que nous aurons l'occasion de retravailler ensemble.»

Et voilà. On se serrait la main, on plaisantait, on se faisait des petits cadeaux. Les lumières s'éteignaient peu à peu et l'immense plateau sombrait dans la nuit.

J'étais seule dans ma loge. Il n'y avait plus de costumes dans le placard. La table de maquillage était vide. La dernière page du scénario avait été tournée; il était refermé, sur une chaise. Il n'y aurait plus de voix résonnant gaiement depuis les cintres, plus d'habilleuses cherchant la solution de leurs problèmes de mots croisés en attendant le prochain changement. Les fauteuils qui portaient nos noms inscrits sur leur dos avaient été repliés, les noms avaient été effacés : tout devait être prêt pour le prochain tournage. Plus aucun figurant, habillé en cow-boy ou en indien, n'attendait son tour en prenant des rendez-vous pour la fin de semaine. Le téléphone mural qui n'avait cessé de sonner était muet. Aucun envoyé de la production pour demander ce qui prenait si longtemps, et combien de pages nous avions tournées aujourd'hui.

Tout était silencieux. On n'entendait que le gardien, qui passait son balai.

«Êtes-vous bientôt prête à partir, mademoiselle MacLaine?» m'a-t-il demandé en me regardant de l'air de quelqu'un habitué à la solitude.

«Oui. Je suis désolée. Je réfléchissais, c'est tout», ai-je dit en prenant l'air naturel, comme si j'étais simplement fatiguée.

«C'était chouette de travailler sur ce film», a-t-il dit, comme ils le font toujours, «mais j'imagine que vous êtes fatiguée. Alors, saluez bien votre famille. Vous allez avoir un peu plus de temps pour les voir, maintenant, c'est bien.»

Il m'a souhaité bonne nuit et je suis vite sortie, par la lourde porte. La nuit était noire et sans nuages. J'étais toujours étonnée de me rendre compte que le monde avait continué à tourner pendant que nous trimions à l'intérieur, sans penser à l'heure. L'obscurité m'a désagréablement sauté au visage. Les rues étaient désertes, excepté pour quelques retardataires qui cheminaient lentement vers la grille d'entrée. Je me demandais à quoi ressemblait leur foyer. Il n'y a que des gens que personne n'attend à la maison pour traîner en fin de journée. Un petit groupe de menuisiers m'a saluée au passage. Un ou deux ont sifflé, j'ai souri.

J'ai entassé mes affaires dans la MG — peignoir, serviettes, brosse à dents, dentifrice, café instantané et une photo de Steve et de Sachie. Dès le lendemain matin, le foyer qui m'avait appartenu pendant quatre mois, pendant un film de plus, appartiendrait à d'autres.

Et moi, qu'est-ce qui m'attendait? Une autre grande famille de frères et de soeurs — une famille qui serait balayée à la fin du plan de tournage, lorsque le metteur en scène crierait, «Et voilà, c'est fini.»

J'avais envie d'entrer n'importe où pour parler à quelqu'un du terrible sentiment de ne faire partie de rien, de n'avoir nulle part où aller, de ne rien connaître de durable, et de la futilité qu'il y avait à nouer des relations intimes avec des gens qu'on ne reverrait jamais.

Je suis rentrée dans ma maison vide en pensant à la nuit où j'avais mis Sachie dans l'avion pour le Japon, au léger pincement que j'avais ressenti lorsqu'elle avait fièrement tendu son propre passeport au préposé.

Stephanie Sachiko Parker
Âge : 2 ans
Poids : 15 kilos
Taille : 75 centimètres
Profession : enfant

Je n'avais pu retenir mes larmes en l'attachant sur son siège. Les autres passagers regardaient poliment ailleurs et je souhaitais disparaître. Comment pouvaient-ils comprendre que je n'étais pas une «mère de Hollywood» qui change son enfant de place comme un pion sur l'échiquier? Mais pourquoi partait-elle sans moi? Pourquoi ne pouvais-je pas être avec les deux personnes au monde que j'aimais le plus?

J'avais regardé l'avion décoller. Sachie allait faire 12 000 kilomètres toute seule. Elle devenait à son tour un personnage actif dans notre cellule dispersée. Pourquoi? Parce qu'il y avait des choses qu'un homme devait faire, et qu'une femme devait comprendre?

Grande question. Et là, sur la route qui menait à la maison de la plage, j'ai pris une décision. Je menais une vie insupportable. C'était vrai. J'avais voulu travailler. Et cela depuis l'enfance. Le besoin de m'exprimer, d'apporter ma contribution, me poussait non seulement comme professionnelle mais aussi comme femme. Mais elle était si mince, cette contribution, et, qui pis est, si médiocre, que cela ne semblait pas en valoir la peine. Ma place était avec Steve et Sachie. Il devait le savoir. Je jouais trop de rôles à la fois : actrice, mère, épouse. Il fallait que j'en abandonne un.

Je me suis précipitée dans la maison sombre, ma décision prise. Au diable mon désir de devenir quelqu'un. Il était beaucoup plus important d'être *avec* quelqu'un.

Le lendemain matin, l'avion ne pouvait voler assez vite pour moi. J'allais apprendre à vivre de poisson cru et de boulettes de riz.

Chapitre 8

Steve m'a accueillie de grand coeur. Lui aussi s'était senti seul, même s'il n'avait pas voulu admettre qu'il avait besoin de moi. Sachie lui avait sauvé la vie. Elle avait grandi depuis quatre mois, et, à deux ans et demi, à mes yeux on aurait presque dit une jeune fille. Ses blonds cheveux raides et ses taches de rousseur formaient un contraste amusant avec le kimono qu'elle portait. Elle disait des phrases en japonais et avait acquis de la maturité et de l'autonomie. Steve et elle s'adoraient. Notre place à tous les trois était ensemble, et j'avais l'impression d'être enfin rentrée chez moi.

Steve habitait à Tokyo dans une maison située dans le quartier résidentiel de Shibuya, non loin de ses nouveaux bureaux. Je me suis occupée; ikebana (arrangement floral japonais), cuisine et lecture. Sachie est entrée au jardin d'enfants de l'École internationale. Des enfants du monde entier s'y retrouvaient. Elle était trop jeune pour la petite classe, mais être à Nishi Machi constituait une éducation en soi : des enfants thaïlandais, indiens, chinois, birmans, allemands, français, anglais, indonésiens et japonais apprenaient à jouer côte à côte. Sachie et un petit garçon étaient les deux seuls Américains. Elle a commencé à apprendre toutes les langues, et très bientôt, elle se débrouillait fort bien dans cinq d'entre elles. Les enseignants de Nishi

Machi avaient une règle : la langue de l'enfant qui avait gardé le ballon pendant la première récréation serait celle que tous les enfants parleraient pendant les autres récréations de la journée. Les langues devenaient ainsi un amusant moyen de communication au lieu d'une matière obligatoire.

Les affaires de Steve étaient florissantes. Ses documentaires sur le Japon avaient remporté, par deux fois, les premiers Prix du *Festival International de Cinéma* ; il envisageait de présenter une super-production japonaise aux États-Unis. Ma carrière était dans les limbes. Nous sommes restés ensemble six mois, tous les trois. Steve comprenait ce que je faisais, et pourquoi je le faisais. Il m'approuvait. Cette période a été la plus heureuse de notre mariage.

Mais elle n'a pas duré.

Au bout d'un certain temps, je suis devenue nerveuse et agitée. Il me fallait plus d'activité personnelle. J'avais travaillé toute ma vie, avec toute l'énergie dont j'étais capable, et maintenant, même si j'aimais être avec Steve et Sachie, ça ne me suffisait pas. Ça n'était même pas une question de talent gaspillé. C'était plus grave : je vivais à vingt pour cent de mes possibilités.

Steve et Sachie ont compris ma frustration. Vous ne pouvez pas cacher de telles choses aux personnes que vous aimez le plus. Mon dilemne était si banal : une jeune femme d'intérieur frustrée, qui a plus à offrir que de faire la vaisselle avec amour, d'élever une famille avec amour et d'aimer son mari d'amour. On aurait dit le courrier du coeur de *Ladies Home Journal* ; et toutes les autres femmes dont je comprenais subitement qu'elles devaient ressentir la même chose s'entendraient répondre par Dear Abby que, pour une femme, rien ne serait jamais aussi important que sa famille. C'était la question que je me posais quand un jour Sachie m'a demandé pourquoi je ne retournais pas travailler. Je ne pouvais pas lui répondre que c'était parce qu'elle avait besoin de moi. Ça n'était pas complètement vrai d'ailleurs, et en plus c'était son idée. Ce dont elle avait besoin, c'était de savoir que je serais toujours là quand elle aurait besoin de moi, et alors seulement. En réalité, elle n'aimait pas me voir dans cet état de frustration. Elle se sentait responsable. Si je lui souhaitais, à elle, la liberté et l'indépendance quand elle serait grande, pourquoi n'aurais-je pas le droit de vouloir la même chose pour moi? Comment pouvais-je m'attendre à ce qu'elle se réalise dans la vie si moi je ne le faisais pas? Je me suis aperçue qu'en restreignant mes propres désirs, je semais le trouble dans son esprit. Je la poussais à faire toutes les choses auxquelles je me soustrayais. Comme le font toujours les enfants, elle ne l'a pas laissé passer.

Au début, Steve n'a rien dit. Il attendait que je prenne ma décision moi-même. Quand il s'est aperçu que je n'en avais pas le courage, il s'est lancé.

«Toute ta vie, tu as souhaité t'exprimer, communiquer, développer tes possibilités. Je trouve que tu as tort d'abandonner sous prétexte que la route devient difficile. On n'obtient rien de valable sans se donner du mal. Je te veux près de moi, mais quand j'ai pris la décision radicale de m'installer ici et de suivre ma voie, je ne m'attendais pas à ce que tu me suives, ni par sentiment de vide, ni par devoir. Je m'attendais à ce que tu aies la force de suivre ta propre voie, jusqu'au bout. Il faut du cran. Qu'as-tu fait du tien? Tu ne te contenteras jamais d'un rôle de femme d'intérieur, je ne te donnes pas un an pour être profondément malheureuse, pour te reprocher ta faiblesse et pour me haïr, moi, la cause profonde de ta situation. Donne-toi encore environ un an pour essayer à fond. Si tu n'y arrives pas, alors laisse tomber, mais pas avant. Repars, travaille.»

Il me connaissait mieux que je ne me connaissais moi-même.

Je suis repartie pour Hollywood, et j'ai emménagé dans une maison plus proche des studios.

Sachie partageait son temps entre Nishi Machi et un jardin d'enfants aux États-Unis. Son seul problème était de savoir où elle devait laisser ses chaussures, et à quel moment elle devait les enlever. Sous l'oeil vigilant des commères de Hollywood, j'ai tourné film sur film, dans des rôles médiocres.

Et le moment décisif est arrivé — le tournant que Steve avait prévu — et Wallis a failli tout faire rater.

Il s'agissait de *Comme un torrent*, que produisait la Metro Goldwyn-Mayer. Frank Sinatra et Vicente Minelli m'avaient vue dans une émission de télévision et pensaient tous les deux que je pouvais interpréter le rôle de Ginny, une femme qui «sait elle-même qu'elle est une salope».

Ils ont contacté mon agent qui a commencé à négocier pour moi un contrat plus élevé que dans mes rêves les plus fous. Je serais payée soixante quinze mille dollars. Devant l'insistance de Minelli, la Metro avait accepté. Et Wallis est entré en scène.

Il a annoncé à la Metro qu'ils pouvaient racheter un de mes engagements avec lui, pour moitié prix. Quand la Metro a demandé ce que moi je toucherais, il a répondu qu'il me donnerait ce qu'il me donnait d'habitude — entre dix et six cents dollars. La Metro s'en fichait. Pour elle, c'était plus avantageux et Wallis gagnerait vingt-neuf mille dollars dans la transaction. Mon agent a refusé. Comme il parlait au nom de la puissante Music Corporation of America, il a déchaîné la tempête.

Mais le scénario était merveilleux, je savais que c'était ce que j'attendais depuis longtemps. J'ai téléphoné à Steve.

«Fais-le», m'a-t-il conseillé. «Fais ce sacré film, même pour rien. Ce n'est pas l'argent qui compte, c'est la reconnaissance.»

Pour embêter Wallis, j'ai attendu le premier jour de tournage pour me présenter. Minelli et Sinatra étaient d'accord avec moi, et la Metro se sentait trop honteuse pour protester. Les costumes m'allaient, et Ginny semblait faire partie de moi, aucune préparation n'était donc nécessaire.

C'est pendant les extérieurs de *Comme un torrent*, à Madison, Indiana, que j'ai noué mes premières relations avec le soi-disant «clan». Le mot «clan» a été inventé par un journaliste d'un magazine national chargé d'écrire un article sur le tournage et sur les différents protagonistes. Nous refusions tous de le voir, il nous a donc baptisés le «clan».

Frank Sinatra et Dean Martin, leurs amis, les auteurs de chansons Van Heusen et Sammy Cahn plus un paquet d'Italiens qui devaient bien faire quelque chose (l'un d'entre eux cuisinait des canellonis extraordinaires) avaient loué une maison à côté de l'hôtel où habitait toute l'équipe de tournage.

J'étais la seule femme admise dans leur groupe, Dieu sait pourquoi. J'y passais beaucoup de temps. Je rangeais un peu, je faisais des bouquets, et je mettais des bonbons sur les tables. Ils ne faisaient que jouer au gin-rummy, mais ils étaient plus amusants que tous les gens que j'avais rencontrés dans cette profession. Parfois, ils fumaient, buvaient, plaisantaient et jouaient au gin quinze heures de suite. Minelli, le metteur en scène, supervisait de très près l'installation des décors; il n'appelait les acteurs que lorsque tout était prêt. Nous avions donc beaucoup de temps libre.

La population de Madison, Indiana, sonnait à notre porte vingt-quatre heures par jour. Nous ne pouvions entrer ou sortir sans provoquer une émeute. La direction de l'hôtel a finalement installé un cordon qui n'a servi qu'à donner aux gens l'impression qu'il se passait quelque chose.

En public, Frank et Dean attiraient incroyablement l'attention. La façon dont ils s'habillaient, peut-être. Pas un faux pli. Ils étaient désinvoltes, et avaient une absolue confiance en eux-mêmes. Les femmes se jetaient littéralement à leur tête. Elles exhibaient leurs charmes devant les deux célébrités (qui préféraient une bonne partie de gin) et leur passaient la main dans les cheveux sous le nez des hommes qui les accompagnaient, le visage rouge et l'expression égarée. Un soir, une de ces femmes a forcé le barrage, s'est précipitée dans la maison, a renversé deux lampes dans l'entrée et a couru jusqu'au salon où Frank, Dean et moi regardions la télévision. Elle a cloué Frank sur le divan et s'est mise à l'embrasser. Son mari courait derrière elle en criant «Helen, mais tu ne le connais même pas!» Helen, qui portait une robe écarlate assortie à sa passion, ne s'est pas laissée décourager. Elle a continué de plus belle jusqu'à ce que Frank puisse enfin se dégager. Sérieusement, tranquillement, il lui a demandé de le laisser se lever, ce qu'elle a fait, il l'a raccompagnée jusqu'à la porte d'entrée et lui a fait don de son portrait dédicacé au lieu de sa personne.

Je me suis toujours demandée si les autres types de la bande de Frank et de Dean ramassaient les miettes. Il y a probablement plein de femmes qui, ne pouvant danser avec les vrais danseurs, faisaient quelques pas avec leurs proches voisins.

Quant à moi, j'étais une sorte de mascotte. Personne ne m'a jamais fait la moindre avance. On ne m'a jamais posé de questions sur ma vie privée, et ce n'est pas moi qui allais en parler la première. Implicitement, ils semblaient savoir que ma vie était compliquée et que je tentais quelque chose de très difficile, ils me laissaient donc tranquille. Ils respectaient les choix que je faisais, et me protégeaient contre toute tentative extérieure d'intrusion dans mon intimité. Là, ils étaient clairs. Si quelqu'un s'approchait, l'un d'eux avançait, et se mettait devant moi.

Avec le temps, le clan a intégré Sammy Davis Jr., Peter Lawford, Joey Bishop et quelques autres. En cinq ou six ans, j'ai dû faire six ou huit films avec l'un ou avec l'autre. Notre amitié ne s'est pas démentie. Ils m'ont appris les techniques du cinéma et des trucs d'acteur, et, plus important encore, à tricher au gin. En fait, c'est pendant le tournage de *La Garçonnière* que Billy Wilder a écrit la fameuse scène de la partie de gin entre Jack Lemmon et moi, parce que je jouais tout le temps au gin sur le plateau.

Il pouvait se passer plusieurs mois, que je sois au Japon ou en voyage, sans que je ne voie un seul des garçons. Ça n'avait aucune importance. Quand nous nous retrouvions, personne ne me demandait où j'étais allée. Nous reprenions là où nous nous étions arrêtés.

Lorsque *Comme un torrent* est sorti, j'ai été nominée pour l'Oscar. J'ai subitement découvert que s'il y avait eu une époque où je ne trouvais jamais de rôle qui me convienne, maintenant, tous les rôles me convenaient. J'étais reconnue dans la profession. On ne me convoquait plus pour voir si j'étais assez jolie. Les bons rôles se succédaient les uns aux autres — *Can-*

Can, La Garçonnière, Children's Hour, Two for the Seesaw, Irma la Douce — ainsi que trois nouvelles nominations aux Oscars et d'innombrables prix, de l'argent et, enfin, l'impression d'apporter quelque chose.

Steve était merveilleusement fier de moi. Mon âme lui appartenait toujours. Et je n'avais rien trahi. En nous organisant, nous arrivions, Steve et moi, à être presque tout le temps ensemble. Sachie s'épanouissait. Je passais environ six mois par an au Japon, où elle allait à l'école. Si je tournais un film, elle passait presque tout l'été en Californie. Les séparations obligatoires soudaient encore davantage notre cellule familiale.

Les affaires de Steve étaient prospères. Tous les hommes d'affaires américains qui tentaient de travailler avec les Japonais l'enviaient. Sa super-production, *Holiday in Japan*, était à l'affiche à Las Vegas tandis que trois compagnies la présentaient à travers tous les États-Unis. De nombreux producteurs ont essayé d'imiter ce mélange de Japon traditionnel et moderne, mais aucun n'a pris le temps de comprendre la nature de l'esprit asiatique.

Chaque année, à la demande de l'empereur, Steve mettait en scène le Bal impérial. Il importait les talents de l'Orient tout entier. À partir du Japon, il a étendu ses ramifications aux Philippines, et présenté le *Philippine Festival* aux États-Unis. Après le coup d'état contre Syngman Rhee, en Corée, le nouveau gouvernement lui a demandé de redonner vie au théâtre national. Son nom est devenu synonyme de théâtre oriental. Il était comblé. Notre tentative avait réussi. En nous aidant et en nous comprenant mutuellement, nous avions tous les deux réussi.

Mon âme m'appartenait peut-être, mais pas mon temps. Il était la propriété de Hal Wallis. Mon contrat d'origine était de cinq ans, mais par le jeu des suspensions et des extensions, nous en étions à neuf ans. Plus il durait, plus je lui rapportais. Il me revendait à d'autres.

Durant la neuvième année, et après avoir tourné quelques bons films (aucun ne faisait partie des siens), il m'a fait savoir qu'il m'engageait pour un film dont je trouvais le scénario particulièrement indigent, et humiliant. Je lui ai demandé de me remplacer par quelqu'un d'autre (n'importe qui de plaisant à regarder pouvait faire l'affaire). Ce n'était pas contre la modicité du salaire que je m'élevais. Il m'a dit mon fait et m'a ordonné de me présenter sur le plateau. C'était lui le producteur, pas moi.

Selon les lois en vigueur en Californie, aucun contrat de travail ne peut contraindre quelqu'un au-delà des sept premières années suivant sa signature. En fait, la loi protège les employés contre eux-mêmes. J'ai donc pris la décision de le poursuivre en justice. Wallis était furieux. Comment l'ex-petite choriste osait-elle revendiquer ses droits?

J'avais conclu avec la Metro pour *The Unsinkable Molly Brown*. Le tournage devait commencer incessamment. Mais la Metro a craint que Wallis ne puisse m'empêcher de tourner tant que notre affaire ne serait pas réglée. Et si je perdais mon procès, il était en droit de faire valoir sa priorité, même au beau milieu d'un autre film. La Metro a annulé notre engagement. En la circonstance, tous les studios agiraient de même. La boîte de petits pois s'était révoltée, et l'usine de petits pois avait fermé.

Mais le propriétaire de la plus grande des usines de petits pois ne s'en sortirait pas sans dommage. Si Wallis perdait son procès, cela constituerait un dangereux précédent : la moralité des contrats à long terme (souvent dits d'*esclaves blancs*) serait passée au crible et cela risquait de leur porter un coup mortel. *Ils* ne voulaient surtout pas que la justice s'en mêle. D'autre part, si les contrats à long terme devenaient illégaux, de nombreux jeunes acteurs n'auraient plus aucune chance de devenir des vedettes. L'un d'entre nous allait perdre une bataille, mais qui allait perdre la guerre? Deux jours avant le procès, Wallis a proposé un arrangement à l'amiable. J'ai accepté. Il me libérait, contre cent cinquante mille dollars. Neuf ans après *Pajama Game*, j'étais mon propre maître. Pendant tout ce temps, j'avais fait neuf films avec Wallis, pour un salaire moyen de quinze mille huit cents dollars. Enfin, j'allais pouvoir choisir de tourner quand je le voulais, et au prix que je voulais.

Pendant mon désaccord avec Wallis, il s'était passé plusieurs choses. La première concerne le défunt Mike Conelly, échotier du journal professionnel *Hollywood Reporter.* Chacun savait que dès qu'il entendait courir un bruit, il l'imprimait sans le vérifier. Je le soupçonne d'ailleurs d'avoir inventé la majorité de ses articles. Politiquement, c'était un conservateur bon teint : si on ne se drapait pas dans le drapeau américain, on était suspect. Si par hasard Mike Conelly avait une devise, ce devait être «Mon pays et mes rumeurs, qu'ils aient tort ou raison».

Comme je passais beaucoup de temps à l'étranger, il disait de moi que j'étais une tête de file de la production étrangère : à l'époque, je n'avais pourtant tourné qu'un seul film hors des États-Unis, *Ma Geisha*. Il écrivait que j'étais politiquement «timbrée». Lorsque j'ai fait campagne pour Adlai Stevenson et pour le président Kennedy, et que je suis allée à Sacramento avec Marlon Brando et Steve Allen pour protester contre l'exécution de Caryl Chessman, il a écrit que j'avais complètement perdu la tête.

Lui, en tout cas, n'était pas fou de moi. Une fois, j'étais partie quelque temps, toute seule, pour avoir le temps de réfléchir. Je n'avais dit à personne où j'allais. Il avait écrit que je m'étais fait refaire le nez, que l'opération avait loupé, et que j'étais en train de me remettre.

Il avait dit que j'avais essayé de me suicider à cause d'un chagrin d'amour et insinué lourdement que pendant un de mes voyages, je m'étais fait avorter.

À mesure que les années passaient, ses articles me mettaient de plus en plus en colère. À chaque fois que paraissait quelque chose de diffamatoire, j'hésitais à le poursuivre : le seul résultat aurait été que les autres journaux auraient relayé et amplifié l'information mensongère pour laquelle je l'attaquais.

Le matin où Hal Wallis a téléphoné à mon avocat pour lui proposer un arrangement, Mike Conelly a écrit que j'avais perdu mon procès. Un suicide, une opération du nez loupée et un avortement étaient des contre-vérités que je pouvais tolérer, mais quand j'ai lu que j'avais perdu mon procès contre Wallis, ça a fait déborder le vase.

J'ai téléphoné à mon avocat et lui ai demandé comment on pouvait cogner quelqu'un sans risquer d'être poursuivi pour coups et blessures. Il a cherché dans ses dossiers. «Si vous frappez du plat de la main, sans fermer le poing, cela n'est pas assimilé à des coups et blessures. Cela dit, si vous frappez quelqu'un, attendez-vous à prendre un coup en retour. On risque de ne pas savoir que vous êtes innocente.»

Je savais que Mike Conelly ne rendrait pas les coups. C'était une vraie poule mouillée.

J'ai téléphoné à ma secrétaire Lori et lui ai demandé si elle voulait bien être mon témoin dans une certaine affaire. Elle m'a demandé si j'avais lu le papier de Conelly et j'ai marmonné quelque chose.

Nous nous sommes rendues au bureau de Conelly dans ma voiture. Lori ne savait pas où nous allions. Nous nous sommes garées sur Sunset Boulevard, devant son bureau, et nous sommes entrées. Les secrétaires et les dactylos du *Hollywood Reporter* travaillaient au premier étage de l'immeuble, dans une petite pièce bruyante. J'ai demandé poliment à une réceptionniste si je pouvais voir monsieur Conelly. J'ai jeté un coup d'oeil dans la pièce et j'ai vu deux attachés de presse qui étaient là dans le but de donner à Conelly de quoi alimenter ses colonnes. Ils parlaient ensemble, paisiblement. J'ai reconnu l'un des deux, que j'ai salué. À cet instant, Conelly est sorti de l'ascenseur et s'est dirigé vers moi.

— Shirley, a-t-il dit en souriant, que me vaut le plaisir de cette visite imprévue?

— Tout le plaisir est pour moi, ai-je rétorqué.

— Que puis-je faire pour vous?

— Voilà: il faut que je l'entende de votre propre bouche. Votre boulot est-il, oui ou non, d'écrire la vérité?

— Bien sûr que oui, vous le savez bien. Il n'avait pas l'air rassuré.

Je me suis encore approchée de lui, et je lui ai enlevé ses lunettes.

— Alors, bordel de bordel, pourquoi ne le faites-vous pas? J'ai pris mon élan, et je lui ai flanqué une gifle magistrale, de toutes mes forces. J'aurais adoré fermer le poing et le lui balancer dans l'estomac, mais je me suis retenue.

— Shirley, qu'est-ce que vous faites? a-t-il crié.

— Je vous fais ce que vous me faites depuis des années, je vous flanque des coups.

— Mais, Shirley...

— Mais, Mike... et j'ai cogné de nouveau.

Les deux attachés de presse ont fouillé leurs poches pour trouver une pièce et se sont précipités sur les téléphones pour appeler le *Los Angeles Times*. Je n'ai entendu que le début de leur conversation. «Vous n'allez jamais croire ce que je viens de voir...»

J'ai dit au revoir aux secrétaires, exprimé le souhait de ne pas les avoir dérangées, et je suis partie.

Je suis allée directement au bureau de mon avocat où il discutait de notre arrangement avec les conseils de Wallis.

Le téléphone a sonné. C'était Hedda Hopper, une autre commère, tout aussi fétide que Conelly, mais qui vérifiait plus souvent ses informations.

— Shirley, dit-elle, vous devriez avoir honte de vous.

— D'accord, je sais, ai-je dit. Elle me cassait les pieds.

— Mais non, a-t-elle poursuivi. Pourquoi donc ne l'avez-vous pas étendu raide pour le compte? En ce qui me concerne, je trouve que vous devriez avoir honte de ne pas l'avoir achevé.

Ça, c'était un changement d'aiguillage. Je lui ai envoyé un chapeau orné d'orchidées naturelles, dont on m'a dit qu'elle l'a porté jusqu'à ce qu'elles soient complètement mortes.

J'ai passé la journée enfermée dans un bureau d'avocat. Je n'ai pas réalisé le bruit que faisait l'affaire. L'histoire s'étalait en premières pages des journaux : j'avais fait intrusion dans le bureau d'un échotier, je l'avais frappé et je risquais d'être poursuivie pour coups et blessures volontaires : ça dépendrait des dégâts que j'avais causés au visage de monsieur Conelly. J'étais vraiment contente que Lori ait été là, pour témoigner que je lui avais simplement flanqué une bonne gifle.

En sortant de chez mon avocat, j'avais rendez-vous avec un ami pour aller à une soirée dans les salons du Chasens Restaurant. Quand nous sommes entrés, tout le monde a applaudi et j'ai trouvé une paire de gants de boxe à ma place. C'était Rocky Graziano qui les avait envoyés. Jim Bacon, à l'époque envoyé spécial de l'Associated Press à Hollywood, est venu vers moi et m'a dit : « Vous feriez bien, désormais, de vous méfier des rues sombres — Conelly risque de vous attendre dans le noir et de vous frapper avec son filet à provisions. »

Le gouverneur Brown m'a envoyé un télégramme pour me dire qu'il arbitrerait tous mes combats à venir.

Mais le télégramme mémorable venait du président Kennedy. Il disait :

CHÈRE SHIRLEY — FÉLICITATIONS POUR VOTRE COMBAT — STOP — ÉVIDEMMENT SI VOUS AVIEZ VRAIMENT EU DU CULOT, VOUS AURIEZ TABASSE WALLACE — LE GOUVERNEUR PAS HAL — JFK

Chapitre 9

La vie des acteurs s'étale souvent dans les journaux. Les acteurs servent de catalyseurs aux gens qui ne se parlent pas directement.

La visite de Nikita Khroutchev sur le plateau de CanCan, par exemple. On nous a présentés, nous avons parlé, mais ce sont les journaux qui ont fait monter la mayonnaise.

La direction de la 20th Century Fox nous avait demandé, à Frank Sinatra et moi, de recevoir Khroutchev qu'on allait amener sur le plateau pour lui montrer comment on tournait un film. Frank a décidé de chanter «Live and let Live» (vivre et laisser vivre) avec Louis Jourdan, un choix particulièrement approprié dans la circonstance. Moi, j'ai appris un discours en russe, phonétiquement, et j'ai conduit le CanCan, le numéro le plus spectaculaire du film.

Toute la scène a été retransmise à la télévision, et, comme j'avais parlé en russe, que j'avais été présentée au Premier Secrétaire, que je lui avais souri et serré la main, j'ai reçu un énorme courrier me reprochant de cautionner le boucher de la Hongrie. Khroutchev a souri tout l'après-midi, a eu l'air d'apprécier mon discours et plus encore les figures les plus osées du CanCan. Pas madame Khroutchev. Elle le surveillait de près, surtout lorsque je lui ai présenté les danseuses : il rayonnait littéralement. Les journalistes m'ont pratiquement relevé la jupe au-dessus de la tête pour prendre une photo avec le sévère dirigeant communiste, l'attitude réjouie. Tout le monde l'entourait, et il se montrait malicieux, chaleureux et très naturel. Mais ensuite, il s'est passé quelque chose. Il fallait qu'il joue son propre rôle. Lorsque la presse lui a demandé comment il nous avait trouvés, le CanCan et moi, il a répondu : «Je trouve l'humanité plus belle à regarder de face que de dos». On m'a demandé ce que je pensais de cette réaction. «Je crois que ce qui l'a gêné, c'est que nous portions des culottes», ai-je dit. «De toutes façons, si on voulait lui montrer quelque chose de typiquement américain, il valait mieux l'emmener voir un match de football, et lui offrir un hot-dog».

Un jour, un an et demi après environ, j'étais chez Sardi, à New York. Les Nations-Unies étaient en session, et Khroutchev était venu donner son coup de chaussure sur le bureau. *La Garçonnière* venait de sortir, et remportait un franc succès. Un homme est venu vers moi et s'est présenté comme le porte-parole de monsieur Khroutchev durant son séjour à New York. Il avait un message pour moi, de sa part :

«Le premier secrétaire vous envoie ses salutations, et souhaite être appelé à votre bon souvenir. Il est allé voir votre dernier film, et trouve que vous avez fait beaucoup de progrès.»

L'une des grandes joies de ma carrière était d'avoir les raisons et l'occasion de découvrir de nombreux milieux différents. Il me semblait parfois que j'avais plus de plaisir à explorer qu'à jouer. J'entrais dans les vies privées de toutes sortes de gens, qui m'accueillaient bien car ils souhaitaient être représentés le plus exactement possible.

Quand je me suis mise en quête du personnage de Gittel Moska, pour *Two for the See-saw*, j'ai passé beaucoup de temps dans Greenwich Village, à New York, pour imaginer la vie d'une danseuse juive déchue, ayant perdu toute estime d'elle-même. La Gittel que j'ai trouvée n'était pas exactement celle de William Gibson, mais elle lui ressemblait assez, et elle a été franche avec moi.

Quand Steve et moi avons tourné *La Geisha*, au Japon, j'ai vécu dans une Caburenjo (école de geishas), pendant deux semaines. On m'a appris les subtilités de la cérémonie du thé, à jouer du samisen et à danser à la japonaise, un art si délicat que les mouvements sont parfois imperceptibles. Aucun occidental n'avait encore été autorisé à entrer dans une école de ce genre, encore moins à y vivre.

Mais la recherche qui m'a menée le plus loin hors des sentiers battus est celle que j'ai entreprise pour *Irma la Douce*, de Billy Wilder. Je savais un peu ce qu'était le monde des filles perdues, bien sûr, mais Irma était différente. C'était une putain au grand coeur (comme elles le sont toujours dans les films), mais elle était plus qu'une fille perdue. Son corps était son commerce et elle l'utilisait fièrement, sans aucune mauvaise conscience.

Irma travaillait aux Halles de Paris, l'un des quartiers chauds les plus sordides au monde. Elle était la meilleure tapineuse du quartier et s'en glorifiait. Pour personnifier Irma, il fallait que je trouve une véritable putain et que je fasse sa connaissance.

Le fils d'amis français m'a accompagnée tant pour me servir d'interprète que pour assurer ma protection. Je l'appellerai par son prénom, Christian, car il ne souhaite pas que son nom de famille soit mentionné ; il est marié, maintenant, il a deux enfants. Il en a appris autant que moi, dans les bas quartiers.

Les Halles n'existent plus, aujourd'hui. Mais du temps de leur splendeur, c'était un gigantesque marché où venaient s'approvisionner en nourritures venues de la campagne les restaurants, les hôtels et même les simples particuliers. Nous errions au milieu des étalages de pommes rouges et appétissantes, des pyramides de choux verts bien fermes, de toutes sortes de fruits, et de quartiers de boeuf, de mouton ou de porc, suspendus à des crochets de boucher.

Les camionneurs arrivaient aux Halles autour de minuit. Ils déchargeaient leurs marchandises et, avant de retourner à leurs fermes, beaucoup d'entre eux appréciaient une petite diversion.

Les prostituées patrouillaient dans les petites ruelles adjacentes : jeunes et vieilles, grosses et maigres, sculpturales ou massives. Les filles étaient appuyées contre les murs, à un mètre de distance les unes des autres, devant des immeubles décrépis à plusieurs étages. «Chaque immeuble est géré par une Madame», m'a expliqué Christian. «La caisse est au premier étage. Les clients payent d'avance. Dans les étages supérieurs, évidemment, ce ne sont que des chambres à coucher.»

En effet, quel usage auraient-ils donc fait de cuisines tout équipées?

«Chaque fille donne tout ce qu'elle gagne à son mac (le souteneur, et bien souvent le seul homme de la vie des filles). En échange, le mac la protège et lui donne de quoi vivre.»

Les filles s'habillaient de façon à mettre leurs avantages en valeur. Celles qui avaient une jolie silhouette portaient des robes collantes et prenaient une pose qui accentuait leurs formes. Si c'était leur visage qu'elles considéraient comme leur meilleur atout, elles étudiaient particulièrement leur maquillage et leur expression. Dans le cas où elles ne brillaient ni d'un côté ni de l'autre, elles se tenaient simplement là. Chacun savait pourquoi : elles étaient réservées aux fauchés.

Christian et moi avons fait halte non loin d'une fille aux cheveux noirs, à peu près de ma taille, assez jolie de silhouette et de visage. Elle s'appuyait de tout son poids sur un seul pied, chaussé de talons hauts d'au moins dix centimètres, son autre jambe déportée sur le côté, comme si elle posait pour une publicité. Elle posait tout le temps, d'ailleurs. D'abord de trois quarts, puis de face; de temps en temps, elle se penchait pour rectifier la couture de son bas et se redressait en décrivant un cercle complet, le derrière bien moulé dans une robe blanche de style chinois, fermée du haut en bas par une fermeture Éclair.

J'ai appris plus tard que les couturiers étudiaient des modèles particuliers pour les belles de nuit. Le temps, c'est de l'argent, et l'essentiel est d'en gagner : boutons, crochets ou pressions sont bannis. Une seule solution, la bonne vieille fermeture Éclair.

Un client s'est approché de la fille. Ils ont échangé quelques mots puis ont disparu dans l'immeuble.

La négociation porte sur le nombre de vêtements que le client souhaite que la fille enlève : c'est ce qui détermine le prix. Si elle n'en enlève aucun, ça coûte environ soixante-quinze cents. Si le client veut qu'elle enlève sa robe et ses sous-vêtements, le prix monte d'autant. Ce qui embête le plus une prostituée, c'est de devoir ôter ses bas et son porte-jarretelles. Le tarif grimpe alors d'une façon disproportionnée avec le temps qu'il faut vraiment pour les enlever et les remettre. Mais les précieuses minutes gaspillées sont perdues pour la rue, là où elles assurent leur avenir.

Cinq minutes après, la fille était de retour. Pas un de ses cheveux n'avait bougé. Elle arborait une coiffure style ruche, qui me faisait penser à l'Empire State Building.

Christian m'a fait traverser la rue. Les prostituées alentour me regardaient sans aménité. Peut-être croyaient-elles que je venais leur faire concurrence.

Nous nous sommes présentés à la fille aux cheveux noirs et lui avons montré nos papiers. Elle a dit qu'elle s'appelait Danielle. Christian lui a expliqué que j'allais jouer le rôle d'Irma dans un film et que j'espérais que ça ne la dérangerait pas si je l'observais pendant un certain temps.

Danielle a souri. J'ai ajouté que je souhaitais beaucoup parler avec elle, si elle en avait le temps.

Ses soupçons se sont envolés. Elle avait plutôt l'air flatté et heureux. «Vous allez jouer l'une de nous à l'écran?» a-t-elle demandé avec un authentique ravissement.

J'ai hoché la tête.

«Bon. Je vous servirai de conseiller technique, je vous montrerai comment on fait vraiment.» Elle souriait largement et parlait assez fort pour rassurer les autres filles. Elle a continué : «Ma foi, oui, vous ferez une bonne tapineuse».

J'ai eu l'impression qu'on venait de me décerner le Certificat de bonne maîtresse de maison de la Veillée des Chaumières.

Danielle travaillait de quatre heures et demie de l'après-midi à minuit et demi. On était en août, un très mauvais mois pour les putains, car les Parisiens sont presque tous en vacances. Les affaires marchaient si doucement qu'il ne fallait pas s'attendre à plus de trente-cinq passes la nuit, en moyenne.

En France, le racolage est interdit. Elle devait donc éviter très soigneusement de faire le moindre geste à l'intention des hommes qui passaient en inspectant la marchandise. Elle se contentait de se tenir là, sur son petit territoire, en balançant son sac d'un air nonchalant. De temps à autre, elle remontait son bas et décrivait son cercle en se redressant. Elle n'avait pas besoin d'en faire plus, d'ailleurs, car, comme Irma, elle était la meilleure tapineuse du quartier. Elle situait le client en quelques secondes, discutait le prix s'il semblait acceptable, le renvoyait s'il y avait le moindre risque que ce soit un ivrogne, un flic ou un pervers.

Pendant trois heures nous sommes restés là, hors de vue. Nous observions le manège de Danielle. Elle est entrée dix-sept fois dans l'immeuble, améliorant la moyenne prévue compte tenu des normes saisonnières.

Aux Halles, la plupart des clients étaient des Français issus des classes moyennes ou, bien sûr, des camionneurs. J'ai cependant vu un homme extrêmement bien habillé sortir d'une Cadillac avec chauffeur. Il est redescendu si vite que je me suis dit que le chauffeur aurait mieux fait de ne pas arrêter son moteur.

À la fin de son service, Danielle nous a fait signe de la suivre dans l'immeuble.

«Venez visiter les lieux», a-t-elle expliqué en nous précédant dans l'escalier tortueux.

En montant, je me suis livrée à un rapide calcul. Trente-cinq clients par nuit. Cela signifiait qu'elle montait et descendait les marches soixante-dix fois, juchée sur des talons de dix centimètres et en jupe étroite.

«Montez toujours la première, a-t-elle expliqué. Si le type panique, ou change d'avis, ça le remettra sur les rails». Elle se tapotait le derrière et balançait des hanches en montant.

Nous sommes arrivés en haut. Danielle a ouvert grand la porte et nous a fait entrer dans une des chambres. Elle n'était ni élégante ni sinistre. Il y avait un grand lit recouvert d'un couvre-lit rouge, une table, une lampe avec un abat-jour rouge, un lavabo et un bidet. Les murs étaient tapissés de miroirs. Apparemment, certains clients préféraient la tribune d'honneur au terrain de jeu. Un trou minuscule percé dans la porte était destiné à ceux qui préféraient regarder de l'extérieur. Grâce aux miroirs, ils ne rataient rien. Dans les maisons plus sophistiquées, il n'y avait pas de trous dans les portes : on les remplaçait par des miroirs sans tain.

Nous nous sommes rapidement trouvés en bonne compagnie : d'autres prostituées nous ont rejoints, ainsi que quelques macs. Danielle leur avait dit pourquoi j'étais là. Ils passaient dire bonjour et exprimer leur espoir que je serais fidèle à Irma. L'un des macs avait apporté un gros album de photos pornographiques qui montraient les filles en action. Il a suggéré que j'en achète quelques-unes.

«Elles vous serviraient pour le film. Vous pourriez vous y rapporter de temps en temps, comme à un conseiller technique.»

J'ai secoué la tête et j'ai essayé de refuser poliment. Mais je l'ai vexé.

Danielle a repris les choses en main. «D'abord, a-t-elle dit, il faut que vous voyiez comme je me déshabille vite». Avant que je n'aie pu prononcer un seul mot, elle avait enlevé sa robe et ses bas : elle était prête pour le boulot. Les macs et les autres prostituées l'ont généreusement applaudie.

Rayonnante, Danielle a fait avancer Christian. Doucement mais fermement, elle l'a poussé sur le lit et a commencé à mimer son attitude avec le client. En regardant par-dessus son épaule, elle expliquait que le client avait le choix entre de nombreuses possibilités, que l'on pouvait séparer en deux combinaisons (Christian, le souffle court et le visage écarlate, traduisait) ; ça donnait quelque chose du genre «Cochez une case dans la colonne A, cochez une case dans la colonne B».

«Il ne faut jamais oublier une chose», a ajouté Danielle en remontant la fermeture Éclair de sa robe. «Quel que soit le nombre de vêtements qu'on vous demande d'enlever, n'enlevez *jamais, jamais* vos chaussures. Ce n'est pas du tout flatteur, les pieds nus.»

J'ai hoché la tête avec reconnaissance, tout en me demandant comment elle se débrouillait pour ne pas crever les yeux de quelqu'un avec ses talons aiguille. Christian se relevait avec difficulté et tentait de reprendre contenance.

«Alors», a crié Danielle gaiement, «je vais vous montrer ce qu'on appelle vraiment ne pas perdre son temps».

Elle est sortie de la chambre et elle a dévalé les escaliers. J'ai demandé où elle allait. «Dans la rue», a répondu quelqu'un.

Nous l'avons bientôt entendue remonter, un client sur les talons. Elle l'a fait entrer dans une autre chambre et a passé la tête dans la porte: «Et maintenant, regardez vos montres», a-t-elle dit avant de repartir. Nous avons attendu. Quatre minutes après, exactement, elle était de retour. Elle avait fait ce qu'il fallait et renvoyé son client, le tout en quatre minutes. Rayonnante de fierté, elle a demandé: «Que pensez-vous de ça?» Les applaudissements ont crépité à nouveau.

«On pourrait peut-être en faire une discipline olympique?» ai-je dit. Christian a souri un peu bêtement, il n'avait pas encore complètement récupéré.

L'un des clients habituels de Danielle devait arriver d'un instant à l'autre. Elle tenait à être tranquille tant qu'il serait là. Avec lui, elle travaillait sur rendez-vous. «J'ai un client régulier qui me paye très cher, juste pour parler» a-t-elle continué. «Et pas le genre de conversations que vous imaginez. Il me parle de sa famille, de ses affaires et de tout ce qu'il pense avoir raté.»

Ça devait être moins cher qu'un psychanalyste.

— C'est lui que vous attendez?

— Non. Celui-là est différent, très différent. Il ne parle pas. Il me réserve, avec trois autres filles, pour une heure entière. Il est très gentil. Elle a jeté un coup d'oeil à sa montre. «Il ne

va pas tarder. Vous devriez me regarder travailler avec lui. Vous comprendriez mieux.»

J'ai décliné l'invitation en la remerciant. À mon grand étonnement, elle s'est montrée indignée. «Mais enfin, Shirlili», s'est-elle exclamée, «si vous ne faites aucun effort pour savoir comment se passe mon boulot, comment pouvez-vous espérer jouer Irma correctement?» De colère, elle a allumé une cigarette. «Et pourquoi est-ce que je perdrais encore du temps à vous causer?»

L'atmosphère s'est tendue. Madame, les filles et les macs faisaient solidement front, outragés. Je sentais leur déception. Tous étaient d'accord avec Danielle. Je commettais une grave faute professionnelle en refusant de profiter d'une telle occasion. En plus, j'envoyais promener leur meilleure tapineuse. Je réfléchissais à toute vitesse. Je me suis demandé si ce n'était pas une blague de mon metteur en scène. Et s'il y avait une rafle? Je voyais les manchettes: «L'actrice Shirley MacLaine ramassée au cours d'une rafle dans un bordel parisien».

La chambre était silencieuse. On n'entendait pas un lit craquer. Dans un scénario, à ce moment-là, l'acteur va à la fenêtre d'un pas hésitant, et regarde dans la rue. Mais il n'y avait pas de fenêtre, seulement des miroirs reflétant les macs et les putains en colère, et moi. L'allure de deux des macs ne me plaisait pas du tout. J'étais très mal à l'aise. J'ai respiré un bon coup et j'ai murmuré quelques mots d'acceptation. Tout le monde s'est détendu.

Le client est arrivé à ce moment-là et Danielle et trois autres filles ont quitté la chambre avec lui. Je me suis assise et j'ai parlé tranquillement avec Christian. Au bout de quelques minutes, Madame a dit: «Maintenant».

Elle m'a entraînée dans le corridor et s'est tournée vers moi. «Maintenant, vous allez voir pourquoi nous sommes si fiers de nos filles», a-t-elle dit sérieusement, «et pourquoi nous souhaitons que vous leur rendiez justice quand vous jouerez leur rôle».

Je l'ai suivie dans le corridor, jusque devant une chambre trois portes plus loin. Nous nous sommes arrêtées et elle a guidé mes yeux vers le trou. J'ai regardé et j'ai eu du mal à réprimer mon fou-rire. Il régnait une activité frénétique. On se serait cru dans un spectacle de Jerome Robbins. Les autres filles et les macs m'avaient suivie dans le corridor. Ils me regardaient regarder. Je me suis redressée et j'ai remercié Madame pour la leçon.

«Non, non, ce n'est pas fini», a-t-elle dit en m'apportant une chaise et en me poussant doucement dessus. Tout le monde avait l'air si naturel que je me suis un peu détendue. À l'intérieur, l'activité continuait de plus belle.

Le client allait faire son choix pour le sprint final. C'était Danielle. Les autres filles n'ont pas eu l'air de lui en vouloir. Elles se sont retirées à l'autre bout de la chambre et se sont mises à parler tranquillement, sans aucune émotion ni curiosité, l'air aussi professionnel que trois sténo-dactylos.

À cet instant, Danielle, qui travaillait dur et s'ennuyait ferme, a regardé en direction du trou et m'a fait un petit signe. C'était la goutte d'eau qui fait déborder le vase. Je me suis relevée, j'ai remercié Madame et les autres pour leur accueil et je suis allée attendre dans une autre chambre que Danielle ait fini sa nuit.

Il était une heure du matin quand nous nous sommes assises sur le lit et que nous avons commencé une conversation qui allait durer près de trois heures. Christian traduisait. Je lui ai demandé de me raconter comment elle avait débuté dans le métier. Danielle avait vingt-quatre ans quand je l'ai rencontrée. Elle faisait ce boulot depuis sept ans.

À l'âge de seize ans, elle était aide-infirmière dans un hôpital parisien. Une nuit, on avait admis un malade qui allait bouleverser sa vie. Il était resté deux semaines, ils avaient eu le temps de faire plus ample connaissance. Avant de quitter l'hôpital, il lui avait demandé combien elle gagnait. C'était terriblement peu.

— Tu aimes ton boulot, avait-il demandé.

— Non, avait-elle rétorqué. C'est très déprimant de n'être entourée que de malades et de mourants.

— Je t'aime, Danielle, avait-il dit alors. Viens vivre avec moi. Je prendrai soin de toi.

Elle l'avait donc suivi. Pendant quelque temps, elle avait été heureuse. Huit mois avaient passé quand il lui avait annoncé qu'ils n'avaient pas assez d'argent et qu'il était temps qu'elle se mette au boulot. C'était un souteneur, il se procurait de nouvelles prostituées en se les attachant par les sentiments. Il l'avait présentée à une autre fille et une Madame l'avait introduite dans la profession.

— Ça vous embêtait? ai-je interrogé.

— Non. Elle a eu l'air surpris. Manifestement, elle n'attachait aucune importance au sexe, qu'elle ne considérait en rien comme quelque chose d'intime.

— Vous aimez votre mac?

— Évidemment.

— Et lui aussi, il vous aime? Et ça lui est égal que vous montiez avec trente-cinq hommes chaque nuit?

— Bien sûr que oui. Elle a haussé les épaules. Il m'a installée ici, c'est un bon coin. Je suis bien payée. J'aime ce que je fais.

Je lui ai demandé si elle avait du plaisir à faire l'amour avec son mac.

— Oh oui, a-t-elle répondu. Mais pas de la même manière qu'avant.

Je lui ai demandé de s'expliquer.

Ça semblait lui faire plaisir, de répondre à cette question; comme si elle savait que tout le monde se la posait.

«C'est une question de zone intime. Ma zone intime à moi, ce n'est plus là. (Elle a désigné son entre-jambes en haussant les épaules.) C'est là.» Elle a touché le haut de son dos, entre les omoplates. «Quand mon homme me caresse là, je n'ai besoin de rien d'autre. Mais s'il arrive que par hasard un client touche cet endroit, j'arrête immédiatement de travailler et je lui rends son argent.»

J'étais sidérée de constater qu'il est tellement indispensable à une femme de posséder un jardin secret, réservé à l'homme qu'elle aime, qu'elle en arrive à modifier la nature même.

«Nous avons toutes des endroits différents», a-t-elle continué. «Ma copine, c'est les cheveux. Personne n'a le droit d'y toucher, excepté son homme.»

J'ai demandé à Danielle si elle envisageait de prendre du galon, par exemple de travailler aux Champs Élysées. Elle a haussé les épaules à nouveau. «Bien sûr que ça me plairait. Mais il faut de l'argent pour commencer aux Champs-Élysées. Il faudrait que je porte des vêtements plus chers, et on n'a pas le droit de rester sur le trottoir, comme aux Halles. Les filles qui ont de la classe draguent en voiture.»

Elle m'a encore raconté qu'elle avait un fils, qui vivait à la campagne chez une nourrice. Elle ne savait pas qui était le père : son mac ou un client.

— C'est vous qui vous en occupez, financièrement? Votre mac ne prend pas tout ce que vous gagnez?

— Si. Mais tout ce que je peux lui soutirer, je le consacre à mon fils.

J'ai commencé à la sonder. Je cherchais une philosophie de la vie, ou une expression de sa vie intérieure. Je suppose que j'espérais une dissertation sur la probité et la nécessité du plus vieux métier du monde et sur sa façon de servir l'humanité à sa façon, la seule qu'elle connaisse. Mais il était manifeste que ça ne lui avait jamais traversé l'esprit. Elle était polie, gentille même, mais ça n'allait pas bien loin. Je lui ai demandé si c'était une preuve de compassion d'accepter les gens quel que soit leur niveau. Elle ne comprenait pas à quoi je voulais en venir et se contentait d'affirmer encore et encore, «Je suis bien payée, j'aime ce que je fais».

La conversation s'enlisait. Ses réponses étaient fragmentaires. Elle observait de longues pauses. Elle a pris une cigarette et a essayé de l'allumer, mais ses mains tremblaient trop violemment. Je lui ai demandé ce qui n'allait pas, mais je croyais avoir saisi. Elle n'a pas répondu. Elle tremblait de tout son corps. Son visage se décomposait. On aurait dit le portrait de Dorian Gray. Elle me regardait de l'air affolé d'un petit animal pris au piège. Elle s'est enfuie de la chambre, en courant. Je ne l'ai plus jamais vue.

Madame nous a expliqué que Danielle se droguait. Au bout de deux ans, loin d'être heureuse, Danielle avait commencé à haïr son métier et avait supplié son mac de lui rendre sa liberté. Il avait refusé et, à la place, il lui avait procuré de quoi abrutir son corps et son esprit, de quoi se moquer de ce qui lui arrivait trente-cinq fois par nuit.

Quand un mac a une bonne gagneuse, il la garde, à tout prix. Il prend une telle emprise sur la fille, qu'elle n'ose pas s'enfuir. Si elle essaie, il peut la tuer. C'est arrivé assez souvent.

Tant que les filles sont dans la rue, elles doivent être sous la protection d'un souteneur. Des filles viennent d'autres quartiers et tentent de s'installer sur le bout de trottoir de quelqu'un d'autre. Elles sont avec leurs propres souteneurs, qui se battent à coup de lames de rasoir, de couteaux et même de fouets. De violents combats ont lieu, parfois à mort. Les enjeux sont élevés.

À partir du moment où une prostituée se drogue, le cercle est fermé. Il faut bien trouver l'argent quelque part. Les jeunes et les vieilles, les belles et les laides s'alignent, nuit après nuit, qu'il pleuve ou qu'il gèle. Elles portent leurs éternelles robes à fermetures Éclair, elles grimpent des centaines de marches par nuit, elles échangent leurs corps engourdis et leurs âmes mortes contre leur récompense : une dose d'héroïne.

Quelques mois plus tard, j'ai mis mes bas verts et j'ai commencé à jouer Irma. Danielle n'était jamais bien loin.

Ce rôle m'a valu de nombreux prix. Pendant une cérémonie de remise des prix télévisés, j'ai fait un petit discours. J'ai raconté mes recherches aux Halles et combien cela m'avait aidée. En fait, ai-je ajouté, je me suis tellement amusée que j'en ai presque abandonné ma carrière d'actrice. En moins de temps qu'il ne faut pour le dire, on m'avait coupé le son. Je remuais les lèvres et on n'entendait rien. J'aurais voulu qu'ils me laissent finir. J'aurais voulu qu'ils me laissent tout dire.

Chapitre 10

Le plus étonnant, dans le succès, c'est que subitement les gens s'intéressent à ce que vous pensez. Je n'avais pas vraiment vieilli, je n'avais pas encore trente ans ; je ne me conduisais pas de façon particulièrement remarquable, mais je gagnais huit cent mille dollars par film. Tout d'un coup, j'étais habilitée à appeler Samuel Goldwyn «Sam» et William Wyler «Willy». C'étaient des gens que j'étais censée appeler Monsieur, du temps que je n'étais personne ; maintenant que j'étais une vedette, j'étais devenue *quelqu'un*, et nous pouvions parler d'égal à égal.

Le succès m'a contrainte à affronter un certain nombre de faits. Jeune ou pas, prête ou non, le succès m'a contrainte à m'évaluer.

Prenez l'argent, par exemple. Avant Hollywood, je n'avais jamais plus de cinquante dollars à dépenser. C'est vrai, je n'avais jamais manqué de l'essentiel — manger et dormir — mais je ne savais pas ce que c'était que de posséder de l'argent pour le superflu. Maintenant que je pouvais m'offrir tout le superflu que je voulais, je me conduisais toujours comme si je n'avais que cinquante dollars en poche. Je faisais mes courses dans les solderies et bien souvent je n'achetais rien. Il m'est arrivé plus d'une fois de marchander un objet, de le payer et de l'oublier sur le comptoir. Je me sentais coupable de pouvoir m'offrir ce que je désirais. Je répugnais à me laisser aller, même si cet argent, je l'avais gagné à la sueur de mon front et si j'étais maintenant assurée de la sécurité matérielle.

Je me suis aussi aperçue que je courais derrière le succès et la reconnaissance, mais que je ne voulais pas perdre mon anonymat. Le conditionnement psychologique que j'avais subi étant enfant, qui m'imposait d'être discrète, me poursuivait. Or, c'était impossible. Il fallait que je m'adapte à une adulation injuste et sans fondement et à une exaspérante perte d'intimité.

Je n'étais guère raisonnable : je détestais l'attention que j'attirais et pourtant je m'étais battue pour ça. Les étrangers les plus charmants me faisaient entrer dans des rages folles en me regardant, en observant comment je tenais ma fourchette, en me fixant pendant que je parlais tranquillement à ma fille ou en me disant qu'ils reconnaissaient l'expression du visage que je venais d'avoir. J'avais l'impression qu'ils outrepassaient leurs droits en me dévisageant, ou en s'intéressant à moi. J'avais tort, mais leur intérêt pour moi avait beau être admiratif, je ne le supportais pas. J'étais furieuse car, à cause d'eux, je ne m'oubliais jamais ; or, je n'avais aucune envie de vivre dans un monde qui ne tournerait qu'autour de moi.

Au début, j'ai réagi avec une froide hostilité, souriant à peine quand quelqu'un s'approchait de moi pour me féliciter. Pendant quelque temps, j'ai même nié être Shirley MacLaine — j'en avais toujours honte après. Comment pouvais-je considérer cela comme une intolérable intrusion dans ma vie privée alors que j'avais choisi de m'exhiber sur les écrans et de rechercher les applaudissements, l'approbation et l'attention de tous ces étrangers ?

Mais c'est comme ça que je réagissais. Je n'avais qu'une envie : faire la queue au supermarché, au milieu de gens que personne ne regarde. Je voulais écouter des bribes de conversation, regarder comment les gens étaient habillés, comment se comportaient leurs enfants, observer les mimiques de ce couple qui semblait heureux en ménage et de cet autre, à l'air si malheureux. Tout cela m'avait permis de survivre et c'était irrémédiablement terminé.

Je voulais plonger dans les vagues de Malibu avec Steve et Sachie, comme autrefois, et que les passants nous ignorent. En maillot de bain, je me sentais vulnérable; je ne pouvais penser qu'à ma peau trop blanche qui ne bronzait jamais et à mes millions de taches de rousseur. J'avais peur que les gens ne me trouvent trop grosse, ou trop maigre. Des gens demandaient à Sachie: «Ta mère, c'est Shirley MacLaine?» Sachie répondait «Oui, mais elle dit qu'en réalité elle est Shirley Parker.» Et Sachie me questionnait: «Qu'est-ce que tu as de si spécial, maman?» J'essayais de lui expliquer que ce n'était pas moi qui étais spéciale, mais le métier que je faisais. Alors elle continuait: «Je voudrais qu'on nous laisse tranquilles et qu'on puisse jouer comme avant».

Mais la réussite que j'avais recherchée signifiait qu'«on» ne me laisserait plus jamais tranquille. Et, bien entendu, je n'avais aucune envie qu'«on» le fasse. Je voulais être aimée et appréciée. J'en avais besoin. J'avais tout fait dans l'unique but de recueillir l'approbation générale. Au-delà de ma colère, il y avait ma terreur de les décevoir.

D'instinct je savais que si je voulais me maintenir à un honnête niveau dans mon métier, il fallait que je reste vulnérable. Si je me construisais une coquille et que je m'y enfermais, j'échouerais. Ce que veulent voir les gens, c'est le reflet de vrais sentiments humains, les leurs. Tout ce que peut espérer un acteur, c'est d'être un miroir de l'humanité, un miroir dans lequel le public se regarde. Mon problème était de rester vulnérable et sensible, tout en continuant de résister. Tendre et coriace à la fois.

Avec la célébrité, j'ai soudain découvert que j'acquérais du *pouvoir.* L'argent, c'est une chose, la gloire et la reconnaissance, une autre. Ça se maîtrise. Mais le sentiment du pouvoir était ravageur.

J'avais le pouvoir d'engager et de renvoyer des gens, d'imposer mes opinions à d'autres, d'être écoutée. Qu'est-ce que je pensais de tel ou tel projet? Est-ce que j'aimais l'histoire, le style? Accepterais-je tel ou tel metteur en scène? Tel ou tel avait besoin de travailler; est-ce que j'en voulais pour partenaire, ou comme collaborateur?

Je prenais des décisions. Cela faisait partie de mes nouvelles responsabilités. Et une de mes décisions risquait de briser l'existence de quelqu'un que je ne connaissais même pas. Je ne voulais pas donner mon opinion, je n'avais jamais appris à avoir assez confiance en moi pour ça, je pensais toujours que quelqu'un d'autre saurait mieux que moi ce qui était bien, mais je devais le faire, car j'étais une «star». Et, qui sait pourquoi, les «stars» sont supposées savoir. Si ce n'était pas le cas, elles étaient censées faire semblant.

Ce nouveau pouvoir a changé l'attitude des gens que je connaissais depuis longtemps. Certains, précédemment honnêtes et francs, se méfiaient dorénavant de moi; ils voulaient être assurés de mon respect et de mon estime. D'autres, par réaction, m'ont critiquée très durement de peur que je ne croie qu'ils me ménageaient. J'essayais de mettre à l'aise mes vieilles connaissances, de leur faire savoir que je n'avais pas fondamentalement changé. Malheureusement, je découvrais parfois que je les avais changés, eux. Ils ne pouvaient pas supporter mon succès, c'était trop pour eux. Je me demandais ce qu'ils seraient devenus si eux-mêmes avaient eu du succès.

Pendant les années difficiles, et même quelque temps après, mon frère Warren n'a pas souvent donné de ses nouvelles. Il terminait le lycée, jouait au football, avait été élu président de sa classe. Ça l'occupait. Lorsqu'il est entré à la Northwestern University grâce à une bourse de football, j'ai supposé que, comme la plupart des étudiants, il ne déciderait de ce qu'il voulait faire plus tard qu'à la fin de ses études. Mais il a quitté l'université avant la fin du cursus et il est parti vivre à New York. Il a travaillé comme ouvrier dans un tunnel, puis il a joué du piano dans une boîte de nuit.

Quand Warren a décidé de devenir acteur, ça ne m'a pas étonnée. Pas plus que lorsqu'il est venu à Hollywood pour tenir le rôle principal de *Splendor in the Grass*, d'Elia Kazan et qu'il a décidé qu'il ne serait pas le frère de Shirley MacLaine. Dès son arrivée, il a fait savoir qu'en ce qui le concernait, «elle était la soeur de Warren Beatty». Ça m'a amusée et j'ai pensé qu'il avait raison d'agir ainsi. Les journalistes ont cru flairer un conflit. Ils ont essayé de créer une rivalité familiale, du genre Fontaine -De Havilland. Ils téléphonaient à Warren et lui rapportaient quelque chose que j'aurais dit à son sujet. S'il ne répondait pas, les journalistes appelaient ça un «silence lourd de signification». S'il disait quoi que ce soit, en général parce qu'il était furieux d'être dérangé dans son intimité, son commentaire défrayait la chronique. C'est ainsi qu'un soi-disant «différend» a été entretenu pendant un certain temps, sans que nous n'en sachions rien ni l'un ni l'autre.

Il est vrai que nous ne nous voyions pas beaucoup. Je voyageais énormément, au Japon et ailleurs. Hollywood n'était pas l'endroit que je préférais pour y passer mon temps libre, que Warren y soit ou non. Quand je tournais, je ne voyais presque personne. Les rumeurs ont donc persisté.

Lorsque nous nous voyions, nous nous débrouillions pour que personne ne le sache. Notre intimité comptait plus que tout. Nous évoquions Washington-Lee, notre lycée, les voyous du voisinage et bien sûr ce qui était arrivé à nos vieux copains et copines.

Un soir, Warren et Julie Christie dînaient chez moi, en Californie. Nous avions longuement parlé de nos enfances, les nôtres en Virginie, la sienne en Inde. J'ai entendu une voiture s'arrêter devant la maison. Il était environ une heure du matin, je n'attendais personne. Tout d'un coup, sans frapper ni sonner, un homme a ouvert la porte et s'est dirigé droit vers moi. Il m'a tendu la main en disant: «Salut, Shirley! Tu te rappelles de moi? Jim Hall de l'équipe de basket de Washington-Lee. Les copains et moi on a parié que j'aurais pas le culot de traverser tout le pays et de faire ça.»

J'ai bondi de ma chaise, soulagée à l'idée que mes chiens dormaient — ils n'en auraient fait qu'une bouchée — et j'ai couru me cacher derrière Warren, car je ne reconnaissais pas l'intrus. Quand Jim a vu Warren, il s'est écrié, «Bon sang, j'ai gagné le gros lot — Shirley MacLaine et Warren Beatty en un seul pari!»

C'était presque comme si Warren et moi étions deux monstres célèbres au lieu d'un frère et d'une soeur qui avaient envie d'être seuls et qui espéraient que si quelqu'un venait les voir, il sonnerait au moins à la porte.

Depuis que nous avions tous les deux réussi au cinéma, tout le monde réagissait comme cela. Tous semblaient fascinés par le fait que deux personnalités aussi opposées viennent d'une seule et même famille. Papa disait à tout le monde que la réponse était simple. Il disait toujours, «C'est au lit que j'ai donné le meilleur de moi-même.» Ma mère souriait, soit parce qu'elle était de son avis, soit parce qu'elle souhaitait que ce soit vrai.

Et les curieux demandaient, «Ils avaient tous les deux la vocation?» ou bien «Vous saviez déjà qu'ils avaient autant de talent?» ou encore «Il y a d'autres artistes dans la famille?» Papa répondait toujours qu'il avait seulement joué un rôle de révélateur. Paradoxalement, c'était vrai. Quant à Warren et moi, nous disions que «c'était la vie».

Chapitre 11

C'est ainsi qu'après m'être adaptée tant bien que mal à la célébrité, à la prospérité et au pouvoir, je me suis mise à chercher autre chose. C'était une question de survie. Je savais qu'à me nourrir uniquement de mes riches acquis, je tomberais malade. Il fallait, c'était vital, que je fasse plus ample connaissance avec le monde extérieur. Le succès est un univers fermé sur lui-même. Je devais chercher au-delà. Je ne serais jamais plus une anonyme, ma réussite me suivrait partout, mais je devais y aller. Il me fallait trouver une espèce d'équilibre entre les autres et moi, car je m'intéressais aussi passionnément à eux qu'ils s'intéressaient à moi.

Je savais qu'ils me raconteraient leurs secrets parce que j'étais célèbre et qu'ils seraient flattés de mon attention. Je savais qu'ils m'accueilleraient volontiers dans leurs foyers parce que le lendemain ils pourraient raconter ma venue à leurs voisins. Mais j'accorderais un grand prix à leurs confidences, car je souhaitais qu'ils me rendent la pareille. S'ils m'interrogeaient sur moi, je répondrais honnêtement, car, si l'honnêteté dont je faisais preuve à mon sujet pouvait les aider, c'était moi qui me sentirais flattée. Même si je les agaçais en essayant de les convaincre que c'était plus difficile pour moi que pour eux d'être fidèle à soi-même, ils seraient probablement contents que je prenne le temps de m'intéresser à eux, puisque j'étais «quelqu'un». Mais je savais aussi qu'une fois la nouveauté passée, nous pourrions entretenir une relation d'égal à égal. D'ailleurs, les gens se ressemblent tous. C'est à peu près ce qui s'est passé. Ma vie a pris de l'ampleur et une direction nouvelle, à tous les niveaux, quand j'ai commencé à voyager.

J'avais gagné assez d'argent pour pouvoir aller n'importe où dans le monde. Ma réputation m'ouvrait toutes les portes. J'étais connue, donc on se préoccupait de moi et de mon confort. Le cinéma américain s'était imposé dans le monde entier. Je me suis sentie partout comme dans ma famille, car chacun me parlait de mes films et me disait que j'étais entrée dans leurs coeurs et dans leurs vies en incarnant des personnages si proches d'eux. Ils me faisaient remarquer que je ne me conduisais pas comme une vedette, car je voyageais seule. Bien vite, ils ne me traitaient plus comme une vedette, puisque je mangeais, je m'habillais et je riais comme eux, avec eux.

Inlassablement, je posais des questions sur tout : parfois naïves, parfois subtiles. Partout, on parlait assez bien l'anglais, mais j'ai découvert que c'était au-delà des mots que l'on communiquait le mieux. Les paroles que prononçaient les gens n'avaient pas grande importance : ce qui comptait c'était la passion qui les animait, ou qui leur faisait défaut. Leurs silences étaient parfois plus révélateurs que leurs véhémentes professions de foi. Leurs rires, leurs vies privées, où je suis souvent entrée, m'ont permis de comprendre leur monde, leurs points de vue, leurs conceptions de la vie, de la mort, du bonheur, leur sens de l'honneur, leurs systèmes de valeurs. Les asiatiques, les Indiens, les Russes, les Arabes, les montagnards himalayens et même les Indiens japonais m'ont permis de réaliser l'étroitesse du monde dans lequel j'avais vécu jusqu'alors. D'une calme banlieue en Virginie, ou d'un ranch dans le paradis californien, le monde peut prendre des aspects bien éloignés de la réalité. L'idée que chacun se fait de la vérité est tellement plus claire quand on la regarde de son seul point de vue. J'ai commencé à apprendre que la vérité est relative. J'avais toujours cru que le bien était le bien, point à la ligne. Que ce qu'on m'avait appris à considérer comme le mal était tout simplement le mal. Que la vérité était simple et facile à comprendre, du moment qu'on vous avait appris à comprendre ce qu'elle était.

Ce n'est hélas pas ça que j'ai trouvé. Non seulement la vérité était relative, mais elle changeait sans cesse. La vérité de l'un n'était pas celle de l'autre et aucune des deux ne correspondait à celle qu'on m'avait apprise. Ce que je prenais pour des réponses à mes questions faisait office de tremplin pour d'autres questions. Il existe tant de vérités — tout aussi valables les unes que les autres.

Donc, pour essayer de comprendre ce que j'apprenais et ce que je voyais au cours de mes voyages, il fallait que je me débarrasse de la plupart des principes que m'avait inculqués mon éducation américaine. En fait, lorsqu'il s'agissait de comprendre la relativité de la vérité, les principes moraux dans lesquels j'avais été élevée étaient un obstacle. Ce que j'avais toujours considéré comme mal dans des circonstances données ne l'était pas obligatoirement pour d'autres, dans les mêmes circonstances. Plus j'observais la multiplicité des systèmes moraux, plus je me rendais compte de l'iniquité de la notion d'absolu. Rien n'était absolument mal, ni absolument bien. C'était le contraire même de l'éducation que j'avais reçue. Selon la morale chrétienne occidentale, le mal absolu existait, sans aucun doute possible : voler, mentir, tricher, tuer, etc. Mais ce n'était que le monde d'où je venais. De nombreux autres mondes constituent la race humaine. Dans certains cas, ces actes étaient insignifiants, parfois admirables. Ils faisaient souvent partie d'une culture ancestrale, toujours respectée. Si on les encourageait, si on les admirait, ces actes ne représentaient évidemment pas le mal dans cette société spécifique — donc *mon* point de vue sur *eux* n'était pas pertinent selon *leur* vérité. C'était difficile, pour moi, de faire abstraction de mes principes pour tenter de comprendre les leurs. Il m'est alors arrivé quelque chose de sidérant : mon point de vue sur moi-même a acquis de la distance, de l'objectivité. Ma propre vérité a gagné en définition. À tenter de les comprendre, je me comprenais mieux. Et cela m'a rendue plus compatissante; non seulement pour les autres, mais pour moi-même.

Bien évidemment, mon système de valeurs américain traditionnel en a pris un sacré coup, pendant que je parcourais les différents territoires qui constituent la terre. Mon but avait été le succès, l'argent, la propriété, les biens, et cela de plus en plus, ma vie durant. Assez vite, je me suis sentie relativement stupide. L'accumulation de biens, qu'est-ce que ça avait à voir avec la vraie vie? D'accord, il en fallait suffisamment. Mais, dans mon univers, les gens s'apercevaient si rarement qu'ils avaient le nécessaire. Ils en voulaient plus, toujours plus. Ils perdaient le sens de la vie au bénéfice de celui, toujours croissant, de la possession. Pendant mes voyages, je pensais souvent à ces gens qui économisaient sou après sou pour s'acheter une nouvelle voiture : ça leur apporterait tellement plus de s'offrir un billet d'avion pour faire le tour du monde et de regarder enfin ce qui se passait ailleurs.

J'ai vu des choses agréables, et d'autres incompréhensibles. Mais toutes ont élargi ma propre compréhension, non seulement des autres, mais aussi de moi-même.

À Bangkok, dans un temple bouddhiste, j'ai rencontré un vieux lama, habillé de sa robe couleur safran, étendu sur une natte en paille aux pieds de l'immense Bouddha de bronze qui gardait le temple. Le lama vivait entre les pieds du Bouddha. À côté de sa natte, se trouvait une petite table délicatement sculptée. Sur la table, il y avait un réveil, une boîte de kleenex et des bandes dessinées. La coupelle qui recueillait les aumônes était par terre. Quand je suis entrée dans le temple, le lama m'a saluée et m'a fait signe de m'asseoir et de me mettre à mon aise. Pendant une heure, il a parlé dans un anglais bancal, de la méditation et du respect pour toutes les formes de vie, la base même de la religion bouddhiste. Il a parlé de la sérénité et de l'amour de la paix du peuple thaïlandais. Le mot Thaïlande signifie d'ailleurs terre de paix.

Je l'ai écouté, captivée par la sérénité et la douceur de sa philosophie, puis je lui ai dit au revoir et je suis sortie du temple. Le sympathique lama s'est replié sur sa natte et a remonté son réveil.

Le temple était au bord d'un fleuve. J'étais venue en barque. Maintenant, en retournant à Bangkok au fil de l'eau, je voyais les habitants du fleuve se livrer à leurs activités quotidiennes. Des gens vendaient des fruits et des légumes, ainsi que d'autres marchandises, sur leurs barques. Les enfants jouaient dans l'eau et s'éclaboussaient tandis que leurs parents marchandaient.

Soudain, à quelque cinquante mètres de moi, un très jeune enfant, un bébé d'environ trois mois, s'est penché par dessus bord; il est tombé tête première dans l'eau. Je m'efforçais d'apercevoir l'enfant. Ses parents ont entendu un gargouillis et se sont retournés. Ni l'un ni l'autre n'ont fait un mouvement pour aller le chercher. L'enfant a disparu. Impassibles, ils ont regardé leur enfant se noyer. Il était évident que leur absence de réaction était authentique. J'étais stupéfaite. Je savais que de nombreux bouddhistes ne se sentent pas le droit d'intervenir dans le cours du destin. Mais il était stupéfiant de voir se dérouler une telle scène. La mort était la volonté de Dieu et si les parents avaient sauté à l'eau pour sauver leur enfant, ils auraient fait de lui leur obligé pour sa vie entière. La vie de l'enfant aurait dès lors appartenu à celui qui l'avait sauvée. Aucun bouddhiste n'infligerait un tel destin à quelqu'un. La vie ne valait rien, en Asie, on me l'avait souvent dit. Mais en fait, il ne s'agissait pas de ça. Pour un bouddhiste, la mort est simplement une autre forme de vie. La mort fait partie du cycle de la vie. On ne considère pas la vie et la mort du point de vue de l'individu, mais d'un point de vue philosophique plus large. Le destin est leur religion. On n'avait pas à intervenir sur le destin de l'enfant noyé. Il en était ainsi. Pour la même raison, tuer est abbhoré, car l'acte de tuer, lui aussi, intervient dans le destin de quelqu'un. Entre le fait de tuer et celui de laisser quelqu'un mourir, la différence est immense. D'ailleurs, tuer un enfant, ou même un animal, aucun bouddhiste ne le comprend. Conclusion : l'acceptation de la mort ne signifie pas obligatoirement qu'on n'attache aucune importance à la vie.

Quelques jours plus tard, j'ai assisté à un match de boxe thaïlandaise. La boxe est aux Thaïlandais ce que le football est aux Américains. C'est le sport national et, pendant le match, tout est permis. La différence entre la boxe thaïlandaise et toutes les autres, c'est que tous les coups sont autorisés. Pour toute protection, les boxeurs portent des coquilles.

Le match commence par une cérémonie. Les deux boxeurs entrent sur le ring et s'inclinent en de profondes révérences à Rama (l'ancien roi de Thaïlande) et à Bouddha. Chacun prie pour le bien-être de son adversaire, pas pour le sien. Par ces danses rituelles et cette pantomime religieuse stylisée, les boxeurs semblent exprimer leur désir d'exercer leur sport de façon bienveillante.

Des musiciens les accompagnent tandis qu'ils disent leur dernière prière pour le bien-être de leur adversaire. Le public se prépare, la musique joue très fort et les boxeurs s'avancent jusqu'au milieu du ring. Ils commencent alors à se frapper à coups de poing, de pied, de tête. Tout est permis.

Le premier combat de boxe thaïlandaise que j'ai vu m'a rendue malade. L'un des boxeurs a tapé l'autre sur la tête, lui a tordu et cassé le cou. Il est évidemment mort sur place. L'enthousiasme du public était à son comble, le paisible peuple thaïlandais ! Deux autres boxeurs sont entrés en lice, ont exécuté les danses et les prières rituelles, et ont commencé le combat. L'un a frappé l'autre au front de son coude replié. Le front s'est ouvert, le sang a giclé et coulé le long de son visage. À la vue du sang, le public a rugi de façon assourdissante. Il hurlait son enthousiasme, couvrant les musiciens qui avaient d'ailleurs bien du mal à se retenir. On a fait monter un médecin arbitre sur le ring. La foule a crié : «Non, laissez-le combattre ! » Le boxeur blessé a trépigné pour que le médecin le laisse continuer. Le médecin a regardé la foule et a accepté.

Avec une fureur renouvelée, le boxeur blessé a attaqué son adversaire ; le sang ruisselait sur son visage, sur les mains et les pieds de son adversaire, qui frappait à l'endroit de la blessure pour l'ouvrir davantage. Le sang des deux hommes a commencé à se mélanger ; ils étaient tous les deux gravement blessés. Finalement, le médecin a sauté sur le ring, à la fureur de la foule et a fait venir deux brancards. Il y en a toujours à proximité. Des assistants ont emporté les deux boxeurs, dont les visages n'étaient plus que des amas de chair sanguinolents.

Comment les placides, les paisibles Thaïlandais appréciaient-ils un tel déploiement de violence ? Je ne parvenais pas à le comprendre. Leur sport national est réputé pour être le plus sanguinaire au monde. Puis je me suis dit que là résidait peut-être l'une des raisons de la paisible bienveillance qu'observait ce peuple dans sa vie quotidienne et dans ses rapports à autrui : leur incroyable sport national leur donnait un clair aperçu de l'hostilité latente et de la fureur que nous renfermons tous en nous. Peut-être les sports violents sont-ils nécessaires et bien préférables à d'autres choses que les humains sont capables de s'infliger les uns les autres.

Le paradoxe thaïlandais m'a prouvé une fois encore la disparité entre l'idée que je me faisais des choses et ce qu'elles étaient réellement. Je ne cesserais plus de découvrir l'aspect terriblement provincial des valeurs et des principes que m'avaient inculqués mon entourage, mes parents, mes écoles, mes expériences d'enfant et les églises que, heureusement, je n'avais pas fréquentées assidûment.

Parmi toutes mes erreurs premières, la conception que j'avais des races est l'une des plus graves, des plus troublantes et des plus humiliantes pour moi ; la vérité, telle que j'ai appris à la reconnaître est tellement opposée à celle qu'on m'avait imposée dans mon enfance, mon père surtout — ce père intelligent et cultivé, ami de la philosophie, des arts, de la musique, ce professeur respecté — pour qui tout individu à la peau foncée était un «nègre». Plus la couleur était foncée, plus son ton se faisait méprisant. Son préjugé s'adressait aux Africains, aux Indiens, aux latino-américains et influençait même son opinion sur le bronzage. «Ces nègres te mangeraient aussi facilement qu'ils te regardent. Ils restent au soleil toute la sainte journée», disait-il. «Ils n'ont rien de mieux à faire, un homme civilisé se construit sa maison et y vit». Il élargissait ses soupçons aux gens qui brunissaient vite et, pour lui, des cheveux trop frisés signifiaient «Du sang noir, là-dedans».

Bien que je sois née dans le Sud et qu'il y ait eu beaucoup de noirs autour de moi, je n'en ai vraiment connu aucun avant bien plus tard. Quand j'étais enfant, je les considérais comme un groupe, une masse, jamais comme des individus. Je n'imaginais pas qu'ils vivaient quelque part, qu'ils avaient une famille, une vie personnelle — il faut dire qu'ils avaient l'air de passer tout leur temps à faire des choses pour les blancs.

Quand je suis allée au fin fond du Sud, des années plus tard, ça m'a semblé encore plus étranger que la Thaïlande.

Le Mississippi était une autre planète — parce que je vivais avec des noirs et que j'essayais de voir le monde par leurs yeux : on ne peut pas en avoir conscience à moins d'être noir. C'était les débuts de la Coordination Étudiante Non-violente; j'ai commencé à parcourir le Mississippi pour voir comment se passaient les inscriptions sur les listes électorales et la fin de la ségrégation dans les écoles.

On aurait dit que tous les hommes blancs présents, indifféremment de leurs métiers, faisaient partie du Klu Klux Klan. Un soir, à Rolling Fork, deux hommes blancs se sont emparés d'un noir dont la fille venait de s'inscrire dans une école ouverte, ils l'ont attaché derrière un camion et l'ont promené dans tout le ghetto noir, à titre d'exemple pour tous ceux qui oseraient en faire autant. Pendant cette même nuit, j'étais avec un couple noir quand ils ont appris qu'on venait de retrouver leur fils de dix-sept ans au fond d'un marécage voisin, attaché par de lourdes chaînes.

Dans la région d'Issaquena, à environ une heure et demi de Jackson, Mississippi, j'ai habité chez une femme du nom de Unida Blackwell. Unida était d'un noir de jais et le digne exemple de ce que pouvaient devenir les femmes noires qui acquéraient un peu d'assurance. Des heures durant, nous avons bu de la bière et discuté des droits des femmes. Elle parlait en tant que noire, bien entendu, mais elle était consciente de l'oppression des femmes dans le monde entier et la considérait comme une catastrophe. Elles en acceptaient trop, disait-elle, pas seulement les noires, toutes les femmes, car elles avaient intégré le mythe selon lequel elles n'étaient pas les égales des hommes.

«Je ne voulais pas faire partie de ces femmes qui collent de jolis coquillages sur des cendriers parce qu'elles n'ont rien d'autre à faire, disait-elle. Je voulais aller dans le monde, rencontrer des gens et faire évoluer les choses. Et c'est ce que je fais.»

Unida était la plus célèbre militante des droits civiques de tout le Mississippi. Elle avait été arrêtée d'innombrables fois, son téléphone était sur écoute et, pendant que j'y étais, le Klu Klux Klan a brûlé deux fois des croix devant sa maison, parce qu'il y avait une femme blanche à l'intérieur.

Unida m'a présentée à plusieurs autres jeunes femmes qui avaient été très souvent arrêtées pendant qu'elles militaient pour les droits civiques. Elles m'ont raconté comment on les frappait avec des brosses en fer et les enfermait dans des caves où, en été, on montait le chauffage au maximum et en hiver, on l'éteignait complètement. Elles m'ont raconté les petites doses d'arsenic qu'on mettait dans leur nourriture : assez pour provoquer d'horribles nausées, pas assez pour tuer; l'humiliation qu'elles ressentaient à se voir privées de leurs vêtements et obligées d'aller nues.

Il n'y avait qu'un seul lit dans la maison d'Unida Blackwell. Les militantes et moi nous dormions dans des sacs de couchage, à quatre dans le lit. Le fils d'Unida, Joshua, dormait sur une chaise dans le salon. Son mari travaillait comme cuisinier, sur un des bateaux qui remontait le Mississippi.

Sa famille avait l'air de comprendre qu'elle était quelqu'un de spécial. Ils essayaient de se montrer à la hauteur de son courage.

Pendant tout le temps que j'ai passé avec Unida, à chaque fois que nous circulions dans le pays pendant la journée, pour inciter les gens à s'inscrire sur les listes électorales, quelques amis nous accompagnaient pour nous prévenir de l'arrivée éventuelle de voitures de police. À chaque fois qu'il y en avait une en vue, quelqu'un criait et on me faisait coucher par terre. Les responsables du maintien de l'ordre, à Issequana, devenaient timbrés à chaque fois qu'ils voyaient une blanche en compagnie d'hommes noirs. Pour éviter beaucoup d'ennuis, il valait mieux que je me cache. Nous avons passé ensemble sept jours et presque toutes les sept nuits. J'achetais des provisions au supermarché voisin, tenu par des blancs. Les prix étaient si élevés qu'à la fin de la semaine, je n'avais plus un sou. Nous mangions ensemble, nous buvions, parlions, pleurions et riions ensemble. Je n'oublierai jamais combien nous avons alors été proches. Je pensais souvent à mon père et je me demandais si un homme bon comme il l'était ne se sentirait pas secrètement plus enclin à approuver cette expérience qu'à la rejeter. Les gens que je rencontrais étaient chaleureux; ils ne se prenaient pas au sérieux. Ils étaient bons, ils prenaient avec patience la fureur des blancs qui les entouraient. Ils trimaient, dans l'écrasante chaleur humide de l'été, en essayant de réfréner leurs exigences, dans l'espoir de convaincre les blancs qu'ils ne voulaient de mal à personne, qu'ils souhaitaient seulement jouer leur modeste rôle dans le monde.

J'ai revu Unida à la Convention démocrate de Chicago, en 1968. Elle était l'une des déléguées du Mississippi et moi de Californie. Nous nous sommes moquées l'une de l'autre et de notre état de militantes qui voulaient changer le monde. Ensuite, nous avons été abasourdies de constater, avant de partir, que ce que nous croyions trouver à Chicago, le processus démocratique américain, n'était en fait que le rouleau compresseur du fascisme américain.

Après le Mississippi, je suis allée en Virginie passer quelques jours avec mes parents. Dès mon arrivée à la maison, j'ai commencé à raconter à mon père et à ma mère ce que j'avais constaté au Mississippi. La réponse de mon père a été : «Ne veux-tu pas prendre une bonne douche bien chaude avant de nous raconter tout ça? Nous venons de faire nettoyer les fauteuils.»

Je me demandais s'il était conscient de ce qui se passait. Au début, on aurait dit qu'il n'écoutait même pas ce que je disais. Je ne me rendais pas compte qu'il s'était réfugié sous son bouclier invisible — pour la dernière fois, comme on va le voir.

Je lui ai parlé d'une fille appelée Thelma et de ce qu'elle avait vécu pendant sa première journée d'école. Son expression a commencé à changer. Thelma avait vingt ans. Elle avait suivi les cours de son école pour noirs, «séparée mais identique», jusqu'à la huitième année, qu'elle devait passer dans l'école blanche nouvellement ouverte aux gens de couleur. J'ai raconté à papa comment le professeur l'avait fait rester debout devant sa chaise jusqu'à ce que tout le monde soit assis. Avant de s'installer, chaque gamin passait devant la chaise de Thelma et crachait dessus. Quand toute la classe a été assise, il y avait une mare de crachats sur la chaise de Thelma. Le professeur lui a dit qu'elle pouvait s'asseoir. Thelma portait une jupe en lin rose; sa mère et elle avaient beaucoup sacrifié pour cette jupe. Mais elle avait peur et elle a obéi. À la fin du cours, on lui a intimé l'ordre de rester debout à côté de sa chaise jusqu'à ce que tout le monde soit sorti. En passant près d'elle, chaque gamin lui donnait un coup de poing dans les côtes. Ça lui avait fait mal, disait-elle, mais le pire était la honte d'avoir cru qu'elle pourrait aller dans une école pour blancs.

Papa a écouté l'histoire de Thelma, les dents serrés. Quand j'ai fini, il pleurait. Comme un vieil homme, il s'est enfoncé dans son fauteuil préféré et il a dit : «Bon Dieu, je veux changer, mais c'est si difficile! Je crois que je mourrai avant.»

Je l'ai regardé pendant un bon moment puis je suis allée à la fenêtre. J'ai essayé de l'ouvrir. Impossible. J'ai essayé les autres : impossible non plus. «Elles ne s'ouvrent pas», a dit mon père.

Je me suis retournée, étonnée. «Qu'est-ce que ça veut dire, elles ne s'ouvrent pas?» ai-je demandé.

— Elles ne s'ouvrent pas, c'est tout. On ne les a jamais ouvertes.

— As-tu essayé de les faire ouvrir?

Il m'a regardée, le visage inexpressif. «Je ne sais pas. On ne les a jamais ouvertes, c'est tout. N'essaie donc pas de les ouvrir.»

Maman est arrivée de la cuisine, grande, mince, un tablier à fleurs autour de la taille, un pain de viande à la main. (Le pain de viande était mon plat préféré quand j'étais petite.)

— Pourquoi ces fenêtres ne sont-elles pas ouvertes?, ai-je demandé. Il fait chaud, cet après-midi. Dehors, il y a un petit vent qui nous ferait du bien.

Soudainement, son regard s'est fixé de façon aiguë sur mon père. «Je ne sais pas, papa dit qu'on ne les a jamais ouvertes.»

Chapitre 12

En parcourant le Sud, j'ai eu l'occasion de rencontrer un dirigeant du mouvement noir, membre important de la Coordination étudiante. Je l'appellerai Ralph Frazier. Un ami nous avait organisé un rendez-vous. Il m'attendait derrière un pilier à l'aéroport d'Atlanta. Il n'était pas venu à la porte de débarquement. Je n'y avais vu aucun noir, d'ailleurs, je ne savais donc pas s'il n'avait pas le droit d'y aller ou s'il avait choisi d'attendre à l'abri.

Je ne savais pas à quoi il ressemblait. J'ai aperçu un homme massif, mais pas très grand, avec des cheveux à l'afro (bien avant que ça ne devienne la mode) en blouson noir et rouge. Derrière son pilier, il avait l'air de se cacher. Il m'a vue, mais il n'a rien dit. J'ai continué à avancer.

Au bout d'un moment, j'ai récupéré ma valise sur le tapis roulant. Je l'ai ramassée, sans savoir quoi faire. Une main me l'a prise et m'a conduite vers la porte à battants. C'était l'homme au blouson rouge et noir.

«Je suis Frazier, a-t-il murmuré. Je suis un ami.»

Il m'a emmenée jusqu'à une vieille camionnette déglinguée ou trois autres noirs attendaient. Derrière la camionnette, il y avait une Dodge verte, qui nous a suivis quand nous avons démarré.

«Nous circulons toujours à deux voitures, a-t-il dit. On ne peut jamais prévoir pour quelles raisons la police nous arrêtera — surtout s'ils voient une femme blanche avec nous dans la voiture. La nuit dernière, ils ont arrêté quelqu'un à cause d'un essuie-glace défectueux; ils n'ont rien trouvé d'autre comme prétexte pour l'embarquer. Ça vous dit, une soirée *nègre*?» m'a-t-il demandé avec un clin d'oeil. Il avait appuyé sur le mot, la voix chargée d'ironie. J'ai souri.

«Et comment!» Nous nous sommes tous les deux détendus.

Ma valise valdinguait à l'arrière, je ne savais pas où j'allais dormir et je ne posais pas de questions. Que je dorme ou pas, ça ne changerait pas grand-chose.

Nous avons traversé Atlanta et le ghetto et nous sommes arrivés devant une petite maison. J'entendais rire. J'ai touché le bras de Ralph et il m'a dit «Ça va». Je me suis détendue à nouveau quand la porte de derrière s'est ouverte, que nous avons été éclaboussés par un jet de bière et que quelqu'un m'a tendu une boîte de Schlitz.

Ils avaient mis un disque de ce qu'on appellerait plus tard «soul music» et dans le salon (meublé d'un fauteuil et de quatre cageots d'oranges), tout le monde dansait. Leurs corps ondulaient; ils dansaient comme je n'avais jamais vu personne le faire. Ces gosses noirs dansaient librement. Par moments, ils faisaient des mouvements très laids, exprès, j'imagine, comme s'ils dansaient la laideur, comme s'ils exprimaient par la danse les distorsions qu'ils ressentaient. Les têtes montaient et descendaient; elles semblaient dire: «Hun, hun, assez, assez, dis-le, dis-le, dis-le tel que c'est.» À un certain moment, ils restaient complètement immobiles et ils attendaient — attendaient que quelque chose les anime à nouveau, qu'ils aient encore une fois quelque chose à dire. Les gosses se regardaient. Chaque geste semblait signifier quelque chose. Et si par hasard vous n'étiez pas sûr de ce que voulaient dire leurs hanches, leurs coudes, leurs épaules, vous n'aviez qu'à les regarder dans les yeux pour comprendre. Ils dansaient «soul». Chaque geste était un mouvement de révolte. L'excès de bière avait rougi les yeux de certains d'entre eux. Il n'y avait que de la bière, aucun alcool fort. Une partie de poker se déroulait autour d'une grande table en bois. Ralph a tiré une chaise pliante vers la table, nous nous sommes assis et il s'est remis au jeu. Il a dit : «C'est Shirley». Je ne sais pas s'ils m'ont reconnue. En tout cas, personne n'a rien manifesté. Ralph ne m'a présenté personne. Il savait que j'étais trop tourneboulée pour me rappeler un nom.

Les jeunes continuaient à danser.

Ralph a ramassé un jeu et a entamé un long soliloque sur le bluff. Le son de sa voix a changé. On aurait dit qu'il prêchait. À la fin de son sermon sur le bluff, il a dit : «Amen, frères». Chacun a répondu Amen et a hoché la tête. Je ne savais pas jouer au poker. J'ai donc regardé autour de moi. C'était un autre monde. Une sorte de tribu, où tout le monde se comprenait sans avoir besoin de parler. Ils semblaient vivre, manger, respirer sur la même longueur d'onde ; je ne les gênais pas, mais ils étaient parfaitement conscients que tout en moi était différent. J'étais quelqu'un qui venait d'ailleurs.

La musique avait changé. Le rythme était plus lent, maintenant, et poignant. Je n'ai pu me retenir. Je ne savais comment ils prendraient le fait que je me lève et que je me mette à danser avec qui voudrait, mais je l'ai fait. Je n'ai jamais pu m'empêcher de danser, n'importe où, n'importe quand.

La partie de poker continuait. Je dansais dans la pièce nue qui résonnait. Un des garçons m'a regardée dans les yeux et a commencé à se déhancher en venant vers moi. Il était rond, avec des fesses bien rembourrées. C'était John Lewis, le secrétaire de la Coordination étudiante. Un jour, il serait puni par son propre peuple pour ne pas avoir été assez combatif. John n'avait rien d'un combattant. Il n'était qu'amour ; il suffisait d'être avec lui pour avoir envie de sourire intérieurement, même si vous saviez qu'il ne réussirait jamais, justement parce qu'il était trop gentil.

Il dansait très bien. Nous nous sommes retrouvés au milieu de la pièce et, deux minutes plus tard, nous étions seuls en piste.

Je ne l'avais jamais rencontré et pourtant j'avais l'impression de le connaître depuis toujours. En haut, en bas, tour à gauche, à droite, nous dansions à l'unisson, d'un même mouvement, déchaînés. Les autres nous regardaient avec approbation et suivaient le rythme. Au bout d'une heure, j'étais en eau et John s'est effondré sur l'unique chaise.

Il était quatre heures et demi. Je ne savais toujours pas où j'allais dormir et je crois bien que Ralph n'en avait pas la moindre idée non plus. Nous nous sommes entassés dans la camionnette et nous sommes allés chez John. Les autres nous ont dit au revoir et «heureux que vous soyez avec nous» et Ralph a pris ma valise et l'a montée dans l'escalier d'un immeuble en briques, puis il m'a fait entrer dans un appartement.

C'est alors que j'ai appris que Ralph Frazier ne vivait nulle part. En tant que responsable de la Coordination, il donnait tout l'argent qu'il gagnait au mouvement noir. Il était chez lui partout où le hasard le conduisait et, souvent, il dormait dans un endroit différent chaque nuit. Pour ce soir, c'était chez John Lewis, qui, toujours inconscient sur sa chaise, était resté à la fête.

J'ai jeté un coup d'oeil sur le petit salon et sur les étagères de livres. Elles regorgeaient de livres sur la révolution bolchévique, sur l'organisation marxiste et autres sujets semblables. Un tableau représentant un paysage pastoral était accroché au mur, au-dessus d'un divan aux pieds cassés.

Dans la kitchennette, il y avait une petite cuisinière et un mini-réfrigérateur qui ne contenait qu'une boîte de bière et un citron.

La douche de la salle de bains fuyait et un filet d'eau coulait sur une pile de linge sale. Dans la minuscule chambre à coucher, le grand lit n'était pas fait, les draps étaient gris de saleté. Une pile de vieux journaux et magazines s'entassait dans un coin. Je me suis dit que John aurait bien besoin qu'une femme s'occupe un peu de son intérieur. Derrière les journaux, il y avait un lit pliant. J'ai soupiré de soulagement. Ralph saurait où dormir.

Tandis qu'il transportait le lit pliant dans le salon, Ralph m'a dit qu'il valait mieux que nous dormions bien, car il avait des milliers de choses à me dire le lendemain matin. Deux heures seulement nous séparaient du matin quand j'ai fermé les yeux, en pensant que, dehors, c'était toujours l'Amérique.

Quand je me suis réveillée et que je suis sortie de la chambre à coucher, Ralph était parti. J'ai enlevé le linge sale et j'ai pris une douche. Je me suis habillée, j'ai fait et fermé ma valise. Je ne savais pas si je resterais là ou si on m'emmènerait ailleurs. Ça n'avait d'ailleurs pas grande importance, tout le monde semblait vivre de la même façon.

Ralph est remonté avec des oeufs, du bacon, du jus d'orange congelé et une demi-miche de pain. J'ai préparé le petit déjeuner, nous avons mangé et il m'a demandé de venir téléphoner avec lui à la cabine du supermarché voisin, car John n'avait pas le téléphone.

Nous avons marché dans le soleil et presque immédiatement j'ai entendu crier quelqu'un qui passait en voiture. Une jeune fille blanche se penchait à la fenêtre : «Alors, la fille à nègres, c'était bon?» Je n'en croyais pas mes oreilles. Ralph a tressailli : «Je suis désolé que vous soyez exposée à ça, a-t-il dit, mais ce sera comme ça tant que vous serez avec nous.»

Le responsable du supermarché était blanc. Quand nous sommes entrés ensemble, son visage a revêtu une expression de haine flagrante. Ralph s'est dirigé droit sur lui pour lui demander de la monnaie mais j'étais si intimidée que je suis allée attendre dehors.

Sur le chemin du retour, quelqu'un a encore crié «fille à nègres» et Ralph a proposé que nous nous asseyions sur le mur de briques devant l'immeuble pour parler.

«Tu ne peux pas t'imaginer à quel point le sexe joue un rôle important dans cette chose que nous appelons racisme. Tu ne peux pas le savoir, car ça ne t'a jamais tentée, en tout cas pas consciemment. Mais c'est vrai... Peux-tu imaginer ce que cela représente d'être conditionné pour aimer et désirer tout ce qui est blanc et pur? De croire, depuis ton enfance, que tout ce qui est noir est mauvais et que tout ce qui est blanc est bon? C'est à la base de tout. Regarde même la façon de parler; on dit, rien n'est tout à fait noir, ni tout à fait blanc. On dit noirceur de sentiments. Quant au blanc, il représente toujours la pureté, la bonté, la lumière du soleil, l'honnêteté. Dans les publicités, à la télévision, qui transmet les messages? Des femmes belles, blanches, pures comme le lys et généralement blondes. Aussi loin que je peux me rappeler, j'ai toujours été amoureux des femmes blanches, car elles ont toujours été les images d'un monde meilleur.

«Peux-tu comprendre — peux-tu réaliser? — l'effet que ça produit sur l'esprit d'un jeune noir qui, sa vie durant, a été excité par l'image des femmes blanches et qui, quand il grandit, découvre que c'est justement la chose à laquelle il n'a pas droit? Reste avec les tiens, on nous dit, alors que dans nos rêves, dans notre imagination, nous n'avons envie que d'une chose, de ces douces peaux blanches si pures, et de tout ce qu'elles représentent. Nos femmes nous semblent frustres, avec leurs peaux tannées comme le cuir et leurs cheveux luisants de brillantine, parce que nous avons été conditionnés par le contraire. Et tu sais ce que ça fait à nos femmes, quand elles se rendent compte qu'elles ne nous attirent pas autant que les blanches? Elles cherchent par tous les moyens à se raidir les cheveux, à éclaircir la couleur de leur peau, à ressembler le plus possible aux femmes blanches. Mais ça ne marche jamais.

«La confusion est à son comble quand elles s'aperçoivent qu'elles sont secrètement convoitées par les hommes blancs. Il y en a de multiples preuves. Ici, dans le Sud, on trouve beaucoup de ces hommes blancs aux principes rigides, originaires des meilleures familles sudistes, citoyens irréprochables et qui ont des maîtresses noires. Avec qui on couche toujours en secret, jamais ouvertement. Et ça donne des familles de la main gauche, et des quantités de petits bâtards qui traînent partout. C'est alors que tout devient confus. D'un côté le comportement ouvertement revendiqué par la société et, en contrepoint, les plaisirs rendus plus désirables encore à cause de l'interdit qui pèse sur eux. Je suppose que tu ne t'es pas doutée de ce qui m'est passé par la tête la nuit dernière, pendant que tu étalais toute ta blanche beauté dans la pièce à côté? N'est-ce pas?»

J'ai secoué la tête en signe de dénégation, ce qui était un mensonge.

«Tu connais la seule façon pour un noir d'être accepté dans ton monde?»

J'ai secoué la tête à nouveau.

«Soit il a un cerveau et pas de couilles soit il a des couilles et pas de cerveau. S'il a les deux, il représente un trop gros danger. Ralph Bunche passe parce qu'il n'est qu'un cerveau, Joe Louis ou Rafer Johnson passent parce que chez eux tout commence au-dessous de la ceinture. Nous avons donc des intellectuels acceptables et des athlètes acceptables. On peut devenir acteur, à condition de jouer le bon nègre, mais il faut être parfait. Prends un type normal, avec ses faiblesses, ses erreurs, sa mesquinerie et personne n'en voudra. Il faut être soit un «bon noir», soit un esclave. Alors, ça marche.»

J'ai pensé à Sidney Poitier. Il était toujours parfait, tel un grand prince noir qui parcourait notre vie en nous assurant que nous n'avions rien à craindre de l'homme noir, qui n'est que bonté et pardon et compréhension, que nous pouvions l'admettre parmi nous car il nous avait pardonné nos fautes et que nous vivrions heureux ensemble, à jamais.

Une autre voiture est passée. On a crié: «Embrasse le cul du nègre, il sera à toi.»

Ralph a simplement haussé les épaules. «En ce moment, a-t-il dit, je suis en train de divorcer et j'ai une aventure avec une blanche. Je ne sais pas si mes sentiments pour elle sont vrais, ou si je ne la désire qu'à cause du conditionnement que j'ai subi. En plus, je me sens coupable: je dirige le mouvement, ici, dans le Sud et, en même temps, je fréquente une blanche. J'ai l'impression qu'il va falloir que je choisisse, parce que les miens ne comprendront pas. Tu vois, le sexe joue un grand rôle dans les problèmes des blancs et des noirs entre eux.»

Il s'est levé et nous sommes allés chercher ma valise. «Notre amitié sera platonique, m'a-t-il dit, mais je veux que tu saches ce que je pense.»

J'aurais aimé raconter à mon père ma conversation avec Ralph, mais je savais que ça le rendrait malade. Des gens comme papa ont déjà assez de mal à supporter les relations sociales entre blancs et noirs, ne parlons pas de relations sexuelles.

Qu'est-ce qui l'effrayait tant, chez les noirs? Il pouvait donner toutes les raisons qu'il voulait, la vérité était qu'il avait peur. De quoi? De lui, certainement. Pourquoi focalisait-il sa propre peur sur la peau d'un autre? Peut-être parce qu'il avait peur du noir. Peut-être pouvait-il justifier son étroitesse d'esprit parce que les noirs étaient de la couleur de la nuit. Et c'était le jour, et avec des blancs, qu'il se sentait en sécurité.

Par ailleurs, un noir pouvait monter dans son estime s'il était riche. En fait, il estimait tous les gens qui avaient de l'argent, quelle que soit la manière dont ils l'avaient gagné. Pourquoi cela faisait-il une telle différence? Papa savait ce qu'on était obligé de faire, parfois, pour devenir riche, lui qui parlait si souvent d'honnêteté et de vérité. Si un homme lui disait la vérité, papa lui faisait totalement confiance et il le défenderait contre «l'enfer et la damnation» pour peu qu'il soit honnête en affaires. Il avait toujours exigé l'honnêteté et la vérité. Et si un noir était riche et reconnu, papa l'appelait un «homme de couleur», pas un «nègre». Pourquoi?

Pourtant, lorsqu'il était profondément, vraiment ému et non pas seulement conditionné, il était lui-même. Je me rappelle quand nous sommes allés en famille voir une pièce interprétée uniquement par des noirs, *Raisin' in the Sun*. Le principal acteur masculin se jetait aux pieds de sa mère, de sa femme et de sa soeur en les suppliant de comprendre qu'il leur rendait leur vie de noires encore plus difficiles car il fallait qu'il soit reconnu en tant qu'homme — un homme qui défendait les causes qu'il croyait justes. Et il croyait qu'il était juste de rester le seul noir dans un quartier blanc. Mon père l'avait compris et manifestement approuvé. Je m'en étais aperçue. À la fin, j'ai vu ses épaules secouées de sanglots.

Je crois que mon père a pleuré, encore après que les lumières se soient rallumées, parce qu'il voulait croire ce qu'il ressentait. Il n'aimait pas les convictions qu'on lui avait enseignées et son dilemne était terrible à voir. Je l'ai aimé très fort, à ce moment-là, car il essayait d'être lui-même. Il n'aimait pas se sentir étroit d'esprit. Il n'a jamais employé le mot «nègre» en parlant de cette pièce — en tout cas pas avant que nous n'ayions quitté New York et qu'il ne soit de retour à son bureau, en Virginie, et que quelqu'un dise : «Oui, ces nègres, quand ils se mettent à jouer, ils sont vraiment bons».

Mais, quelques années plus tard, quand je lui ai parlé de Sidney Poitier comme de l'un de mes amis et que je lui ai demandé si je pouvais l'inviter à dîner à la maison, papa a refusé. «Ce n'est pas que moi je ne serais pas enchanté, a-t-il dit, ce sont les voisins... Je vais continuer à vivre ici, après ce dîner. Pas toi.»

C'est ainsi que Sidney Poitier n'est jamais venu dîner. Et que papa n'a jamais réussi à être lui-même, parce qu'il avait peur, peur du noir peut-être, du noir qu'il recélait en lui-même.

Chapitre 13

Plus je voyageais, plus je me rendais compte que la peur séparait des peuples qui devraient être amis.

Une fois, pendant un mois, j'ai su ce que cela voulait dire d'être absolument sans peur. À la place, j'ai ressenti l'harmonie, l'honneur et la confiance d'un autre peuple. Il se trouve que c'étaient des noirs. Ils n'étaient pas civilisés. Ils étaient primitifs. Et ils étaient le peuple le plus dénué de peur de tous ceux que j'ai rencontrés. Ils ignoraient le sens du mot mensonge et ils croyaient en eux-mêmes. Pour eux, Dieu n'existait pas, ils ne craignaient que la nature. Leur confiance en eux était totale et leur arrogance, justifiée. Il s'agit de la tribu Massaï, d'Afrique orientale.

On m'avait invitée à participer à un safari. Après avoir travaillé dur pendant un an, j'aspirais au grand air, aux grands espaces et la perspective d'approcher de près les animaux sauvages d'Afrique me séduisait. J'avais vécu presque toute ma vie dans les villes. J'ai abandonné mes autres projets et j'ai accepté l'invitation. Je suis arrivée à Nairobi avec mon appareil-photo et mon casque colonial et j'ai appris que le safari était terminé, qu'il s'était enlisé dans la boue provoquée par de récentes pluies torrentielles. Un nouveau rendez-vous était fixé, deux semaines plus tard, dans le Tanganyka d'alors.

L'*Uhuru* (la liberté) était toute neuve en Afrique orientale. L'indépendance était une réalité. Jomo Kenyatta avait transformé les *Mau Mau* en une société africaine respectable et l'homme se trouvait confronté à d'importants changements. Les fermiers blancs, qui avaient revendiqué pour eux la propriété de l'Afrique, quittaient le pays. Des familles se séparaient, des fortunes disparaissaient. Les Africains eux-mêmes étaient amèrement divisés. Pour un étranger, l'époque était sombre et difficile.

Je me suis installée à l'Hôtel Limuru, à deux heures de Nairobi. Il était dirigé par un couple de Français d'un certain âge, qui était venu passer deux semaines de safari en Afrique, trente ans plus tôt, et n'était jamais reparti. Ils étaient restés sur place pendant toute la révolte des *Mau Mau* et maintenant plus rien ne pourrait jamais les convaincre de quitter ce pays auquel ils étaient profondément attachés.

Les Massaï étaient au centre du chaos provoqué par l'*Uhuru*.

C'est une tribu guerrière, dont les territoires s'étendent loin au nord et au sud. Les Massaï refusent de s'adapter au monde des blancs et préfèrent la mort à la civilisation. Et ils meurent, de la maladie de l'homme blanc. La syphilis est si courante que l'on estime que la tribu des Massaï sera décimée en cinquante ans. Sauvagement indépendants, les Massaï se considèrent comme l'élite des hommes. Ils préservent leur indépendance non seulement vis-à-vis de l'homme blanc, mais aussi face aux tribus voisines. Cette indépendance s'explique par de nombreuses raisons.

Ma Land Rover cahotait dans les nombreuses ornières creusées par les récentes inondations. J'avais appris à la conduire car je voulais aller seule au village Massaï.

Mon chapeau de safari, acheté à Nairobi, me faisait transpirer à grosses gouttes, mais sans chapeau et sans lunettes de soleil, j'étais perdue, ma tête tournait, le terrible soleil m'aveuglait. Mes hautes bottes de cuir me protégeaient des morsures cruelles des fourmis rouges géantes et j'avais une bombe anti-moustiques, dont je me servais dès la nuit tombée. Je détestais d'avoir à utiliser tout cet attirail : il signifiait que j'étais incapable de supporter la nature. Je me demandais de quoi j'avais l'air aux yeux des autochtones, avec tous ces vêtements protecteurs.

L'Afrique s'étendait devant moi. Les plaines ondulaient, parcourues par les animaux — antilopes, zèbres, gnous, phacochères et les inévitables vautours qui décrivaient de larges cercles dans le ciel en attendant le dernier souffle de leur proie.

C'était un cirque sans le chapiteau, sans la fanfare et sans le pop-corn. Les animaux bondissaient joyeusement, ce qui me semblait extraordinaire, mais cela devait être leur état naturel. Un gracieux petit impala courait derrière un lourd phacophère, jusqu'à ce que ce dernier se retourne et grogne et que la chasse reparte dans le sens opposé. Deux zèbres mâles se battaient pour l'amour d'une femelle. Le vainqueur était tacitement reconnu. Des bébés babouins changeaient de mères jusqu'au moment où ils se faisaient gronder en langage babouin et qu'on leur disait qu'il était l'heure de jouer dans leur propre jardin. Les animaux semblaient obéir à leurs propres lois.

L'Afrique, l'harmonieuse voix de la création. Tout ce qui vivait avait l'air d'y être inextricablement lié, jusqu'à la mort. Et la mort elle-même faisait partie de cette harmonie.

Trois Massaï de haute taille, debout sur un pied comme des cigognes, appuyés sur leurs lances, se découpaient sur l'horizon africain. Leurs pagnes orange volaient au vent; ils surveillaient leur troupeau. Les Massaï croient qu'ils sont sur cette terre pour mettre le bétail à l'abri dans leurs enclos. Leur existence entière est centrée autour du précieux bétail.

Quand ils ont vu la poussière que soulevait la Land Rover, ils se sont tournés dans ma direction et, sans bouger, m'ont regardée arrêter la voiture et mettre pied à terre.

«Jambo», ai-je dit avec une bonne humeur affectée, en tendant la main. Leurs lèvres étaient recouvertes de croûtes de sang séché que semblaient apprécier les mouches qui s'agglutinaient au coin de leur bouche. Ils ne cillaient pas lorsque les mouches marchaient sur leurs pupilles. Les Massaï ne mangent que rarement des aliments solides. Ils se nourrissent principalement d'un mélange de lait et de sang de leurs bêtes, qu'ils extraient grâce à un fin roseau introduit dans un petit trou percé dans la veine jugulaire de l'animal.

Niché au creux de la colline, le *menyatta* Massaï formait un cercle de petites huttes autour de l'enclos des animaux. Avec mes quelques mots de swahili, j'ai demandé si je pouvais visiter le *menyatta*.

Ils ont regardé la Land Rover et ils ont demandé, l'air sceptique, si j'étais seule. Quand j'ai répondu que oui, ils m'ont fait des signes de bienvenue. Comme j'étais sans défense, ils me faisaient confiance. Si j'avais été «protégée» par des compagnons, je crois que je n'aurais pas été bien accueillie du tout.

S'amusant manifestement du rituel blanc de la poignée de main, ils m'ont amenée au *menyatta*. Le vent soufflait et charriait une odeur que je reconnaîtrais durant tout mon séjour en Afrique : la bouse, de la bouse fraîche, fumante, partout. Mélangée à de la boue avant qu'elle ne sèche, puis modelée et séchée, elle est le matériau de base de toutes les huttes et offre un excellent terrain d'élevage de mouches.

Les huttes sont rondes. Chacune comporte une petite ouverture masquée par une peau de lion. Cette peau est le trophée du jeune Massaï mâle, lorsque, pour devenir un guerrier (*moranee*), il tue un lion tout seul, démontrant ainsi sa bravoure et son adresse.

De sa souple foulée, le *moranee* m'a conduite jusqu'à la hutte du chef. D'autres membres de la tribu sont sortis de huttes enfumées sur mon passage. Manifestement, on faisait sans cesse du feu, dans toutes les huttes. Je me demandais comment les gens arrivaient à respirer. Il n'y a pas de fenêtres et les plafonds sont si bas qu'on ne peut y tenir debout. Il faut se plier en deux pour passer par les petites ouvertures enfumées. Peut-être les huttes sont-elles construites pour avoir chaud, au détriment de l'air frais.

Des bébés piaillards et des enfants qui jouaient alentour se sont précipités bouche bée vers leurs mères en me voyant traverser le *menyatta*. Pour la plupart, les enfants allaient nus mais les femmes étaient habillées et portaient de nombreux ornements. Le pagne orange passe sur l'épaule gauche et s'attache à la taille par une ceinture de perles faite à la main. Les cous s'ornent de colliers de perles compliqués : les différents arrangements indiquent le statut familial de la femme. Les futures épouses portent moins de bijoux que les femmes mariées qui ont donné naissance à des enfants. Les perles avaient l'air d'être en plastique coloré ; elles devaient provenir d'un des marchés indiens disséminés dans les plaines. Toutes les tribus africaines aiment les couleurs gaies et vibrantes. Les Massaï ne font pas exception à cette règle.

J'avais très envie de prendre des photos, mais j'avais lu que les Massaï avaient une peur panique des appareils-photo, car ils croyaient que la petite boîte leur volait leur âme et la transférait sur la pellicule brillante.

Le chef — dictateur absolu — est sorti de sa hutte et m'a offert une gourde de sang et de lait. Pendant quelques instants, j'ai été terrorisée, non seulement à l'idée de la mixture, mais aussi parce que je savais que le bétail était malade. Je regardais par terre. «Ne réfléchis pas trop longtemps», me suis-je dit, «sinon le mal sera fait». J'ai porté la gourde à mes lèvres et j'ai pris une petite gorgée longtemps retenue dans ma bouche dans l'espoir qu'ils croiraient que j'avais bu largement. Le lait était léger et un peu gras, les bêtes n'étaient pas richement nourries et de plus on les saignait. Le sang avait goût de sang et une trace de quelque chose d'autre. J'ai appris plus tard que c'était de l'urine. On en rajoutait un peu pour empêcher le lait de tourner à la chaleur du soleil.

Le chef et ses compagnons ont souri largement. Le chef m'a repris la gourde des mains, Dieu merci. Puisque j'avais bu, il était évident que mes intentions étaient amicales.

Il a tendu la main droite et il a dit en anglais : «Bien».

Je l'ai regardé d'un air surpris.

Son visage ratatiné était ferme, mais semblait aimable. Des

cheveux gris et crépus jouaient autour de ses oreilles, qui avaient été percées et étirées jusqu'à ce que les lobes pendent sur ses épaules. Tous les membres de la tribu avaient des trous béants aux lobes de leurs oreilles. On les perçait à la naissance et on les agrandissait pendant toute leur enfance en y introduisant des bouts de bois de plus en plus grands. Les boucles d'oreilles que portaient les adultes pouvaient aussi bien être des mélanges de perles et de fil de fer que des morceaux de liège ou de bois. Le chef, lui, avait choisi un ouvre-boîtes. Il pendait à son oreille gauche. J'avais sans cesse l'impression qu'il cherchait son pendant pour l'oreille droite.

— Comment toi t'appeler? m'a-t-il demandé dans un anglais bancal mais clair.

— Shirley, ai-je répondu, sidérée qu'il parle ma langue.

Il a hésité, éprouvant du mal à prononcer le mot.

— Ss... Ssss... Shuri?

— C'est ça, monsieur, Shuri. Ça me convenait parfaitement.

— Shuri... Shuri... Shuri... Chacun dans le *menyatta* murmurait ce nom étrange.

Le chef a fait signe à l'un des guerriers. Un *moranee* d'environ dix-neuf ans s'est avancé. Des capsules de bouteilles de Pepsi-Cola étaient accrochées à ses oreilles par du fil de fer. Il a planté sa lance dans le sol et a écouté avec attention, à la mode des Massaï.

Le chef a parlé. «Nom Kijimbele. Parle anglais. Aide toi.»

Les yeux de Kijimbele ont flamboyé. Une épouvantable cicatrice lui barrait le visage de la racine des cheveux à la pointe du menton. J'ai dû manifester mon horreur.

«Simba», a dit le chef, expliquant que c'était le résultat de son combat avec le lion. C'était une des nombreuses cicatrices que les *moranee* de la tribu arboraient avec fierté. Certains avaient eu les yeux arrachés de leur orbite et avaient guéri sans l'aide de la médecine. D'autres avaient un membre mort, les tendons arrachés, ou étaient mutilés. Et, bien sûr, il y avait les squelettes, nettoyés par les vautours, de tous ceux qui avaient perdu la bataille.

Chez les Massaï, l'honneur compte plus que la vie. Le lion doit être combattu loyalement, c'est tout aussi important que de remporter la victoire. Le *moranee* a une occasion, quand il court vers le lion avec sa lance empoisonnée. S'il le frappe directement, il s'assure à la fois de son avenir et de l'estime générale. S'il le rate, il continue le combat tout seul, sous les yeux des autres guerriers. Ils feront peut-être un peu de bruit dans les buissons pour troubler la bête féroce, mais c'est tout. Quand un *moranee* remporte la victoire, on a pu évaluer son courage et il vivra en homme fort et fier, cité en exemple. Ce code moral primitif m'a semblé cruel, mais il était nécessaire aux Massaï pour préserver leur identité.

Kijimbele a souri de toutes ses dents, blanches et régulières.

— Ma montre Mickey Mouse, un bras cassé. Tu arranges? Il a fièrement enlevé le bracelet-montre qu'il avait au bras et me l'a montré avec un plaisir d'enfant.

— Oui, je la ferai réparer à Nairobi.

— Grand trésor, m'a-t-il prévenue. Je pense qu'il avait dû la trouver dans un campement de chasseurs abandonné, avec les capsules de Pepsi-Cola et l'ouvre-boîtes du chef. Il la brandissait fièrement en m'escortant dans le *menyatta*.

Les guerriers Massaï, debout en rangs silencieux, m'observaient tandis que Kijimbele me présentait la tribu. Des visages noirs impassibles me dévisageaient. J'avais l'impression qu'ils détenaient des secrets que je ne connaîtrais jamais. Ils savent ce que la peur veut dire et ils savent s'en préserver. Ils méprisent la peur. C'est peut-être cela qu'ils ressentaient chez les blancs, la peur. Et qui provoquait leur refus d'accepter quoi que ce soit de leur mode de vie. Peut-être savaient-ils que la peur engendre le déshonneur, la tricherie et le mensonge, ce qu'ils haïssent le plus. Ils approuvent certains des résultats obtenus par la civilisation, mais pas les moyens nécessaires à leur obtention, qu'ils considèrent comme méprisables. Je me demandais s'ils m'accepteraient, ou s'ils me condamneraient a priori.

Les femmes sont grandes et minces, assez cambrées, probablement à cause de leurs nombreuses grossesses. Elles ont le crâne rasé, attribut de la beauté, et peint en ocre.

Presque toutes les secondes, elles crachent à travers un écart qu'elles ont toutes entre les dents de devant. Le jet de salive va loin et droit, ne coule jamais et atterrit dans la même petite mare. Les Massaï ont mortellement peur d'avoir la mâchoire bloquée. Dès la petite enfance, on leur arrache une des dents de devant; il se forme ainsi un trou qui ne se bouche jamais et qui permet de se nourrir même en cas de mâchoire bloquée. Et cela arrive souvent.

Je me suis arrêtée devant une femme et j'ai regardé sa bouche, l'air stupéfaite. Elle a ri et a montré ma main. Je n'ai pas compris. Elle a soulevé l'un de mes doigts et elle a caressé l'un de mes ongles vernis en rose. Son enfant l'a vue me toucher et a hurlé de consternation. Il était manifeste que la plupart des enfants n'avait jamais vu de blanc de si près. Le nez coulant, le ventre protubérant, les yeux agrandis d'étonnement, ils se pressaient autour de moi. Intrigué par les taches de rousseur, l'un d'eux m'a touché le bras en frissonnant de plaisir devant son courage. Puis il a bien regardé son doigt. Pas de dégât. Il a recommencé et, cette fois, il a touché la peau blanche entre les taches de rousseur. Il a bien vite retiré sa main avec un petit cri, mais toujours pas de dégât. Alors j'ai été assaillie par une multitude de petites mains qui me touchaient et me donnaient de petits coups sur tout le corps en même temps que les enfants éclataient de rires contagieux.

Mes ongles longs et vernis, mon moyen de communication avec eux, continuaient d'attirer l'attention. Comment était-ce possible d'avoir les ongles si longs et de cette couleur. Dix enfants, un à chaque doigt, étudiaient ce phénomène. J'ai doucement libéré l'une de mes mains et j'ai gratté le vernis d'un ongle. Ils ont tous retenu leur respiration. Ça ne faisait pas mal de s'arracher ça? Et où était le sang en dessous? De l'étonnement, ils sont passés à la pitié et l'un des enfants a commencé à cracher et à souffler sur mon ongle pour atténuer la douleur. Par gestes, j'essayais d'expliquer que ce n'était rien, que ça ne faisait pas mal et j'ai commencé à gratter un autre ongle. Ils se sont remis à cracher et à souffler.

Kijimbele a tenté de les rassurer, mais ils avaient trouvé un nouveau jeu. Accrochés à mes mains, les enfants Massaï grattaient le vernis de tous mes ongles avec une ferveur enfantine, ravie et cruelle, tout en atténuant la douleur en soufflant et en crachant.

Les mères ont demandé si elles pouvaient voir ce qu'il y avait dans mon sac. Elles ont commencé à explorer son contenu.

Et elles ont fait la découverte magique : un miroir.

Je m'efforçais de regarder, au-dessus des têtes des enfants. Tout d'abord, dans l'impossibilité où elles étaient de reconnaître leur propre visage, elles ont cherché à découvrir ce qu'il y avait au dos du reflet. Personne ne se cachait derrière. Leur première impression était donc la bonne. Elles m'ont regardée. Étais-je témoin de leur embarras ? Les gens ont besoin d'intimité lorsqu'ils se découvrent eux-mêmes. J'ai vite détourné les yeux.

Elles ont commencé à psalmodier devant le miroir, en jouant des épaules pour se voir de profil. Leurs boucles d'oreilles se balançaient d'avant en arrière comme des cavaliers ornés de bijoux chevauchant leurs lobes. Elles ouvraient la bouche et se regardaient le fond de la gorge en émettant des sons d'animaux comme si elles regrettaient de ne pas se voir jusqu'à l'estomac. Enfin, elles se sont souri à elles-mêmes. Des sourires feints, des sourires séducteurs, des sourires du coin de l'oeil, purement narcissiques.

Et les femmes se sont mises à danser. Elles ondulaient en rang en passant devant moi, leurs têtes basculant d'avant en arrière à partir de la base du cou, leurs colliers de perles s'élevant et retombant. Leurs épaisses chevilles étaient alourdies de bracelets de fer qu'on leur avait passés dès l'enfance en signe de soumission à leurs hommes. Les chevilles grossissaient autour des bracelets. Elles dansaient, d'un seul mouvement, ne formant qu'un seul corps. Elles représentaient l'unité femme, que se partageaient tous les hommes de la tribu. L'une d'elles a décroché les enfants qui étaient toujours pendus à mon bras et m'a entraînée dans la danse. Le chant résonnait dans la plaine.

Les *moranee* ont alors formé un cercle. D'une main, ils tenaient leur lance et de l'autre leur épais bâton de bois, le *pimbo*. Un concours a commencé. Le premier des *moranee* a sauté droit en l'air, les jambes absolument rigides, ses deux armes plaquées au corps par ses bras. Il a semblé s'arrêter en l'air avant de retomber sur terre. J'ai eu l'impression qu'il avait sauté aussi haut qu'un homme d'environ un mètre quatre-vingts.

Les femmes ont rompu leur rang et se sont mises à chanter pour accompagner les sauts des guerriers. Les hommes sautaient l'un après l'autre, s'arrêtaient en l'air, reprenaient pied et recommençaient. Un vainqueur a enfin été désigné. Le concours et la danse se sont apaisés. On a allumé des feux de bouse dans tout le *menyatta* et on a rentré les bêtes pour la nuit.

On m'a conviée à assister à la traite du sang et à boire un verre après. C'était vraiment le moment de manger le pique-nique que j'avais apporté : du poulet, des oeufs durs et des éclairs au chocolat. Kijimbele a demandé de la bière, mais il a dû se contenter d'une cuisse de poulet.

Après avoir chanté dans les huttes enfumées, la tribu a recommencé à danser, au clair de lune, cette fois-ci. Les chants avaient une signification : en général ils parlaient du désir de l'un des guerriers pour une femme, qui pouvait fort bien être celle de son frère. Si la femme était d'accord, on plantait une lance devant la porte de sa hutte et elle sortait et rejoignait un autre homme pour la nuit, tandis que son mari se réjouissait de posséder une femme convoitée par d'autres. Les femmes avaient de la valeur. On les achetait contre un certain nombre de bêtes, le prix étant fixé par le père de la mariée.

Kijimbele m'a confié qu'il se marierait avec sa «chérie» dans environ trois ans, quand il pourrait financièrement se le permettre.

— Tes bagues, ça veut dire qu'on t'a achetée? m'a-t-il demandé tandis que nous marchions vers la lisière du *menyatta*.

— Oui, ai-je répondu, l'anneau signifie que je suis mariée.

— Où, ton chéri?

— Dans un pays qui s'appelle Japon.

— C'est en Afrique?

Nous nous sommes assis par terre et j'ai dessiné une vague carte du monde sur le sol, avec un bâton.

— Le Japon est très loin, ai-je dit en lui montrant l'Orient.

— Ils ont le bétail, là-bas?

— Oh, oui, du très bon bétail, ai-je répondu en pensant au délicieux boeuf de Kobe, mais sans lui avouer que j'en avais mangé.

— Ton mari, il paie beaucoup de bétail pour l'achat de toi?

— Oh oui, beaucoup.

— Tu le vaux, a-t-il ajouté, tout à fait sincèrement. Kijimbele a pris mon bras et m'a aidée à me relever. C'était un geste de courtoisie inattendu. Je me suis demandé s'il en faisait autant avec ses propres femmes ou si c'était parce que j'étais blanche.

— Tu reviendras? a-t-il demandé.

— Oui, je pense que oui, si vous êtes d'accord.

— Et tu prends la montre et arranges? Il m'a tendu sa précieuse montre, tandis que le chef s'approchait de nous.

— Toi, bienvenue. Reviens, a dit le chef. Je l'ai remercié pour l'hospitalité de son peuple et je me suis dirigée vers la Land Rover. En regardant derrière moi, j'ai vu le chef mâchouiller un éclair au chocolat et boire à sa gourde tandis qu'il mangeait.

Je suis retournée au *menyatta* chaque jour pendant deux semaines. J'ai passé toutes mes journées avec les Massaï jusqu'au jour où j'ai enfin eu des nouvelles du safari retardé.

Je n'étais plus concernée par le temps, pas plus que ne l'étaient les Massaï. Pendant cette courte période, j'ai vécu comme eux, instinctivement, et au rythme des besoins du troupeau. Kijimbele m'a appris les rudiments de sa langue et, parallèlement, il apprenait les mots anglais correspondants. Sa montre était réparée; il s'est montré très étonné quand il a su à quoi ça servait et le talent qu'il manifestait pour dire l'heure qu'il était est devenu l'un des principaux sujets de conversation de toute la tribu. Mon temps appartenait aux Massaï.

Kijimbele et les *moranee* m'ont emmenée avec eux faire paître le bétail. Chaque semaine, ils changeaient de prairie, opérant une rotation régulière. Nous restions des heures sur place, en observant les plaines ondulantes. Les animaux des plaines faisaient confiance aux Massaï. L'odeur familière de la bouse fumée et du sang séché leur disait qu'ils étaient en sécurité. Ils parcouraient des centaines de kilomètres, nez au vent. Toutes les espèces se toléraient et s'acceptaient, libres et sauvages. Les zèbres couraient avec les antilopes, les gnous avec les impalas, les phacochères avec les buffles. Le paysage était en totale harmonie, les Massaï, leurs pagnes orange tournoyant autour de leurs lances, dominaient les plaines venteuses.

Le vent ne caressait pas. Il se plaquait à nous. Les animaux et les Massaï avaient l'air de lui parler, de comprendre ce que voulaient dire les rafales. Parfois, elles avertissaient d'un danger. Les hommes et les animaux changeaient brusquement de direction, les Massaï partaient en sens inverse et plantaient leurs lances dans une autre terre, les animaux prenaient la décision immédiate et collective de modifier la trajectoire de leur course. Des vols d'oiseaux, par centaines parfois, en formations parfaites, ne manquaient jamais le signal de changement de direction. Ils se retournaient et montaient comme un seul homme. Y avait-il un chef d'escadron? Étaient-ils si bien accordés les uns avec les autres qu'ils n'avaient pas besoin de chef? N'y avait-il jamais de déviants? Des oiseaux ont-ils jamais décidé qu'ils ne voulaient plus voler avec l'escadron?

La découverte d'un nouveau trou d'eau est, tant pour les hommes de la tribu que pour les animaux, un signe de vie plus facile. L'eau, en Afrique, impose sa loi à tout ce qui vit. L'approvisionnement en eau est la principale raison du nomadisme. Les Massaï et les animaux font partie les uns des autres, ils sont liés par la soif. Ensemble, ils font partie du vent. J'étais en dehors et je regardais à l'intérieur. Peut-être qu'en fait c'était au dehors que je regardais, vers ce que je considérais comme une sorte de liberté — le sentiment de faire partie de tout ce qui existe. Je ne pouvais jamais laisser les choses telles quelles. Il fallait que je dissèque tout, même une rose. Je suppose qu'au fond je voulais *être* la rose, *être* les oiseaux, *être* les Massaï. Et tout cela parce que je voulais être moi.

J'étais une civilisée et je l'étais assez pour être tout à fait consciente de mes frustrations. Les Massaï étaient différents. Leurs objectifs étaient si simples qu'ils semblaient rassurants, confortables, dépourvus de toute tension, d'angoisse et de chagrin.

Et pourtant, la situation n'est pas si idyllique qu'on pourrait le croire. Les Massaï sont en train de mourir. Ils meurent d'une maladie que le monde civilisé sait guérir depuis longtemps et il s'est passé, au début de ma troisième semaine en Afrique, quelque chose qui a mis en évidence toutes mes contradictions. J'allais me souvenir des Massaï et eux se souvenir de moi, bien longtemps après mon départ.

Je suis arrivée à midi, par une belle journée qui devait être celle de ma dernière visite aux Massaï. J'avais les bras chargés de miroirs, de vernis à ongles et de pagnes aux vives couleurs.

Quelques femmes bavardaient avec excitation devant une des huttes. Elles m'ont fait signe et ont insisté pour que j'entre avec elles. Tandis que la peau de lion retombait derrière moi, j'ai entendu le sifflement des pierres mouillées et j'ai senti l'odeur de fumée d'un petit feu. Couchée sur une natte, une femme Massaï, âgée d'environ trente-cinq ans, se balançait doucement d'avant en arrière, sous une fine couverture couverte de mouches. Je me suis retournée vers l'une des femmes plus âgées et lui ai lancé un regard interrogateur. Elle a fait le geste de bercer. La panique m'a saisie. Une naissance était en route, elles voulaient que j'y participe.

La hutte était pleine de femmes et d'enfants, debout autour du feu, qui crachaient par terre et se mouchaient dans leurs doigts qu'ils secouaient ensuite au-dessus du feu. Des enfants aux yeux larmoyants, atteints de syphilis ou de trachôme, traînaient sur la bouse à côté de la femme en couches.

La femme la plus âgée de la tribu m'a poussée vers la femme enceinte. «À toi, à toi, semblait-elle dire, délivre-la.»

J'ai soulevé la couverture qui recouvrait la jambe de la femme. Du sang giclait sur la natte, sous elle. Et j'ai découvert toute l'horreur de la circoncision féminine. On lui avait tout simplement coupé le clitoris, afin de supprimer le désir sexuel. Les hommes et les femmes Massaï sont circoncis pendant l'adolescence. La tribu tout entière assiste au rituel : on teste ainsi l'endurance physique de la victime. On remplit des cuvettes d'eau froide et les adolescents s'y asseoient jusqu'à ce que la douleur soit un peu anesthésiée. On opère les parties génitales avec un morceau de verre ou avec une pierre. Les spectateurs guettent la moindre grimace de douleur qui fera inéluctablement de la victime un déclassé. J'ai compris alors pourquoi cette femme donnait naissance à son enfant silencieusement : encore un point d'honneur, elle maîtrisait la douleur.

Des essaims de mouches s'agglutinaient dans le sang frais; elles allaient contaminer le bébé, qui n'allait plus tarder à apparaître. La mère a eu une dernière contraction. Le bébé est sorti. Les mouches se sont envolées. Je me suis agenouillée, sans savoir quoi faire. C'était une petite fille, toute noire, toute brillante et humide. J'ai pris la petite créature glissante et hurlante dans mes bras. Le cordon ombilical. Je ne savais pas comment on le coupait. Une sage-femme assez âgée s'est avancée. Respectueusement, elle s'est agenouillée et elle a coupé le cordon avec ses dents. Puis elle a pris un brandon dans le feu et elle a cautérisé le reste du cordon.

Le bébé glissait tellement j'avais peur de le lâcher. Elle battait des bras et des jambes, en signe de protestation contre son nouvel environnement. Je me sentais totalement déplacée. Je ne parvenais pas à penser. La saleté était répugnante. La sage-femme m'a pris le bébé des bras et l'a enveloppé dans une couverture pour le protéger contre les mouches. La mère s'est contractée à nouveau et elle a perdu ses eaux.

La natte grouillait de mouches. Je ne pouvais pas le supporter. J'ai écarté comme je le pouvais la bouse et la boue, j'ai tenté d'essuyer le plus de sang possible et j'ai nettoyé la malheureuse femme avec l'écharpe relativement propre que je portais autour du cou. J'ai poussé le plasma dans un coin, le plus loin possible de la natte. J'étais sûre qu'il ferait un peu plus tard l'objet d'un quelconque rituel.

En le tenant par ses minuscules petits bras, les femmes se sont passé le bébé. Chacune soulevait le bébé et lui crachait dans la bouche. J'étais bouleversée. Tous les microbes que la pauvre petite chose ingurgitait durant ses toutes premières heures de vie. Comment les enfants survivaient-ils? Quelques femmes se mouchaient dans leurs doigts avant de cracher et elles ouvraient de ces mêmes doigts la bouche du bébé.

Puis elles m'ont tendu l'enfant. J'étais supposée suivre leur exemple. Mon estomac s'est retourné. Comment leur expliquer? J'ai pensé que le bébé était peut-être immunisé contre les microbes de la salive des femmes Massaï. Mais ma propre salive allait lui injecter des microbes différents, contre lesquels il ne pourrait se défendre. J'ai pris le bébé dans une seule main et, de l'autre, j'ai montré ma gorge, comme si j'avais mal et fait signe que je ne pouvais pas. Elles ont semblé le comprendre et j'ai rendu l'enfant à la sage-femme.

La mère gémissait doucement, le visage impassible. La bouse absorbait le sang qui coulait de la natte. Elle regardait dans le vide. Je lui ai souri, en espérant qu'elle réagirait. Rien. Puis j'ai réalisé qu'elle était aveugle. Plus tard, j'ai appris qu'elle était au dernier stade de la syphilis et que son cerveau était atteint. Elle saignait beaucoup. Je n'arrivais pas à essuyer le sang assez vite. Affolée, j'ai fouillé mon sac pour trouver de l'aspirine. Le plus doucement possible, je l'espère, je lui en ai fait avaler deux. C'était tout ce que j'avais. Tout ce que je pouvais faire.

Un autre rituel était en train de se dérouler. On faisait passer un minuscule bol de sel. Les femmes plongeaient leur langue dans le sel, hochaient la tête et tendaient le bol à leur voisine. Le bol est arrivé dans mes mains. N'hésite pas, me disais-je, fais-le ou ne le fais pas. Le bout de ma langue a effleuré le sel. J'ai essayé de ne pas penser aux hordes de microbes qui se bousculaient pour entrer dans ma bouche. J'étais, à l'égard de ces rituels, sans défense aucune. Les précautions sanitaires n'avaient guère de sens, dorénavant. J'ai hoché la tête, comme elles le faisaient, avant de faire passer le bol. Pour la première fois depuis deux heures, depuis que j'étais entrée dans la hutte, tout le monde a souri. Une petite foule s'était rassemblée à l'extérieur. Je mourais d'envie de respirer un peu d'air frais.

La coutume Massaï veut que le père ignore son enfant jusqu'à ce qu'il ait atteint l'âge de deux ans, mais les circonstances de cette naissance devaient être inhabituelles, car le père est entré dans la hutte. Il n'a fait attention ni à sa femme ni à sa fille. Il s'est dirigé tout droit vers la sage-femme. On lui a dit que j'avais reçu le bébé et que j'avais donné de l'aspirine à sa femme. Il a écouté, il a hoché la tête et, sans un regard pour moi ni pour sa famille, il est sorti de la hutte. La fumée et l'odeur me suffoquaient. Je suis sortie derrière lui.

Le chef se tenait devant la porte. «Toi, soeur de sang Massaï, maintenant. Bébé s'appeler Shuri.»

Sous l'éclatant soleil, j'ai tenté de retrouver mes esprits. Je ne désirais plus me fondre dans ce milieu primitif, fondamental, simple. Je n'avais aucune intention de me transformer en missionnaire, mais cette petite fille avait besoin d'être soignée. Je ne voulais rien changer à leur esprit, à leurs croyances ou à leur code d'honneur. Je voulais simplement aider une créature qui vivait et qui respirait. La vie était un absolu, un absolu où moi je plaçais ma foi.

J'admirais le courage et la maîtrise de la douleur dont faisaient preuve les Massaï, mais je pouvais leur apporter certaines des connaissances que la civilisation m'avait offertes. Elles avaient de la valeur. Elles en auraient aussi pour eux. Tant pis s'ils prenaient cela pour de la vulgaire ingérence. J'en avais fini avec le respect courtois, sensible et social de leurs rituels. Maintenant, j'étais en colère. En colère contre la saleté, contre les huttes de bouse, contre les vaches qui transmettaient la syphilis, contre l'ignorance.

Je me suis tournée vers le chef. «J'ai peur», ai-je dit, «j'ai peur que, sans soins, cette enfant meure. Sa mère est en train de mourir de la syphilis. Shuri est atteinte, elle aussi, de naissance. Et même si elle ne l'attrape pas, la bouse, les mouches et la saleté l'auront. Laisse-moi l'emmener à l'hôpital, où il y a de la pénicilline, de la nourriture saine et des médecins. Ne la laisse pas mourir. Elle porte mon nom. N'ai-je pas quelque droit sur elle?»

Les enfants se sont arrêtés de pleurer. Les femmes ont cessé de bavarder et les *moranee* inquiets se sont groupés autour de moi silencieusement. Ils n'avaient pas compris les mots que j'avais prononcés mais ils sentaient qu'il y avait un conflit dans l'air.

Le chef a compris — pas tout, mais suffisamment. Il m'a regardée avec une effarante lucidité.

— Shuri pas malade, a-t-il grogné.

— Ça ne se voit pas, mais elle l'est. N'attendons pas jusqu'au moment où vous pourrez le voir. Je lui demandais de violer le principe même des règles Massaï.

Il y avait une différence entre maîtriser quelque chose et, purement et simplement, l'ignorer. Le chef ne bougeait pas. Kijimbele nous regardait successivement, le chef et moi, pris entre le peu qu'il savait de mon monde et mille générations du sien.

Le chef ne me quittait pas des yeux. Dépendre de l'hôpital de l'homme blanc? S'exposer à la guérison par l'homme blanc? Ouvrir la porte à l'influence de l'homme blanc?

Il a levé la main.

— Attendre, voir.

Et voilà. La maladie de la tradition, la haine du changement, ce travers humain qui provoque continuellement des conflits. On n'en guérira que par la patience. Un jour, peut-être, les changements auront lieu au bon moment, au lieu de toujours survenir trop tard. Un jour, on acceptera le changement comme étant la vie même.

D'accord, j'attendrais.

J'ai hoché la tête.

— Bien, monsieur, ai-je dit. Mon safari est arrivé au Tanganyka. On m'attend cet après-midi. Je dois vous quitter, vous et Shuri. Je vais prendre un avion. Mais je reviendrai bientôt.

Son trouble a disparu momentanément. «Toi aller safari Tanganyka?»

— Oui.

— Beaucoup de Massaï, là?

— Oui.

— Maintenant, toi soeur de sang Massaï. Partout, en Afrique de l'est, Massaï protègent.

Je ne savais pas ce qu'il entendait par là, mais je l'ai remercié.

Le *menyatta* a repris son activité normale. La mère se balançait doucement. Apparemment, elle ne s'était pas rendu compte qu'elle avait accouché. La sage-femme tenait Shuri dans ses bras. Les enfants sont retournés à leurs jeux et le feu a continué de brûler dans la hutte de Shuri, là où elle attendrait son destin.

Les nerfs à vif, je suis vite partie pour l'aéroport de Nairobi. J'espérais que le safari m'aiderait à retrouver la nature et la sérénité. J'allais essayer de ne pas penser à Shuri. J'allais tout simplement m'occuper de faire des films et de prendre des photos, j'en rêvais depuis mon enfance, depuis que j'avais dévoré tous les livres d'une série intitulée *Bomba, enfant de la jungle*.

J'avais pris le chef Massaï à la légère quand il m'avait promis la protection de son peuple, mais quand mon petit avion privé a atterri dans un champ isolé du Tanganyka et m'a laissée là, assise sur ma valise, pour attendre le safari, j'ai su que je n'étais pas seule. En l'air, nous avions localisé le safari. Il lui faudrait au moins une heure pour me rejoindre. Le pilote avait redécollé, on l'attendait à Nairobi.

J'ai senti les Massaï avant de les avoir vus. Puis, émergeant de la savane, j'ai vu des lances et des têtes peintes en ocre. Je me suis levée et j'ai souri. Quatre *moranee*, leurs lances dans une main, leurs *pimbos* dans l'autre, s'avançaient vers moi. L'un d'eux a dit, en anglais, «Toi femme blanche nom Shuri?» Nous étions à plus de quatre cents kilomètres, cela ne faisait que deux heures et demi que j'avais informé le chef Massaï que je partais pour le Tanganyka. Comment ces *moranee* savaient-ils mon nom? Comment les nouvelles avaient-elles pu voyager si vite? Je savais que les Massaï ne communiquaient ni par tam-tam ni par signaux de fumée.

Quand j'ai exposé ce phénomène au chasseur blanc du safari, il n'en a pas été surpris. Il m'a dit tout d'abord que je ne devais pas prendre à la légère le fait d'être devenue soeur de sang des Massaï. Eux y accordaient une grande importance. Puis il m'a appris que les blancs d'Afrique orientale se posaient sérieusement la question de savoir si, bien que cela soit considéré comme impossible, les Massaï ne communiquaient pas entre eux par transmission de pensée.

En tout cas, pendant les quelques semaines du safari, des Massaï m'ont suivie partout. Ils se relayaient tous les dix kilomètres environ. Et chaque soir, où que nous installions notre campement, un *moranee* se tenait devant ma tente jusqu'au lever du jour.

Quand je suis retournée au *menyatta* du Kenya, le chef savait tout ce que j'avais fait pendant mon safari, y compris mon refus de tirer sur des animaux et mes discussions avec les autres membres du groupe, chaque soir autour du feu. Il savait même que j'avais tricoté un minuscule chandail vert pomme pour Shuri.

Lors de mon retour au *menyatta*, Kijimbele m'attendait. Lui et la sage-femme m'ont amenée dans une hutte isolée. De la fumée s'enroulait autour de la peau de lion. J'ai respiré un bon coup et je suis entrée.

Shuri, enveloppée dans un pagne, était couchée dans les bras de sa mère et tétait. La mère bafouillait des paroles incohérentes. J'ai soulevé le bébé et je l'ai découverte. Shuri remuait à peine. Son corps n'était qu'une plaie. Du pus s'écoulait d'innombrables blessures et maculait tout son minuscule corps d'ignobles traces. Elle avait une telle infection aux yeux qu'elle ne pouvait plus les ouvrir. Sa mère délirait. La syphilis s'était portée au cerveau.

Le chef attendait dehors. «Tu prends et tu arranges», m'a-t-il dit quand j'ai sorti Shuri de la hutte. «La mère aussi». Plusieurs femmes Massaï l'ont transportée de la hutte à la Land Rover. La sage-femme a pris Shuri dans ses bras pendant le trajet jusqu'à l'hôpital.

Kijimbele a couru derrière la Land Rover. «Ils emploient des choses comme ça, pour guérir?» a-t-il demandé en décrivant une aiguille par gestes.

J'ai acquiescé.

— Ça fait mal?

Quelle drôle de question, de la part d'un jeune homme qui avait tué un lion à lui tout seul et qui avait subi sans anesthésie les douleurs de la circoncision.

J'ai passé la quatrième vitesse et j'ai crié: «Pas autant que d'être malade».

À l'hôpital blanc, où infirmières et médecins étaient des Kikuyus, on a administré de la pénicilline à Shuri et à sa mère toutes les quatre heures, pendant trois jours. Sans cela, la petite fille serait morte immédiatement. La mère aurait survécu un peu plus longtemps, grâce à sa résistance naturelle. La pénicilline et leur séjour à l'hôpital les a guéries de la syphilis, mais la mère avait perdu l'esprit pour toujours.

«Nous aimerions que les Massaï se fassent soigner», m'a dit le docteur Kikuyu. «Autrement, nous n'avons aucun moyen de les sauver. Enfin, ceux que l'on guérit, comme ce bébé, sont immunisés pour la vie, à moins d'être contaminés par un contact sexuel direct.»

À la fin de la semaine, j'étais à bout de nerfs. J'aurais voulu pouvoir faire tellement plus. J'ai tricoté plein d'autres chandails vert pomme et j'ai donné des cours de tricot en même temps. C'est miraculeux ce que l'on peut produire avec deux aiguilles et du fil de couleur.

J'ai tenté d'expliquer les effets de la pénicilline au chef et de le persuader de faire soigner son peuple. «Attendre, voir», disait-il, mais je savais qu'il haïssait les Kikuyus et leur hôpital presqu'autant que les blancs. La survie de son peuple dépendait de lui. Il était le chef. Peut-être un jour aurait-il la sagesse de prendre dans la civilisation ce dont il avait besoin, et cela seulement. Il n'aurait pas besoin de s'intégrer pour autant. Mais, vu ce que je savais, le compromis ne faisait pas partie du mode de vie des Massaï.

— Mon mari m'a téléphoné, ai-je annoncé au chef lors de ma dernière journée au *menyatta*. J'attendais qu'il me rejoigne, mais il ne peut pas. Je vais donc partir.

Il m'a regardée malicieusement. Toi revenir, un jour?, a-t-il demandé.

— J'espère. Je le désire beaucoup.

— Avec mari?

— Peut-être, oui.

— Bon. Dire mari que je donne cinq cents bêtes pour toi. Quand lui vient, nous faire affaire.

J'ai éclaté de rire et il m'a longuement serré la main. Décidément, cette coutume lui plaisait. Cette fois-là, il m'a presque brisé les doigts.

J'ai fait des adieux aussi brefs que possible. J'ai toujours détesté dire au revoir. Il m'arrive même d'être impolie. J'ai toujours peur de ne pas me contrôler. C'est si difficile d'accepter l'idée qu'on ne fait que passer dans ce monde et que, lorsque l'on entre en contact avec quelqu'un d'autre, il faut en profiter au maximum car on a bien peu de chances de se retrouver.

Kijimbele faisait de grands signes avec sa montre Mickey Mouse qu'il avait attachée au bout de sa lance. Ses compagnons l'entouraient, debout, fiers et immobiles. Ils agitaient leur bras, machinalement. Les femmes s'étaient rassemblées et faisaient cercle autour d'une pyramide de miroirs, de tissus aux vives couleurs, de savons, de cuvettes et de pulls vert pomme. Les enfants traînaient tout autour. Quelques-uns portaient des chandails vert pomme qui les faisaient ressembler à des parterres fleuris.

Le chef, debout, tenait fièrement Shuri dans ses bras. Il aidait la mère aveugle à me faire signe. Les lobes de ses oreilles se balançaient d'un côté à l'autre, mais il ne portait plus son ouvre-boîtes. À la place, il s'était mis deux magnifiques aiguilles à tricoter recourbées.

À mesure que je m'éloignais, ils ont disparu dans le nuage de poussière soulevé par mes roues. Devant moi, les hautes herbes ondulaient.

Chapitre 14

J'ai toujours pensé que je ne deviendrais jamais une excellente actrice, car je m'intéressais davantage à la vie qui se déroulait au-delà de la caméra que devant. Avec les années, ma quête n'a cessé de s'élargir. Après avoir passé deux mois sur un tournage, ma voiture semblait prendre d'elle-même le chemin de l'aéroport. J'aimais toujours jouer, je le faisais avec plaisir. J'étais une professionnelle mais, fondamentalement, je me souciais davantage des personnages que j'incarnais que des films dans lesquels je les interprétais.

Cependant, plus j'approfondissais mes connaissances sur les gens, plus je ressentais de trouble. On aurait presque dit qu'il valait mieux appréhender les choses superficiellement, pendant quelques jours, quelques semaines tout au plus. Alors je pouvais croire que j'avais compris quelque chose. Si on désirait dépasser ce niveau, une vie entière ne suffisait plus. J'ai souvent ajouté à mon trouble en restant longtemps quelque part, en essayant de me pénétrer de la réalité d'un lieu, quelle qu'elle soit, comme si, en devenant quelqu'un d'autre pendant une certaine période, j'allais comprendre comment les gens vivaient, mangeaient, pensaient et mouraient, pour reprendre les paroles de ma mère. Mais, à la fin, j'étais toujours moi, et ils étaient eux. L'osmose ne se produisait pas, à mon grand dam.

Steve comprenait ce à quoi j'aspirais. Il s'était établi au Japon, il n'avait aucune intention de retourner aux États-Unis et surtout pas à Hollywood. Il avait mené à bien sa propre quête, il vivait là où il se sentait le plus heureux. Il savait que je n'étais pas arrivée au même point et qu'il fallait que je continue, car nous installer en famille à Tokyo me rendrait bien vite frustrée et malheureuse. Sachie avait complètement accepté que son père et sa mère vivent séparés la plupart du temps. Elle n'a jamais remis notre mode de vie en question, elle savait que notre amour et notre amitié étaient si profonds qu'ils n'avaient pas besoin d'être constamment entretenus. Steve avait ses amis, dont certains que je n'ai jamais rencontrés. J'avais les miens, dont certains prenaient un malin plaisir à parler de Steve comme d'un mythe asiatique. L'important était que Steve et moi nous nous comprenions. Tant pis pour les autres, qui, pour la plupart, n'ont rien compris du tout.

Je troublais pas mal de gens : ils ne savaient pas dans quelle catégorie me caser. Leurs réactions suivaient en général le même schéma : d'abord, ils croyaient que j'étais en train de divorcer, ensuite que je fuyais devant un quelconque problème et enfin que j'étais une «Marie couche-toi là» du jet set. Au bout d'un certain temps, ils abandonnaient l'idée de me ranger dans une case et se contentaient de dire que j'étais un «esprit libre». Je l'étais probablement, pour eux. Mais à mes yeux, il me restait un long chemin à parcourir avant de mériter ce qualificatif.

Certains de mes meilleurs amis ont décidé que j'étais un «coeur saignant» — je saignais pour tout le monde, disaient-ils, de Caryl Chessman aux communistes chinois, des victimes du typhon à Nagoya, au Japon, aux orphelins métisses du Vietnam et de Corée; des pacifistes américains aux bénéficiaires de la Fondation Tom Dooley, au Laos, au Vietnam et au Népal. Et c'était vrai que mon coeur saignait : parce que plus je voyageais, plus je voyais saigner d'autres peuples.

Je suis allée dans presque tous les pays du monde où je pouvais entrer avec mon passeport : Asie du Sud-Est, Russie, Roumanie, Allemagne de l'Est, Europe occidentale, Afrique du Nord, Afrique noire, Australie, Pacifique Sud, Scandinavie, Caraïbes, Mexique, Canada — mais le pays qui m'a impressionnée le plus est l'Inde.

En retournant en Amérique, après avoir passé six mois avec Steve et Sachie au Japon, j'ai fait escale à Bombay. Je pensais y passer une nuit, j'y suis restée trois mois.

Pour moi, l'Inde est la vie même. Elle symbolise le combat. Je sentais sa présence, jusqu'à pouvoir la toucher. Sa vie ne se cachait jamais, ne se déguisait jamais. Elle était telle quelle, nue, luttant contre l'impossible pour s'imposer. Dure, impitoyable, bien souvent. Je me suis sentie étrangement bien, étrangement à mon aise en traversant le pays, de Bombay à Hyberebad, Madras, la Nouvelle-Delhi, Jaipur, Aggra, Benares puis le Bengale et l'Orissa. J'ai cessé de m'habiller à l'occidentale pour revêtir un sari et, pour la première fois de ma vie, je me suis sentie bien dans des vêtements. En sari, je marchais à mon aise, je m'asseyais comme je le voulais, sans aucune contrainte. Cela convenait au climat et donnait de la grâce à mes mouvements. Je ne mangeais que de la nourriture indienne, masalas, curries, tandoories et je voyageais presque toujours seule, rencontrant en chemin des gens engagés dans leur propre quête.

J'ai longtemps voyagé par les villages de la campagne indienne, puis je suis arrivée dans la baie de Bengale, baignée par une eau chaude, aux douces vagues.

Il était cinq heures du matin. Je marchais sur la plage, vers le sud. Des hommes bruns, minces comme des fils et portant des chapeaux coniques sont apparus. Ils étaient des «maîtres-nageurs», prêts à venir en aide aux imprudents qui marchaient dans les vagues et qui risquaient de tomber dans d'abruptes dénivellations, parfois profondes de sept mètres.

Le soleil se levait tout juste lorsque j'ai vu partir en mer au moins cinq cents bateaux, toutes voiles dehors, les pêcheurs debout et pagayant pour aller plus vite. C'était une flotte de pêcheurs d'Orissa qui quittait le port à l'aube pour finir son travail avant les fortes chaleurs.

J'ai couru vers la plage d'où les bateaux étaient partis. Au loin, les voiles se gonflaient, les silhouettes des pêcheurs se détachaient dans le soleil levant. C'était de très bons pêcheurs, originaires de Madras. Leurs bateaux étaient constitués de demi-troncs d'arbres attachés par des cordes; ils étaient supposés ne jamais chavirer. Ces pêcheurs ne craignaient aucun coup de tabac et les villageois prétendaient qu'ils connaissaient le langage des poissons.

J'ai cessé de courir et j'ai relevé la tête. L'odeur était reconnaissable entre toutes. En avançant lentement, les yeux au sol, j'ai vu des centaines de petits tas de crotte, frais d'une demi-heure au plus, alignés sur la plage et qui saluaient à l'indienne l'aube d'un jour nouveau. Dans une heure, la marée serait haute et la salle de bains des pêcheurs serait à nouveau immaculée, jusqu'au lendemain matin.

Les toits de chaume luisaient, non loin de moi. J'ai marché jusqu'au village construit sur le sable. Les filets de pêche séchaient au soleil sur le sable sec, des enfants jouaient à s'y prendre. Des marmites fumaient sur des feux de bois. Des piles de coquillages, toutes sortes de petits poissons et un poisson-épée monstrueux d'environ trois mètres de long, vidé et découpé pour être vendu, laissaient à penser que le village était relativement prospère. Les femmes qui me dévisageaient tandis que je traversais le village et que je violais leur intimité n'étaient pas aussi féminines que la plupart des paysannes indiennes. Elles semblaient plus cyniques, à cause, peut-être, de la dureté de la mer. Elles portaient des saris de couleurs vives, aux plis incrustés de sel; à leur nez étaient accrochés d'innombrables bijoux en or; je me suis demandé comment elles s'y prenaient lorsqu'elles étaient enrhumées et qu'elles éternuaient. Il ne restait aucun homme dans le village. Tous étaient en mer.

Une femme aux bijoux d'or dans le nez, drapée dans un sari aux couleurs passées, s'est approchée de moi. Elle m'a prise par le bras. Elle m'a montré l'enfant de deux mois environ qu'elle tenait dans ses bras et m'a demandé en hindi si je ne voulais pas le lui acheter.

Le bébé me souriait et jouait avec les bijoux de sa mère. Sa tête oscillait d'avant en arrière. Un chien du village les accompagnait. Assis à côté de la femme, il tendait une de ses pattes avant en un geste de mendiant qu'on lui avait bien appris.

La femme avait l'air indifférent, mais sous ces apparences on la sentait sombre et mal intentionnée, comme si elle pensait vraiment ce qu'elle venait de dire. Près d'elle était assise une vieille femme au buste nu, deux enfants accrochés à ses mamelles tandis qu'elle réparait un filet de pêche. Les enfants grouillaient de partout. Les femmes les plus proches de moi me regardaient en face. L'une d'elles a dit que, bien entendu, je pouvais marchander l'enfant, qu'on n'attendait pas de moi que je paye le prix demandé par la femme. Elles attendaient ma réponse.

«Merci, j'en ai déjà un», ai-je dit en pressant le pas pour m'éloigner. Un petit groupe d'enfants m'a suivie, leurs mains tendues. J'ai marché plus vite, ils ont marché plus vite. Je me suis retournée et je leur ai souri. Ils ont souri. Je me suis mise à courir. Le jeu leur a plu, ils ont couru avec moi, sans même s'apercevoir qu'ils avaient toujours la main tendue; ils couraient, riaient et mendiaient en même temps.

Dans sa pauvreté, l'Inde est paradoxale, passionnée, vibrante. Elle peut même avoir de l'humour. Dans les villages, le drame humain sous-jacent se déroule dans un décor d'une telle beauté qu'il ressemble à une absurde plaisanterie. En dehors des villes, les couleurs de l'Inde sont uniques. Un bleu indien ne ressemble à aucun autre bleu au monde. Un ciel indien, chargé de nuages, paraît iridescent. Il enveloppe le sommet vert des arbres à pluie où des centaines de pigeons verts jacassent dans le feuillage. Un coucher de soleil est d'un rouge si criant qu'il semble indécent. La couleur, n'importe quelle couleur, semblait me sauter au visage. Un sari écarlate se balançait dans le jade brillant d'une rizière. Très travaillés, les bijoux indigènes aux vives couleurs accentuaient la beauté des bras, des épaules, des visages.

Je marchais dans un rêve. Je me suis arrêtée près d'un calme lagon. À la surface flottaient des fleurs de lotus couleur d'ivoire. Les baies rouges d'un arbousier tombaient dans l'eau en ricochets et tournoyaient autour des maigres pattes d'un buffle d'eau. Des enfants se brossaient les dents avec des branches d'arbres à nem. Des jeunes filles, dans l'incertaine dignité de l'adolescence, mêlaient l'huile et les feuilles de l'arbre à kohl pour se fabriquer du mascara. J'avais l'impression de regarder une bande de merveilleux acteurs, dans toute leur spontanéité.

Les huttes des villages indiens ont des toits de chaume et des murs de boue. Elles sont éparpillées parmi les lagons enchanteurs. Les palmiers se courbent doucement sous le poids des hommes qui grimpent le long de leur tronc pour cueillir les fruits. Les femmes, sous l'arbre, attendent et attrapent les noix de coco tandis qu'un musicien joue une musique lancinante sur son sitar.

Les gens de la campagne sont amicaux et généreux. Ils m'offraient ce qu'ils avaient. À l'intérieur des huttes, des images colorées des dieux de l'Inde étaient accrochées sur les murs. De très jeunes filles se cachaient le visage derrière leurs mains pour parler de mes boucles d'oreille en or, de mon anneau de mariage, de ma peau blanche et de mes yeux bleus ; elles s'interrogeaient pour savoir comment adopter certaines de mes façons occidentales tandis que moi je me demandais si j'allais me faire percer une narine pour y porter une émeraude.

Les hommes des villages étaient trop fiers pour montrer ouvertement leur curiosité. Un ou deux vieillards m'observaient longuement du coin de l'oeil : à leur âge, ils n'avaient plus besoin d'affecter une sage réserve. Et les enfants, ouverts, confiants, amicaux, savaient parfaitement qu'il y avait un étranger parmi eux. Ils fourmillaient dans les villages, en groupes ; ils ne se cachaient jamais dans les jupes de leur mère, comme des enfants des villes. Ils étaient trop indépendants pour cela. Ils riaient et plaisantaient, ils se baladaient tout le long de la route. Ils se déshabillaient et pataugeaient dans le lagon, s'éclaboussaient et plongeaient, leur peau, du beige foncé au noir le plus profond, brillant au soleil.

Un char à boeufs, chargé de noix de coco, cahotait sur la route en terre battue poussiéreuse, mené par un vieillard aux cheveux blancs agitant paresseusement une fine et longue baguette de bambou qu'il n'utilisait pas, dont il n'imaginait même pas se servir. Ses boeufs l'amèneraient bien à temps au marché. Un chargement par jour suffisait. Qui avait besoin de se dépêcher? Qui avait besoin de plus que du nécessaire?

En Inde, la pluie délimite strictement son territoire. Il m'est arrivé de me trouver au soleil, vraiment au soleil, et qu'il pleuve à verse à un mètre de moi. Personne ne courait s'abriter. L'orage faisait partie du cours naturel de la journée. La pluie s'arrêtait aussi brusquement qu'elle avait commencé. Seules les feuilles brillantes d'eau et les plumes mouillées des oiseaux prouvaient qu'il avait vraiment plu.

Mais lorsque je suis arrivée à Calcutta, tout a changé. C'en était fini du paysage enchanteur. Rien ne venait adoucir la pauvreté. Dans n'importe quelle ville, la pauvreté est difficile à supporter mais, à Calcutta, elle est proprement inhumaine.

Ma chambre était située au troisième étage du Grand Hôtel. Elle donnait sur le Chowringhi Boulevard, la plus grande artère de Calcutta. Jour après jour, assise à ma fenêtre, je regardais la foule des sans-abri commencer dès l'aube une nouvelle journée.

Les trottoirs étaient encombrés de bébés endormis, enveloppés dans des saris. Comme les kimonos japonais, rien n'est plus gracieux que les saris lorsqu'ils sont propres et bien entretenus. Mais, sales et fripés, on dirait plutôt des tas de chiffons. Ces saris avaient été blancs, ils étaient faits d'une espèce de gaze qui se chiffonnait et se déchirait au moindre geste. Ils étaient l'uniforme des plus démunis.

Des foules s'écoulaient sous mes yeux et s'installaient dans les caniveaux. Les gens crachaient le jus du betel qu'ils mâchaient; les rues étaient constellées de flaques rouges.

Un autobus s'arrêtait en haut du boulevard Chowringhi, crachant une épaisse fumée. Je la sentais jusqu'au troisième étage. Je n'ai jamais eu l'impression de pouvoir respirer, à Calcutta. L'essence est rare. Ils roulent à n'importe quoi, et les autobus utilisent une huile particulièrement nauséabonde. Des grappes humaines descendaient des bus. D'autres y montaient, leurs saris en haillons traînant derrière eux. La foule massée à l'intérieur se poussait encore et faisait de la place. À leur seule vue, mon estomac se retournait. Un ou deux retardataires essayaient de s'accrocher, tendaient la main à leurs amis pour qu'ils les aident à grimper. Mais il y a une limite à tout. Ils restaient un instant plantés sur leurs jambes maigres et brunes, haussaient à peine les épaules et s'insinuaient à nouveau dans le flot humain, sur les trottoirs.

Tôt le matin, le son de milliers de voix me réveillait. Il venait de loin, traversait la pollution industrielle qui stagnait dans l'air. Le grondement se transformait en une psalmodie. Et je les voyais monter vers l'hôtel, à travers la brume, ces quelque deux cent cinquante mille Indiens dont on disait qu'ils marchaient doucement en répétant inlassablement, en bengali : «Nous voulons manger, nous voulons manger».

Cette masse humaine transportait d'immenses portraits sur fond rouge de Lenine, Khroutchev, Karl Marx et même du copain Staline.

Ceux qui dormaient dans les rues se levaient. Des familles de squelettes défilaient, un par un. «Nous voulons manger, nous voulons manger». J'avais l'impression que les visages sur les banderoles ne signifiaient rien pour eux. Ils protestaient de la seule façon qu'ils connaissaient. Des femmes aux épaisses nattes noires et grasses se balançant gracieusement d'un côté à l'autre de leur visage tenaient de dociles enfants par la main. Ils marchaient inlassablement, en rangs irréguliers; certains riaient, certains avaient l'air farouche ou égaré, certains semblaient garder l'espoir, mais tous avaient faim.

Ces milliers et milliers d'êtres sans vie, dépourvus de tout sauf de besoins élémentaires, étaient capables d'exploser en de violentes colères. Lorsque l'explosion se produisait, elle était terrifiante.

Une semaine auparavant, une petite fille de onze ans babillait en mendiant sous mes fenêtres. Elle tendait devant elle ses petites mains bandées. Subitement, un homme dont tout le monde a cru qu'il était le père de la fillette, lui a donné un ordre sur un ton sans réplique. La petite s'est agenouillée et, avec ses dents, elle a entrepris d'enlever ses pansements, révélant deux moignons sanguinolents. On a découvert que l'homme l'avait enlevée et lui avait coupé les mains pour qu'elle inspire la pitié et recueille plus d'aumônes. Bien que ce soit un crime ordinaire parmi les mendiants, il n'a fallu que quelques minutes à la foule alentour pour se saisir de l'homme et le déchiqueter. Il leur fallait une raison pour exploser, ils l'avaient trouvée.

J'ai regardé la foule des affamés pendant deux heures et demie. Pour les Indiens de la rue, ce jour était comme les autres. Le temps ne semble pas exister, en Inde. Ce n'est en rien un critère. On ne dort pas obligatoirement pendant la nuit, le jour n'est pas forcément synonyme d'activité.

Lorsqu'il y a tant de monde partout, l'activité est incessante, tout comme le sommeil. Il n'y a pas assez de place dans les rues pour que tout le monde puisse dormir en même temps sous prétexte qu'il fait nuit. On ne se nourrit pas aux heures des repas, mais quand on trouve à manger. Une peau d'orange est un trésor. On ne la dévore pas. On la grignote furtivement, au-dessus d'une poubelle personnelle, de façon à ce que s'il en tombe un morceau, on puisse le récupérer sans avoir à se battre.

Partout, au bout de bras squelettiques, les mains sont tendues paume en l'air et mendient. Les paumes sont brandies sous le nez de chaque touriste. Les occidentaux expriment un dégoût apitoyé et se sentent souvent coupables. Un touriste peut prendre une photo d'une vache malade, répandant sa bouse dans la rue et que l'on nourrit avec des aliments que l'on prend des mains d'un enfant affamé et qui se met à hurler. L'enfant est alors réprimandé, car il ne montre pas assez de respect pour l'animal sacré. Le même touriste, circulant dans les quartiers chauds, verra de jeunes prostituées d'une douzaine d'années racoler dans des cages, maquillées et habillées de tissus aux vives couleurs afin de tenter de faire oublier au client la sordide réalité qui l'entoure. De lourds parfums flottent dans l'air.

Au premier signe d'une aumône, une armée de mutilés, d'infirmes et d'enfants entoure les touristes affolés en réclamant leur dû, au nom de l'égalité. Au début, je donnais aux plus jeunes tout ce que j'avais sur moi, mais à chaque fois que je mettais les pieds dehors, ils se passaient le mot jusqu'au Taj Mahal. J'ai dû arrêter, sinon ils m'auraient grugée à mort.

Mon hôtel n'était pas très éloigné de l'appartement de Martin et Bhulu Sarkees, que j'avais rencontrés à Bombay chez des amis communs. Bhulu était originaire d'une famille népalaise connue et Martin était un habile Iranien. Il dirigeait un cinéma à Calcutta, pas très loin de chez eux et prenait un malin plaisir à attirer les passants dans sa salle où il projetait ce qu'il appelait «d'amusants navets américains».

Martin était un homme mince d'environ quarante ans, à l'air un peu hagard. Il portait toujours un costume et une chaîne de montre, qui convenaient à son style de vie à Calcutta : il n'allait qu'au restaurant Blue Fox et au champ de courses. Il aimait blaguer, le bon vin et, bien entendu, les courses.

Bhulu était une belle femme aux yeux et aux cheveux noirs, à l'air perpétuellement accusateur. «Où étais-tu, Martin?», interrogeait-elle souvent d'une voix aiguë. Une fois qu'il lui avait prouvé son innocence, souvent grâce à un mensonge, elle passait à autre chose.

Martin était un homme aux multiples facettes. En tant qu'Iranien, il s'adaptait aux circonstances. Il a vite compris mon rapport à l'Inde. Il partageait mon intérêt pour les occidentaux qui se convertissaient aux religions orientales. Il se plaisait à les décrire comme «ces Yankees matérialistes qui, à l'Ouest, vendent leurs âmes pour du papier-monnaie, qui viennent en Inde pour exploiter les travailleurs mais qui, à la place, y restent pour se découvrir eux-mêmes».

Martin s'occupait beaucoup d'un orphelinat de garçons, en dehors de Calcutta. Il l'aidait autant qu'il le pouvait et lorsqu'il m'y a amenée, j'ai été bouleversée. C'était un orphelinat réservé aux enfants des sans-abri. Les enfants n'étaient pas tous orphelins. La plupart étaient abandonnés à la naissance, par des parents qui ne pouvaient pas se permettre de les garder.

Il était dirigé par le père Aloysius Vanigasooryar. Le Père Van était Cinghalais, de sang royal, et avait abandonné tous ses droits sur son héritage pour devenir prêtre. C'était un homme jeune et très beau, converti au catholicisme car, disait-il, «c'était la seule façon de s'organiser pour aider les pauvres».

La plupart des garçons avaient été déposés dans des poubelles à la naissance. Certains avaient survécu. On ne pouvait imaginer comment ils s'étaient procurés de la nourriture, ni ce qu'ils avaient mangé. Les survivants étaient immunisés contre les maladies les plus indescriptibles avant de savoir marcher. Et lorsqu'ils marchaient, c'était souvent à quatre pattes, car ils vivaient avec les chiens des rues.

Quelques-uns de ces enfants étaient recueillis par le Père Van, qui tentait de leur redonner leur place dans la société des hommes. Beaucoup mouraient, car c'était trop tard. Mais ceux qu'il parvenait à sauver avaient une incroyable soif de vie. Ils étaient si déterminés à triompher de la mort que les secrets de l'évolution semblaient enfermés dans leur esprit. Tenaces comme des crustacés, ils étaient la preuve vivante de la volonté de survivre. Pour certains, il aurait pourtant mieux valu mourir, mais ils s'accrochaient, luttaient, hurlaient et agrippaient la vie dans leurs poings résolument fermés.

Les enfants habitaient dans ce que le prêtre cinghalais appelait sa Ville des Garçons Indiens. Le Père Flanagan, qui avait fondé la première Ville des Garçons, était son idole. Le Père Van voulait faire pour les petits Indiens ce que le Père Flanagan avait réussi avec les enfants du Nebraska.

Aux yeux d'un occidental, les garçons étaient assez démunis, mais par rapport au niveau de vie des villes indiennes, ils vivaient comme des princes. L'orphelinat était une oasis d'espoir. Les garçons plantaient et récoltaient leur propre riz. Ils attendaient une vache. Quelqu'un leur avait offert dix-sept poussins et ils auraient bientôt une basse-cour. Les pieds nus, vivant surtout dehors et ne possédant quasiment rien, les enfants vivaient ensemble dans un esprit communautaire qui peut rivaliser avec celui des écoles d'état en Union soviétique.

Lorsque j'y suis allée pour la première fois, l'orphelinat existait depuis deux ans, sur un terrain d'environ dix hectares le long de la route entre Calcutta et Diamond Harbour. J'apportais d'énormes boîtes de biscuits, des paniers entiers de fruits provenant du «marché étranger» de Calcutta et du chocolat.

Le Père Van avait dit aux garçons qu'une dame étrangère allait venir. Ils se sont tous précipités joyeusement vers moi lorsque je suis arrivée. «Voilà tantine, voilà tantine!» criaient-ils en essayant tous de me toucher la main ou un quelconque morceau de peau. Ils sautaient tout autour de moi et m'ont emmenée jusqu'à la clairière ronde où ils jouaient aux billes, sous les bananiers. Ils se sont mis à jouer, plus pour me distraire que pour s'amuser, tout en ne quittant pas des yeux les somptueuses marchandises que le Père Van déchargeait et déposait sur la table commune.

J'y suis retournée tous les jours et, tous les jours, la même scène se répétait : plus d'une centaine d'enfants hurlaient de joie lorsque venait l'heure de distribuer ce que j'avais apporté. Quelques garçons ne me quittaient pas d'un pouce, malgré leur envie de douceurs. Ils avaient l'air de mesurer jalousement le temps que chacun passait près de moi. Ils s'agrippaient à mes mains et mes bras et les serraient. Souvent, l'un des garçons pleurait car il ne voulait pas céder son tour de me toucher.

Le Père Van était doux, il comprenait. Il n'élevait jamais la voix. «S'il m'arrive de parler sévèrement, ou trop fort, certains enfants sont déprimés pendant plusieurs jours. Ils ont subi de tels chocs émotionnels que je dois être extrêmement aimable et doux. Ils en profitent, mais il n'y a pas d'autre solution», disait-il.

Toutefois, il exigeait que les garçons se respectent les uns les autres. Ils se mettaient en rang, selon leur âge, les paumes des mains tournées vers le haut, pour prendre la nourriture. Je haïssais ce geste proche de celui de la mendicité. S'ils avaient eu des assiettes, j'aurais peut-être réagi différemment. Chaque enfant me regardait bien en face et disait, sincèrement bien que machinalement, «Merci». Aucun n'a jamais omis de dire merci.

Ceux-là avaient eu la chance d'être recueillis à temps. Ce n'était pas le cas du «garçon sans nom», à qui on donnait environ onze ans. Il ne parlait pas, il émettait des sons qui ressemblaient à des aboiements. Le Père Van l'avait vu, trois mois plus tôt, sortir d'une poubelle. Ses longs cheveux étaient crasseux et emmêlés. La créature s'était traînée à quatre pattes jusqu'à une fontaine où elle avait lapé l'eau, comme un chien. Le Père Van avait tendu la main vers lui pour le toucher et le garçon avait essayé de le mordre. Le Père avait reculé. L'enfant attendait, terrorisé, car le Père Van lui barrait le chemin de sa poubelle. Le Père Van, se rendant compte que l'enfant se sentait pris au piège, s'était éloigné. L'enfant avait rampé jusqu'à sa poubelle, trop effrayé pour essayer ce jour-là de partir en quête de nourriture.

Pendant des semaines, le Père Van était retourné devant la poubelle. L'enfant s'habituait peu à peu à sa présence et, finalement, il s'était laissé toucher. Furtivement, à peine, mais il n'avait pas mordu et il avait l'air reconnaissant en mangeant la nourriture que le Père lui apportait. Il s'était mis à suivre le Père dans ses visites nocturnes aux poubelles puis, enfin, jusqu'à l'orphelinat.

La créature commençait à comprendre qu'elle était en sécurité avec le Père, mais, en revanche, pas avec les autres garçons. Il s'accroupissait aux limites de la propriété et regardait les garçons aller et venir. Il ne parlait à personne et, à l'heure des repas, il mangeait en grognant. La nuit, il dormait derrière un rocher. Il semblait se plaire dans l'étable, où il passait presque tout son temps, seul. Je suis allée le voir chaque jour. Dès qu'il m'entendait arriver, il s'avançait d'un pas traînant pour m'accueillir. Il me laissait lui serrer la main, puis il se tenait sur un pied, croisait ses mains au-dessus de sa tête et me regardait avec un sourire docile. Il aimait nous écouter, le Père et moi, quand nous parlions de lui. Nous ne savions pas exactement ce qu'il comprenait, mais il devait sentir combien son sort nous émouvait. Il était sous l'entière dépendance du Père et ne bougeait que sur un ordre de ce dernier. Le Père disait que le garçon pourrait rester pendant une semaine dans cette même position, les mains sur la tête, s'il ne lui intimait pas de s'asseoir. L'étrange vérité était que si quelqu'un les prenait en pitié et s'occupait d'eux, les enfants abandonnés passaient sans transition de la vie extrêmement indépendante d'un animal sauvage à celle, totalement dépendante, d'une créature sans personnalité propre ni volonté.

Leur élan vital retombait et ils devenaient de véritables parasites. Cette perte d'énergie préoccupait beaucoup le Père Van.

Un autre de ces enfants a vécu quelque temps à l'orphelinat, dans le même état. Le Père Van a voulu les réunir. Mais aucun des deux n'a reconnu l'existence de l'autre. Totalement isolés, ils regardaient évoluer les garçons en bonne santé, sans rien comprendre de la vie qu'ils menaient. Ils ne se battaient pas, mais ils ne communiquaient pas non plus. Ils ne jouaient jamais ensemble, ne chahutaient pas, ne semblaient même pas s'apercevoir de la présence de l'autre. Ils restaient là, accroupis, des heures durant, des jours durant. Puis l'un des deux est mort. L'autre n'a pas paru s'apercevoir de sa disparition. Il ne faisait confiance qu'au Père Van, qu'il laissait le laver et le toucher. «Parfois, cela peut paraître inutile», m'a confié le Père. «Chaque fois que je le lave, que ses cheveux sont propres et qu'il est présentable, il se précipite dehors et se roule dans la saleté jusqu'à ce qu'il sente aussi mauvais que d'habitude. Il est habitué à son odeur.»

Quand j'ai visité la nurserie des «enfants des poubelles», j'ai pleuré. Beaucoup étaient aveugles, d'autres sourds ou muets.

Tous étaient trop petits pour leur âge. Ceux qui ne savaient pas encore marcher étaient couchés sur des nattes, à même le sol. Les autres s'agrippaient à nous, nous donnaient des coups, nous touchaient, nous entouraient, le Père et moi. Ils avaient gagné leur combat contre la mort. La lutte les avait vieillis et prématurément fatigués. Deux jumelles, âgées de sept mois mais qui ne semblaient pas avoir plus d'une semaine, avaient survécu à trois tentatives d'avortement. Ironie du sort, la mère était morte en couches. Leurs mentons rentraient, leurs os n'étaient pas complètement formés. Elles étaient identiques et ressemblaient toutes les deux à des singes miniatures. Sur leurs visages, des fentes leur permettaient de respirer, mais elles n'avaient pas la force de crier. Elles s'agitaient convulsivement, mais aucun son ne sortait. Leur père, porteur à bras, vivait sur le trottoir et gagnait environ sept roupies (cinq centimes) par semaine. À bout de forces, il les avait déposées sur le pas de la porte de la nurserie. Les nonnes pensaient que les jumelles vivraient.

Une petite fille, joyeuse et souriante, avait été étranglée par ses parents, mais elle avait refusé de mourir. Ils l'avaient alors attachée sur les rails du chemin de fer, en dehors de Calcutta. La police l'avait trouvée avant le passage d'un train. Les coups répétés l'avaient rendue un peu simple, mais elle était là et elle s'accrochait. Encore un crustacé.

Il y avait de nombreux bébés anglo-indiens, à demi blancs, les yeux bleus. Leurs mères les avaient abandonnés car en Inde même les castes inférieures méprisent les métisses.

Le taux de mortalité était très élevé à la nurserie mais il en va ainsi à Calcutta.

Je voyais ces enfants, je travaillais avec les orphelins, je plongeais dans la détresse des sans-abri et me perdais presque dans la dureté de Calcutta. Cette misère générale a commencé à m'obséder. Parfois je me demandais pourquoi je restais, pourquoi je ne partais pas. Tout ce que je pouvais faire, aider les garçons du Père Van en leur donnant tout l'argent que j'avais et essayer d'en trouver davantage en organisant une soirée de gala avec des vedettes du cinéma indien, n'était qu'une goutte d'eau dans la mer.

Le Père Van disait que la plupart des étrangers qui restent quelques jours à Calcutta sont la proie de si terrifiants cauchemars qu'ils sont obligés de s'en aller. Il me demandait sans cesse si Calcutta ne me rendait pas malade et, d'après ma réponse négative, il disait qu'alors j'avais accepté l'idée que la vie à Calcutta était tout, sauf humaine. Puisque je l'acceptais au lieu d'en être seulement révoltée, peut-être pouvais-je les aider un peu. C'était une étape importante à franchir, disait-il, car la déshumanisation n'a pas de frontières. Et si je tombais simplement malade de dégoût et de pitié au spectacle de milliers, de millions d'affamés, démunis absolument de tout, je ne leur serais jamais utile en rien du tout, pas plus d'ailleurs qu'à moi-même.

Aller à pied de mon hôtel au centre commercial le plus proche ou à l'appartement des Sarkees était comme de plonger dans un autre monde. Mes critères de référence ne s'appliquaient plus. J'essayais de me bâtir un nouveau système de valeurs. Il le fallait. Les essaims de silhouettes squelettiques et d'enfants hébétés me bouleversaient tellement que j'étais perpétuellement dans un violent état de choc. Comment cela pouvait-il exister? Je n'y étais pas préparée, je ne savais ni en identifier ni en comprendre les effets.

Ces corps à demi-morts écroulés dans les caniveaux étaient ceux d'êtres humains, d'apparence pourtant si peu humaine, qui attendaient qu'une autre vie vienne les prendre. Je ne parvenais pas à faire la différence entre les femmes et les hommes. Cette demi-mort leur avait fait perdre leur genre.

Parfois un grognement sourdait de l'amas de corps, mais en général, ils étaient silencieux. Un silence de mort, de cette mort qu'ils acceptaient, allongés, parfaitement immobiles, les yeux ouverts et fixant l'infini.

Lorsque l'on se plonge dans la terrible réalité de Calcutta, il devient vite indispensable de se livrer également à une plongée en soi-même. On ne peut, à Calcutta, rester extérieur. Et, pour évaluer l'engagement que l'on va prendre, dans son âme, il faut s'évaluer soi-même.

Je pense que ce n'est pas un hasard si je me suis intéressée à la méditation après avoir vécu et respiré à Calcutta. Il le fallait, un point c'est tout. Il fallait que je me connaisse, au plus profond. Nulle part au monde je n'avais comme à Calcutta ressenti l'existence d'un moi intérieur.

Chapitre 15

Martin et le Père Van m'ont trouvé un professeur de yoga. «Le but ultime du yoga, a dit mon professeur, est la libération de l'esprit, l'union de l'âme et de l'univers. En sanscrit, yoga signifie union, ou concentration; son objectif est de permettre à l'homme d'atteindre son plus haut niveau, physiquement, mentalement, spirituellement. Chacun d'entre nous recèle quelque chose de plus grand, et de caché. Peu de gens le mettent à jour. Je veux que vous appreniez à vous découvrir vous-même. Il n'y a aucune raison pour que vous ou n'importe qui d'autre, à condition de faire l'effort nécessaire, ne maîtrisiez pas ces choses qui restreignent votre croissance ou votre bien-être. Vous pouvez maîtriser la haine, la peur et la douleur en vous concentrant sur votre moi intérieur. Trouvez votre moi intérieur. Vous avez plus de pouvoir en vous que vous ne l'imaginez.»

J'ai commencé mes exercices de méditation. Au début, ils duraient une demi-heure. Je me détendais, je rendais tous mes sens perméables à la nature qui m'environnait. Souvent, je m'asseyais tranquillement dans la rizière à côté de l'orphelinat du Père Van. C'était délicieux de sentir la brise me caresser le visage. «Nous faisons tous partie de la nature, disait mon professeur. Nous ne sommes pas plus séparés d'elle que nous ne le sommes les uns des autres. La nature a un objectif; une partie de cet objectif est la vie humaine — si nous nous coupons de la nature, nous nous coupons en fait de l'objectif de la vie. Nous autres humains sommes devenus tellement pénétrés de notre propre importance que nous ne réalisons plus à quel point nous dépendons de la volonté de la nature. Car la nature a une volonté et une harmonie infiniment plus évidentes que nous ne le croyons. Nous autres humains avons déterminé nos schémas et nos projets — nous avons fabriqué ce à quoi nous accordons de l'importance dans le cycle de notre vie, avec notre sens de la compétition, nos désirs matériels et notre lutte pour la gloire et la richesse, notre respect pour les «choses».

«Nous ignorons ce qui nous a engendrés. C'est de la folie, c'est stupide, car la nature imposera sa loi, silencieusement et irrévocablement. Il nous serait donc plus facile et plus agréable de coopérer avec la nature. Si nous faisions l'effort de nous accorder à la nature, nos ambitions de réussite individuelle se transformeraient en des aspirations plus heureuses et nous trouverions la vie non seulement plus facile, mais miraculeuse.»

Le professeur me reprochait sans cesse ce qu'il appelait «ma hâte occidentale». Je ne prenais le temps de rien. J'étais trop avide d'expériences nouvelles, de nouvelles connaissances.

«La patience», disait-il en citant un vieux proverbe arabe, «est la clé de la joie, la hâte est la clé du chagrin».

«Les humains disent que le temps passe», disait-il encore, citant un proverbe himalayen, «le temps dit que les humains passent».

Après quelques semaines d'exercices de méditation, mon professeur m'a annoncé que si je voulais vraiment continuer la quête de mon moi intérieur, il fallait que je quitte la plaine et que je me rende dans les montagnes.

Il m'a raconté qu'il avait voyagé dans les montagnes des jours durant, à cheval, en cherchant un endroit paisible où son esprit et son corps seraient libres de ressentir les lois de la nature environnante. Il avait trouvé un lieu et y avait vécu pendant trois mois, seul, à l'exception d'un serviteur qu'il avait emmené avec lui pour la préparation de ses repas. Chaque matin, il se réveillait et marchait jusqu'à une petite clairière où il avait noué des relations d'amitié avec un très vieil arbre et avec un corbeau qui lui parlait sans cesse. Au début, l'arbre ne lui avait pas fait confiance, mais, petit à petit, il s'était fait à ses longs et paisibles silences. Le professeur parlait comme s'il faisait partie de l'arbre. Quand il s'était suffisamment fondu dans l'environnement, il avait pu s'asseoir sur «une couverture de douces feuilles mortes et se concentrer sur ses pensées intérieures».

Il disait qu'il lui était arrivé d'apercevoir sa vérité intérieure dans les plaines, mais que dans le sanctuaire des montagnes, il voyait continuellement la vérité, avec une éblouissante clarté.

«Je ne comprends pas cette science de l'esprit et du moi intérieur, me disait Martin. J'ai déjà assez de mal à m'adapter à ce qui est autour de moi. Mais si c'est ce qui t'intéresse, le professeur a raison. Tu ne le trouveras pas en Inde. Ce n'est que le bas-pays, la première étape sur l'échelle de la plus haute compréhension. Si tu veux parvenir au sommet, va sur le toit de l'Inde, dans l'Himalaya. Pas au Cachemire, ni au Népal, ni au Sikkhim. Trop de monde y est allé. Ces endroits sont contaminés. Va au Bhoutan. Presqu'aucun occidental n'y a mis le pied et seulement trois Américains. C'est un royaume d'isolement primitif et ses dirigeants ont bien l'intention de le conserver tel qu'il est.»

Les montagnes, c'était une chose; il m'était déjà assez difficile de m'imaginer dans l'Himalaya. Mais le Bhoutan! Les gens en parlaient avec crainte. Il était considéré comme un royaume perdu, qui n'existerait que dans l'imagination. Bien peu de gens pouvaient en fait prouver le contraire. Lorsqu'on parlait du Bhoutan, il arrivait souvent qu'on chuchote. On en parlait beaucoup d'ailleurs, car chacun semblait intrigué en même temps que secrètement effrayé par le Bhoutan.

C'est un très petit royaume niché dans une haute vallée de l'Himalaya. Il est bordé par la Chine au nord et à l'est, par l'Assam au sud et par le Sikkhim et le Tibet à l'ouest. C'est un état indépendant, presque entièrement montagneux. C'est de ce royaume dans les hautes montagnes que proviennent les légendes des mystiques.

«Tu pourrais peut-être aller au Bhoutan pour cette science de l'esprit et pour le bouddhisme himalayen, m'a dit Martin Sarkees. J'ai organisé un déjeuner avec Dorji, le premier ministre du Bhoutan. C'est un ami; il est à Calcutta.»

L'idée de faire la connaissance de l'un des principaux représentants du bouddhisme himalayen était intimidante. Je savais que la famille Dorji était puissante, non seulement au Bhoutan mais dans tout l'Himalaya. Le frère de Llendhup Dorji, Rimp, était révéré par les bouddhistes comme la réincarnation du premier Dalai Lama, le pape du bouddhisme. J'étais certaine qu'il afficherait la sérénité de celui qui sait et que cela m'énerverait. Dans l'état d'incertitude où je me trouvais, je ne saurais pas comment me comporter. Je le voyais, assis dans la position traditionnelle du lotus, enveloppé dans une robe safran, et méditant. En le saluant, je détruirais sa concentration. Il lèverait une main, aimablement, pour réclamer le silence et je me vexerais. Mais quand je suis arrivée au Blue Fox, le restaurant de Calcutta où devait avoir lieu le rendez-vous, tout était calme et sombre et Dorji était en retard. Martin, Bhulu et moi avons bu de la limonade. Tout le monde savait qu'il allait venir. Même les garçons avaient l'air tendu. «Ne sois pas nerveuse, il va te plaire, il n'est pas comme tu crois», me disait Martin quand la porte s'est ouverte et que le soleil a pénétré dans le sombre établissement.

Un Mongol grand et mince, d'environ vingt-huit ans, s'est avancé vers notre table. Il portait un pantalon si étroit qu'on l'aurait dit cousu sur lui et une veste de sport rouge vif, sur un gilet assorti. Une cravate de soie noire dessinait un point d'exclamation sur sa chemise. Ses chaussures italiennes aux bouts pointus étaient faites à la main et bien cirées. Il mâchait du betel et fumait une cigarette. Il est arrivé à notre table et il a tendu la main. Si son apparence m'avait surprise, je n'étais pas au bout de mon étonnement, qui est venu à son comble lorsqu'il a parlé.

«Salut, la compagnie. Je m'appelle Lenny.»

J'ai tendu ma main glacée et j'ai serré la sienne. «C'est un honneur pour moi de vous rencontrer, monsieur Dorji, et un plaisir dont je me réjouissais d'avance.»

«Et moi, donc, a-t-il rétorqué. Vous êtes terrible dans vos films, surtout ceux avec les deux mecs, Frankie et Dino. Qu'est-ce qu'ils ont l'air de s'amuser, ceux-là, hein?» Il a ri et il s'est assis en regardant autour de lui. «Cette sacrée Glenda, toujours en retard. Où peut-elle bien être? Encore fourrée chez le coiffeur?»

Bhulu a acquiescé de la tête. Glenda était la femme de Dorji.

«Bon, buvons un verre en attendant». Il a claqué des doigts et le garçon s'est précipité à notre table.

Après le départ du garçon, personne n'a rien dit pendant un instant. Dorji m'a fait un clin d'oeil; un sourire lui est monté aux lèvres, comme la marée. La tension a baissé. Malgré sa désinvolture, on sentait chez lui une trace de tristesse.

«J'ai fait mes études aux États-Unis, j'ai dormi à Grand Central Station pendant deux semaines. Sympa pour le porte-monnaie, mais dur pour les fesses. J'ai finalement trouvé une piaule à Greenwich Village. Tout le monde croyait que j'étais un blanchisseur chinois. Comment expliquer le Bhoutan aux Américains? Je n'ai même pas essayé.» Il a fait une pause. «Vous connaissez vraiment New York? J'imagine bien que vous y êtes allée, mais la connaissez-vous vraiment?»

J'ai hoché la tête.

«Une ville cruelle, n'est-ce pas? Pendant longtemps, j'ai cru que New York était l'Amérique. Et puis, avec un pote, on a fait du stop dans tout le pays. Non. New York est un endroit où on ne vit que si on y est né, autrement, on la visite. Personne ne peut y vivre s'il n'y est pas né. Vous venez d'où, aux États-Unis?»

Martin ne m'avait pas du tout prévenue de ce qui allait arriver. J'étais complètement abasourdie. Ce chef d'état du Bhoutan avait dormi à Grand Central Station, les gens avaient cru qu'il était blanchisseur? Ce n'était probablement pas plus incongru qu'une vedette de cinéma américaine qui partait à la recherche de son moi intérieur dans l'Himalaya.

« Vous avez commencé comme danseuse, n'est-ce pas? J'ai lu dans un magazine que quand vous étiez choriste, vous détestiez rester longtemps dans un même spectacle. »

Il avait lu *Photoplay* et *Modern Screen* sur les hauteurs himalayennes?

«Je peux aussi vous donner le taux de clôture de Wall Street aujourd'hui et des nouvelles des Dodgers, a-t-il poursuivi. Je m'intéresse à tout; j'y suis bien obligé, d'ailleurs. Ne vous laissez pas impressionner par mes fringues chic et par mon bavardage. Je veux me garder jeune aussi longtemps que possible, voilà tout. »

La femme de Dorji, Glenda, est arrivée. Elle avait des cheveux noirs et laqués, elle était belle. Gracieuse et délicate, elle a à peine souri lors des présentations. « Veuillez pardonner mon retard, a-t-elle dit, mais je devais faire dîner mes enfants. »

Dorji s'est levé. «Fichons le camp maintenant, allons aux courses. »

Le propriétaire et les employés du Blue Fox nous ont respectueusement escortés à la porte et nous nous sommes entassés dans la voiture sport européenne de Dorji. Les sans-abri regardaient flotter le drapeau du Bhoutan qui ornait le capot de la voiture.

On racontait beaucoup de choses sur Lenny dans la bonne société de Calcutta. Il brûlait la chandelle par les deux bouts, c'était un joueur acharné; on le lui reprochait. Il le savait, ses vrais amis le lui disaient; mais il s'en moquait.

Il a expliqué qu'après l'isolement du Bhoutan, où, selon lui, on vivait encore à l'âge de bronze, il avait besoin de l'agitation de Calcutta. Il y avait un seul téléphone, au Bhoutan, dans la ville frontière de Bhuncholing. Personne n'avait entendu parler de l'électricité et, mis à part les ingénieurs indiens qui arrivaient en jeep, on ignorait même la roue.

Le peuple du Bhoutan se nourrissait surtout de pommes de terre, de riz et de piments rouges. Tout avait goût de beurre de yak rance; on mangeait bien un peu de viande de yak, mais les gens n'aimaient pas beaucoup la viande. Le plus jeune fils de Dorji n'avait que six mois et il craignait pour sa santé qui était entre les mains des dieux du Bhoutan. Il n'y avait ni hôpitaux ni médecins. La mortalité infantile était très élevée, à cause peut-être de l'habitude qu'on avait de donner du piment rouge aux nouveaux-nés, pour leur tenir chaud. Ni le gouvernement ni la famille royale n'avaient réussi à faire abolir cette coutume.

Endémique, le choléra avait tué plus de six millions de personnes au XIXe siècle. Il ne restait que huit cent cinquante mille habitants. La syphilis et la lèpre faisaient des ravages et une personne sur trois souffrait d'un goitre à cause de la faible teneur en iode de la nourriture.

«Et pourtant, même si c'est à notre niveau primitif, disait Lenny, notre peuple mange à sa faim et vit spirituellement en paix.

«Nous aurions grand besoin d'assistance médicale, mais trop de choses suivraient. Nous ne vendrons pas nos âmes contre de la pénicilline. Regardez le Népal et le Sikkhim, ils sont de simples satellites de l'Inde maintenant. Nous ne voulons pas que cela nous arrive. Mais c'est difficile. Nous sommes un tampon entre l'Inde et la Chine qui veulent toutes les deux s'infiltrer et prendre le pouvoir. Ce qu'ils ne comprennent pas, c'est que nous ne voyons pas pourquoi nous aurions peur de la Chine sous prétexte de faire comme tout le monde. La Chine ne nous a jamais fait de mal et ne nous en fera probablement pas. Personne ne serait assez cinglé pour envahir nos montagnes. En outre, nous avons beaucoup d'affinités avec les Chinois, plus qu'avec les Indiens. Nous sommes Mongols, après tout. Vous comprenez?»

«Je comprends», ai-je dit, à bout de souffle. Lenny nous avait emmenés danser au Grand Hôtel. Il faisait un peu plus premier ministre, maintenant, mais il dansait énergiquement. Il ne voulait probablement pas parler devant tout le monde.

«Martin m'a dit que le bouddhisme vous intéressait. Je vois que vous portez une amulette de Bouddha autour du cou, comme porte-bonheur. Pourquoi?»

La chaîne était emmêlée. J'ai essayé de défaire les noeuds. Comme mue par un ressort, l'amulette a sauté et m'a cogné les dents.

«Eh bien, ai-je bafouillé, je ne suis pas vraiment bouddhiste. Pas encore, en tout cas. Je veux dire que le nirvána doit être formidable, mais qu'il est difficile à atteindre à Hollywood. Mais je pense réellement que la philosophie bouddhiste, selon laquelle il ne faut jamais faire de mal à son voisin, est plus réaliste que celle qui commande de l'aimer.»

Il n'a fait aucun commentaire.

«Vous voyagez beaucoup, n'est-ce pas?»

«Oui. Beaucoup. C'est plus qu'un passe-temps. C'est devenu une vocation. Je ne fais plus de films que pour me payer les billets d'avion.»

Le rythme de la musique avait ralenti, mais je commençais à avoir des crampes. Il me posait encore des questions.

«Croyez-vous que vous considérez les choses que vous voyez avec l'esprit qui leur convient?» a-t-il demandé.

«Oui, je crois.»

«Vous sentez-vous capable d'accepter une société industriellement attardée, totalement démunie de confort et de voir quand même la beauté que recèle sa simplicité?»

L'orgueil et la crainte se mêlaient dans sa question. Pourquoi hésitait-il tant à montrer au grand jour la réalité de son pays? Comment pouvait-on prétendre comparer les collines dénudées du Bhoutan et le mode de vie primitif de son peuple avec la promiscuité et l'eau courante chaude et froide d'un quelconque hôtel Hilton? L'idée de confort est bien relative.

«Lenny, ai-je répondu, je ne suis pas une touriste. Je suis une voyageuse.»

Il m'a pris la main et nous sommes sortis de la piste de danse. En se rasseyant à table, il a déclaré : «C'est une drôle de fille. Vous êtes sûr qu'elle est américaine?»

Martin s'est penché vers lui. «Elle vit souvent à Tokyo, vous savez. Je crois que l'Asie a pas mal déteint sur elle». Les orientaux parlent toujours des femmes comme si elles n'étaient pas là.

«D'accord. Je m'occuperai de son visa demain matin. Elle devra retourner à la Nouvelle Delhi pour obtenir les autorisations nécessaires de la part des autorités indiennes. Elles sont en général très réticentes mais je ferai pression et je me servirai d'un homme de main très persuasif. Elle partira dès que ce sera fait. Je vais en Suisse demain, pour voir le roi. Il a quitté le Bhoutan la semaine dernière. Il ne se sentait pas très bien, il est allé voir son médecin. Je dois lui présenter mes respects.

«Et maintenant, rentrons. Un petit déjeuner à la mode du Bhoutan et je vous présente Bhalla», a dit Lenny tandis que nous nous levions et mettions fin à cette longue conversation.

Chapitre 16

Le troisième étage de la résidence du premier ministre à Calcutta était protégé par une foule de serviteurs. Drapés dans d'épaisses robes bhoutanaises, ils sortaient du sommeil où ils étaient plongés dans le hall d'entrée pour s'incliner devant le jeune homme qui se dirigeait tout droit vers sa collection de disques de jazz. Dorji a demandé qu'on lui apporte de la noix de betel et nous a fait signe de nous asseoir. Sans jamais tourner le dos à leur maître, les serviteurs se sont inclinés et sont sortis. Dorji avait déjà ingurgité dix de ces décoctions de noix de betel enveloppées dans une feuille épaisse et amère enduite de pâte de citron. Ça s'appelait *pan* et on disait qu'une seule prise produisait autant d'effet que plusieurs verres de scotch. Je comprenais pourquoi c'était si populaire.

Des curries et des plats de riz fumant étaient disposés sur une longue table. Des bols de piment rouge étaient situés aux endroits stratégiques.

Glenda s'est retirée pour nourrir ses enfants. Nous avons longé la table et nous nous sommes assis dans de profonds fauteuils modernes, dans le salon. Les armoiries de la famille royale bhoutanaise, peintes à la main, décoraient les murs.

La porte d'entrée s'est ouverte et un jeune Indien à la peau sombre, plutôt petit, s'est avancé d'un pas incertain jusqu'à son premier ministre. Son costume croisé était déboutonné et fripé. Dessous, il portait un tee-shirt. Ses chaussures noires étaient usées sur le dessus, ses chaussettes bleu marine plissaient sur ses chevilles. Une cigarette fichée entre ses lèvres rougeâtres, il donnait l'impression d'un homme très occupé, de passage.

«Assieds-toi, Bhalla, a dit Dorji. Voici madame Parker. Tu vas l'accompagner au Bhoutan.»

Nous avons échangé une poignée de main et Bhalla s'est assis sur le bord d'un fauteuil, les jambes ni croisées ni repliées mais bien serrées; il attendait les ordres de Dorji.

Sa façon de s'habiller exceptée, Bhalla était un jeune homme tout à fait respectable; durant les semaines qui ont suivi, j'ai eu l'occasion d'apprécier son curieux mélange d'humour et de solennité. Il était né à Calcutta, mais le pays qu'il aimait était le Bhoutan, un royaume où il avait l'impression que l'homme pouvait se rendre maître de son âme. Il aimait ce pays pour sa force naturelle et sa méfiance à l'égard des conquêtes de l'homme. «On dirait qu'ils connaissent la réponse, mais qu'ils ne veulent pas la partager», disait-il des monts et des collines qu'il en était venu à appeler ses frères. Il avait osé tenter de s'élever au-dessus de la misère du bas-pays, pour atteindre à un peu d'éternité. «Les montagnes me donnent l'impression d'être immortelles et d'avoir connu une vie antérieure.» Il parlait un anglais poétique, comme s'il l'avait appris dans Rudyard Kipling. «Ici, j'erre quelque part entre l'imagination et la réalité, et cela me remplit d'espoir.»

Dans les rues de Calcutta, il avait désespéré de la futilité de sa vie. Son principal centre d'intérêt était un petit feu de bouse de vache, dont les cendres représentaient l'unique chose qu'il possédait. «N'est-ce pas que mes dents sont d'une blancheur éclatante?, disait-il. Mon dentifrice, c'étaient les cendres.»

Mais ce fier jeune Indien avait osé changer sa destinée. En rejoignant la race humaine, il avait échappé à la misère des masses indiennes, auxquelles il était préférable de ne pas penser et qui ne parvenaient à supporter sans trop de souffrance leur intolérable existence que grâce au jeûne obligé qui les maintenait dans une espèce d'euphorie. «La nature doit pourvoir à un auto-narcotique adapté à chaque forme de souffrance, disait Bhalla. Le sommeil, par exemple, je n'ai jamais autant dormi que lorsque je mourais de faim.» Mais il s'était obligé à penser, à combattre l'apathie du sommeil. Il avait rejeté les religions ancestrales: «La terre appartiendra aux humbles — c'est écrit... Expie les péchés de l'humanité et plus tard, dans une autre vie...» Penser l'avait sauvé, lui avait donné des raisons de lutter, penser lui avait servi de réalité. Comme si son esprit était à côté de lui et le poussait à se lever et à marcher, à faire son chemin hors de la misère, son seul héritage.

En faisant son choix, Bhalla avait découvert que ce n'était que le premier des nombreux autres choix offerts à celui qui pense. Après s'être émancipé de la misère, Bhalla avait encore progressé grâce à de nouveaux choix. Il ne savait pas ce que c'était que la neutralité. Il fallait qu'il se sente appartenir à une quelconque famille. Et, avec une sauvage loyauté, il avait choisi sa cause, le Bhoutan.

«Madame Parker ira demain à la Nouvelle Delhi pour obtenir la confirmation de son visa par les autorités indiennes, a dit Dorji à Bhalla. Elle reviendra le lendemain à Calcutta pour préparer son voyage vers le haut-pays. Demande un avion officiel de Baghdora à Hasimara et qu'une jeep vous attende lorsque vous atterrirez. Qu'elle ait des vêtements chauds et des bottes de l'armée.» Puis, avec un clin d'oeil, il a rajouté: «Elle aime le chocolat. Martin connaît une très bonne pâtisserie ici à Calcutta. Commande-leur un gâteau au chocolat, en forme de coeur et offre-le à Mary MacDonald. Je suis sûr qu'elle partagera.»

Bhalla a acquiescé et s'est relevé. Dorji l'a longuement regardé dans les yeux. «Inutile de te dire de faire très attention.»

En une journée, les milieux officiels de la Nouvelle Delhi ne parlaient plus que de mon autorisation de me rendre au Bhoutan.

«Votre invitation a l'air en règle», m'a dit monsieur Raskhotra, le responsable indien des affaires bhoutanaises. «Je ne peux que ratifier ce visa, puisqu'il émane de Dorji, mais je vous serais reconnaissante de n'en parler à quiconque. Énormément de vieux résidents ont sollicité la même autorisation et j'ai estimé nécessaire de ne pas l'accorder.»

Je n'ai rien dit à personne. Pourtant, et c'est bien indien, tous les journaux ont parlé de mon voyage avant que je ne quitte la Nouvelle Delhi.

Je suis revenue à Calcutta. Cela semblait bien incongru d'y acheter des chaussettes de laine, des sous-vêtements longs et chauds et des écharpes. Les hautes et blanches montagnes du Bhoutan semblaient si loin. Pendant que je faisais mes courses, des gamins à la peau sombre m'ont entourée et ont fait passer le mot : la memsahib aux yeux bleus avait de l'argent. Comment résister aux cris des enfants qui ne pouvaient croire qu'il n'y aurait pas quelque chose pour eux? Mais il le fallait. Je connaissais les limites de la charité et mes craintes d'une réaction en chaîne n'étaient que trop fondées. Leurs yeux brûlaient d'envie par avance sur le pas de la porte de la minuscule épicerie. «Dehors, dehors», a prévenu le propriétaire. «Des bons à rien, bons à rien», a-t-il plaisanté en me regardant pourtant avec un air de profond reproche. J'ai empilé des boîtes de del Monte, de Heinz et des paquets de kleenex que je prenais sur les rayons. Des années de poussière volaient dans la boutique. C'était la première fois qu'on déplaçait ces boîtes. Aucun Indien ne pouvait se les payer et les étrangers prenaient leurs repas dans les restaurants connus.

«Voulez-vous des bonbons?» m'a demandé Martin en me montrant des sachets dont la date de consommation était largement dépassée. Je n'ai pas pu en acheter. Pas devant les enfants.

Il n'existait pas de vêtements chauds pour les femmes mais, de temps en temps, quelques barbares occidentaux venaient chasser le tigre du Bengale. On trouvait donc les chandails qu'il fallait emporter pour les fraîches soirées dans la jungle. Je voulais tous les acheter, afin de mettre le propriétaire à l'abri du besoin et les tigres à l'abri tout court.

Je suis retournée à la résidence de Dorji pour exprimer ma gratitude et j'ai trouvé Lenny qui terminait ses bagages avant de partir pour la Suisse. Il chuchotait de façon véhémente avec ses aides; il avait l'air agité. Je me demandais pourquoi.

«Allez en paix, et l'esprit ouvert», m'a dit Dorji en nous quittant brusquement. «Je souhaite que mon pays vous plaise et que vous y appreniez beaucoup.»

Habillés pour un safari en montagne, Dhalla et moi sommes arrivés à l'aéroport de Dum-Dum. Martin et Bhulu étaient venus nous accompagner. Je n'aurais plus de contact avec eux ou avec quiconque du monde extérieur pendant un mois. Nous le savions tous. Steve m'avait envoyé un télégramme:

VA AU BHOUTAN ET APPRENDS STOP MAIS NE TOMBE PAS DE LA MONTAGNE

Martin a cligné de l'oeil et m'a dit qu'il espérait que je parviendrais à un niveau supérieur d'illumination, tout en me souhaitant bonne chance pour mon aventure. J'ai touché le petit Bouddha d'or et d'ivoire que je portais autour du cou afin qu'il me porte bonheur.

On annonçait des vols pour Le Caire, Bangkok, Tahiti, Nairobi et New York. Ça m'a fait chaud au coeur de penser qu'on pouvait aller dans de tels endroits.

Je me suis remémoré un matin de printemps, en Virginie, quand j'avais environ six ans. J'étais sur le chemin de l'école. Le soleil me baignait comme un liquide chaud, il m'enrobait comme de l'eau chaude autour d'une balle en caoutchouc. J'ai ouvert les bras et je les ai balancés comme des ailes. J'avançais la tête penchée en arrière, sans regarder devant moi. J'étais trop jeune pour savoir que ce n'était pas recommandé. C'est alors que j'ai vu le papillon, perché sur une branche dans un grand arbre. Ses ailes couleur de l'arc-en-ciel ont cessé de battre un instant. Le papillon semblait butiner tout ce qui l'environnait de son antenne, il semblait sentir le soleil et le vent léger, il semblait ne faire qu'un avec le jour. Tout d'un coup, il s'est envolé juste devant mon visage. Avec l'imagination de mes six ans, j'ai sauté sur son dos et j'ai décollé avec la merveilleuse créature qui avait été une chenille. Je n'étais plus attachée à la terre. J'étais libre.

Bhalla, qui tenait avec de tendres précautions le gâteau au chocolat en forme de coeur, s'est assis à côté de moi. Notre première escale serait Baghdogra, un petit aéroport dans la région de Darjeeling.

Soudain, mon coeur a bondi dans ma poitrine. À l'horizon se profilaient les fameuses montagnes de l'Himalaya — le Mont Makalu, le Mont Kanchenjunga et le roi des montagnes, le Mont Everest. Une heure plus tard, on les voyait. Au-delà des pentes, c'était la Chine — le désert de Gobi, l'immense fleuve Yang-Tse et les millions d'être humains dont on pouvait raisonnablement attendre qu'ils changent le concept social du monde. Je me suis demandé dans combien de temps j'irais en Chine. J'ai sorti mon appareil-photo Minox de mon sac.

«Je suis désolée», m'a dit l'hôtesse en sari. «Depuis que l'état d'urgence a été décrété en Chine, il est interdit de prendre des photos à bord des avions ou dans les aéroports.»

«C'est comme ça dans l'Inde tout entière», a ajouté Bhalla. «Ils nous ont fait assez peur pour que nous exagérions nos précautions. Désolé.»

Je me suis penchée en arrière. C'était donc avec l'oeil de mon esprit que je photographierais ma première vision des monts himalayens qui m'obsédaient tant. C'est à ce moment que j'ai décidé de tenir un journal. Ce serait mon seul souvenir de mon séjour dans un monde habité par des mystiques.

L'avion s'est arrêté bruyamment sur la piste de Baghdogra. Il ferait une escale d'une heure et repartirait à Calcutta sans nous. On nous a emmenés, Bhalla et moi, dans une petite salle d'attente en bois. Nous y avons rencontré le pilote privé qui nous conduirait à Telepara et Hasimara. Il nous a dit que des membres de la famille royale s'apprêtaient à embarquer dans l'avion de Calcutta.

J'ai regardé par la fenêtre et j'ai aperçu une famille bhoutanaise, bien habillée, qui gravissait la passerelle du DC-3 : une femme, deux suivantes et trois jeunes enfants.

«C'est la reine, le prince et les princesses», m'a dit Bhalla à voix basse.

«Pourquoi vont-ils en Inde?, ai-je demandé. Pourquoi ne sont-ils pas au Bhoutan?»

Bhalla a haussé les épaules. «Je ne sais pas.»

À cet instant, et bien que nous ne le saurions que bien plus tard, la famille royale tout entière ainsi que le premier ministre étaient hors du Bhoutan. Le roi était en Suisse, sa femme et ses enfants en chemin pour Calcutta.

Notre Cessna monomoteur a grimpé au-dessus des ravissantes vallées. Nous survolions les somptueuses plantations de thé du Darjeeling. Nous avons continué jusqu'à atteindre le vert isolement des plantations de Telepara. En atterrissant, nous avons semblé violer des siècles de silence.

Puis des gens sont sortis d'une hutte en herbe. «Ce sont mes amis» a expliqué Bhalla. «Ils ont entendu dire que vous faisiez escale ici et ils voudraient se faire prendre en photo avec vous.» Je ne m'attendais pas à ça. Hollywood semblait à des années-lumière, mais on dirait que les films parviennent, je ne sais comment, jusqu'à des gens dont nous qui les faisons n'avons même jamais entendu parler. Cela m'a toujours étonnée. Et à chaque fois que j'ai demandé à des gens quels étaient leurs films préférés, ils m'ont toujours parlé des personnages, pas de l'histoire. Ils s'intéressaient aux sentiments. Ils tentaient de s'identifier aux sentiments des étrangers puisqu'ils ne pouvaient pas s'identifier aux circonstances de leur vie. Apparemment, les mêmes choses font rire et pleurer partout. Si, à Hollywood, on jouait le bon accord, il résonnait dans le monde entier.

Il n'y avait que deux places assises dans le Cessna. Le pilote et moi, nous nous sommes installés devant et Bhalla s'est glissé sur les bagages, toujours accroché à son gâteau au chocolat. Les silhouettes solitaires au-dessous de nous, avides de contact et probablement d'un autre film, nous ont fait signe jusqu'à ce que nous soyions hors de vue.

Un autre avion a traversé les nuages. Les avions, allemands, français, indiens, rompaient le silence des montagnes environnantes. Un quart d'heure plus tard, nous survolions Hasimara, la base aérienne la plus proche de la Chine.

«Surtout pas de photos», m'a rappelé Bhalla. Je voyais très bien ce qu'il voulait dire.

Nous avons atterri dans un champ, à une certaine distance de la base aérienne. Nous ressemblions à un moineau d'un autre âge, au milieu d'oiseaux de combat. Nous sommes descendus de l'avion et Bhalla, l'air très ennuyé, a regardé de tous côtés. Aucun signe de la jeep qui devait venir nous chercher. Je suis allée attendre au soleil, habillée pour le pays des neiges. Des nuages de poussière volaient sur la terre brûlante.

Bhalla m'a tendu un thermos d'eau gazeuse. «Vous en aurez besoin, m'a-t-il dit. Je vais chercher la jeep à pied. L'avion doit repartir pour Baghdogra, mais vous pouvez rester ici. Surveillez les valises, s'il vous plaît, je ne serai pas long à revenir.» Et il est parti à grands pas à travers les hautes herbes.

J'ai serré la main du pilote et je l'ai remercié. Il est remonté dans son appareil. En homme qui a un horaire à respecter, il a décollé, il a battu des ailes avant de disparaître derrière les montagnes.

Je me suis assise sur une valise. Des rafales de vent chaud soufflaient dans les herbes hautes. Mon esprit s'est envolé et mon coeur s'est mis à battre un peu fort. Quel plaisir de ne pas savoir ce qui allait arriver. J'avais toujours adoré cette sensation. Je n'aime pas être certaine du lendemain, ni même de la minute qui suit. C'est le genre de sécurité dont je n'ai jamais voulu.

C'était bizarre, d'ailleurs, cette attitude en contradiction avec mon éducation, qui apprenait à «regarder où on mettait les pieds» avant de faire un pas.

J'ai repensé aux avertissements qu'on m'avait prodigués au sujet du Bhoutan. «Il s'y passe de drôles de choses... N'y allez pas... On vous volera votre âme... Les mystiques s'empareront de vous... Ce n'est pas comme notre monde... C'est trop différent, on ne peut pas comprendre... Vous ne serez plus jamais la même en revenant, si vous revenez.»

Et pourtant, assise sur ma valise, seule dans l'herbe sauvage, à l'écoute des étranges bruits des gens de la montagne, la seule émotion que je ressentais était l'excitation.

Chapitre 17

Une jeep rugissait vers moi à travers les hautes herbes. Un Bhoutanais mince et jeune conduisait. Bhalla était assis à côté de lui. Ils avaient l'air hagard.

«Nous avons atterri du mauvais côté de la montagne, a dit Bhalla. Voici Larry Llamo, un autre des conseillers de Dorji.»

Nous avons échangé une poignée de main. La sienne était ferme. Ses manières étaient directes. «On nous attend pour déjeuner au relais de Phuncholing. Allons-y.»

Nous avons traversé la frontière de bambou, à une cinquantaine de mètres et nous avons pénétré dans le royaume de Bhoutan. L'atmosphère a immédiatement changé. Quatre gardes-frontière soupçonneux ont examiné nos passeports et nos visas sous toutes les coutures, tandis que deux sentinelles fouillaient nos bagages et examinaient le gâteau au chocolat d'un air méfiant. Ils étaient tous armés et, sous leur robes de couleur, leurs torses développés par l'altitude étaient puissants.

Bhalla, Larry et moi sommes restés tranquillement assis dans la jeep. Des feuilles de palmier se détachaient en se balançant doucement sur un fond de glaciers. De chaque côté de la route, les rizières sentaient l'excrément, pour nous rappeler que nous étions toujours en Asie. Mais nous allions complètement changer de terrain, de coutumes et de modes de pensée. Un univers nous séparait de l'Inde, distante seulement d'un kilomètre et demi.

Phuncholing ressemblait davantage à une agglomération de huttes qu'à un village. En fait, au Bhoutan, il n'y a pas de villes ou de villages, dans notre acceptation du terme. Les huit cent cinquante mille habitants vivaient séparés les uns des autres; il y en avait deux mille dans la vaste région de Phuncholing.

Le relais ne ressemblait en rien aux anciennes constructions traditionnelles alentour. C'était un bâtiment carré préfabriqué, moderne, peint en blanc et ceint d'une clôture en bois. Des fleurs sauvages poussaient autour du porche d'entrée. Près de la porte, un rocking-chair se balançait dans la brise. Il aurait suffi que des gens jouent aux dés dans un coin pour que cette scène soit la réplique de ce qu'avait dû voir Dorji pendant son voyage à travers les États-Unis. En fait, ça ressemblait à une rue de la vallée de San Fernando.

«Êtes-vous favorablement impressionnée par l'influence occidentale?» a demandé Bhalla fièrement. Il n'avait jamais quitté l'Inde, mais il avait regardé des quantités de magazines illustrés. «Nous avons aussi de la bière, qui vient des pubs de Londres, tiède, authentique et délicieuse. On en boit avec notre ragoût.»

Il avait raison. Comment le ragoût bhoutanais, à base de pommes de terre, de viande de yak et de navets, très épicé, pouvait-il être aussi agréable dans ce climat très chaud, c'était un mystère, comme d'ailleurs les curries d'Inde, que l'on mange même lorsque la température dépasse quarante degrés.

Le lourd ragoût nous restait sur l'estomac, mais il nous avait donné des forces pour l'incroyable voyage qui nous attendait. Bhalla et Larry parlaient joyeusement, ils échangeaient des nouvelles venues des coins les plus reculés de leur pays bien-aimé. «Dorji est parti.» «Conflit au plus haut niveau.» «La résidence principale de Paro est fermée.» «La reine et les enfants ont été rappelés à Calcutta.» Et le communiqué le plus lourd de sens : Entre Paro et Phuncholing, la route est sûre.

Cette route reliait Phuncholing à la résidence royale de la vallée de Paro, à quelque cent soixante kilomètres, dans les montagnes. Avant sa construction, les bhoutanais ne pouvaient guère communiquer entre eux. Maintenant, la route était la ligne de vie du pays. Elle était aussi un tribut à l'ingéniosité et à l'endurance physique.

Commencée en 1962, tout de suite après l'invasion du Tibet par la Chine, elle était creusée dans les flancs de la montagne. Plus d'un millier de personnes étaient mortes pendant les trois années qu'avait duré sa construction. Des glissements de terrain, causés par les explosions, avaient fait dévaler des jeeps, des bulldozers et toutes sortes de véhicules des milliers de mètres plus bas. À chaque mousson, des tronçons de la route se désintégraient et se transformaient en des torrents de boue infranchissables. À la dernière mousson, un ouvrier était resté piégé dans une jeep pendant deux semaines avant qu'on ne puisse aller à son secours.

Nous avons commencé à monter. Il y avait des travaux tout le long de la route. Des hommes, des femmes portant leurs bébés sur le dos, et même des enfants, cassaient des pierres pour en faire du gravier qu'ils empilaient en tas bien nets prêts à être ajoutés à la route pendant la prochaine mousson, afin de la rendre carrossable. Tout en cassant les pierres, les adultes tiraient sur les cigarettes qui pendaient à leurs lèvres bleues.

Le gouvernement bhoutanais faisait venir la plupart des ouvriers du Népal. Ils gagnaient environ trois roupies par jour (quinze cents), ils payaient leur maigre nourriture et leur logement et, au bout d'un an et demi, s'en retournaient chez eux, riches d'environ cinquante dollars. C'était un peuple de montagnards, habitué à un fatigant labeur en altitude. Traditionnellement, ils s'entendaient bien avec leurs voisins bhoutanais.

Quand je suis sortie de la jeep, les ouvriers, fascinés par mes yeux ronds et bleus m'ont entourée et dévisagée tout en fumant, tandis que je me tenais tant bien que mal à la falaise. Ma tête me semblait légère. La respiration me manquait un peu.

Comment pouvaient-ils fumer sans arrêt dans une atmosphère aussi raréfiée?

J'ai regardé en l'air. Des montagnes à pic se lançaient à l'assaut du ciel. La brume s'enroulait autour de mes pieds. Il nous restait deux jours à grimper et j'étais déjà debout sur un nuage!

Nous sommes repartis. On était en novembre et, à quatre heures, le coucher de soleil himalayen barbouillait le ciel de teintes si vives et si éclatantes qu'il était difficile de les comparer aux simples couleurs que j'avais connues, là en bas, sur la terre.

Au bout de cinq heures, nous avions fait cinquante kilomètres. Nous sommes arrivés dans un petit village où nous avons passé la nuit dans un autre relais préfabriqué. Nous avons accueilli avec plaisir le ragoût bhoutanais et un feu de bois qui compensait la brutale chute de température.

Les bagages, accrochés à l'arrière de la jeep, étaient recouverts de poussière; le gâteau au chocolat aussi. J'en avais très envie, mais je le gardais pour Mary. Je me suis vite endormie. J'avais le dos et les fesses endoloris à cause des cahots. Paro était à encore deux jours et à plus de cent kilomètres.

Le jour s'est levé tôt. Les montagnes ensommeillées se creusaient un passage dans un ciel couleur d'abricot et de violette. Des drapeaux de prière bouddhiste flottaient sur des places rectangulaires. On entendait des enfants pleurer, des volutes de fumée montaient dans le ciel froid. Et on a commencé d'entendre le bruit des pierres que l'on cassait sur la route. La route, toujours la route — elle semblait consumer la vie de chaque être humain.

Après un petit déjeuner de riz et de piments, nous sommes repartis; le gâteau au chocolat était intact, on avait dépoussiéré les bagages. Notre prochaine étape serait Chasilakha, le quartier général des ingénieurs indiens qui construisaient la route.

Plus nous montions et plus la route devenait traître; parfois elle était à peine plus large que notre jeep. Les montagnards, le pied sûr, la parcouraient sans chaussures, sans songer aux possibles chutes de pierres et à la mort éventuelle. Larry conduisait. Bhalla sommeillait au milieu du siège avant et moi, assise au bord, les nerfs à vif, j'essayais de lire. Seul le bruit de notre jeep rompait le silence des collines.

Soudain nous avons entendu, semblable à un coup de tonnerre, le grondement de la terre qui glissait, des rochers qui tombaient en cascade, des branches qui craquaient et des hurlements. Nous étions dans un virage. Larry a freiné juste à temps. Bhalla s'est redressé. Je me suis presque évanouie. Juste devant nous s'ouvrait un trou béant de sept ou huit mètres. Un pan de montagne s'était effondré de quelque mille mètres et avait emporté un morceau de la route sur son passage.

J'ai essayé d'avaler ma salive. La sueur me coulait dans le cou. Nous aurions pu tomber, personne n'en aurait jamais rien su. La mort sur la route était courante.

Je n'ai pas bougé. Je regardais tantôt le trou béant, tantôt l'amas de rochers, loin au-dessous de nous. Un bulldozer jaune renversé se détachait sur le nuage de poussière. Larry et Bhalla ont sauté en bas de la jeep. Les ouvriers étaient paralysés par la terreur. Un autre de leurs camarades de route avait été rayé de la liste des vivants par les éléments.

On ne pouvait pas sauver le chauffeur, ni même tenter de le retrouver au cas, bien improbable, où il aurait survécu. Au moins, ça avait été rapide.

Les ouvriers, le visage impassible, sont retournés casser les pierres. Ils regardaient ce qui restait de la montagne avec reproche.

Notre jeep était en travers de l'étroite route. Nous ne pouvions ni avancer, ni faire demi-tour.

«Il nous faut un autre véhicule, a dit Bhalla, c'est la seule solution.» Il semblait habitué aux catastrophes. Je me demandais s'il lui arrivait de s'énerver ou d'avoir peur et si, dans ce cas, il le montrait.

Il a appelé les gens qui travaillaient de l'autre côté du gouffre et il a demandé que quelqu'un aille à pied à Chasilakha chercher un camion qui nous recueillerait, nous et nos affaires, de l'autre côté du trou.

Quelques ouvriers ont abandonné leur travail pour nous aider à transporter notre lourd chargement. J'ai mis ma valise sur mon dos et j'ai commencé l'ascension. Mes muscles fragiles gémissaient sous l'effort et mon coeur battait fort dans ma poitrine. Un sherpa nous ouvrait un chemin dans l'épais maquis montagneux, à la machette. Le sentier était étroit et raide. On aurait dit que l'on montait dans un grenier par un escalier de rochers. Le sherpa et les ouvriers, pieds nus, manoeuvraient adroitement. Ils ne regardaient jamais en dessous d'eux, mais toujours vers le haut.

Les pierres pointues traversaient les semelles de mes chaussures de tennis, mais mon souci principal était de garder l'équilibre. Je ne pouvais me tenir à rien sans lâcher ma valise et la seule façon d'équilibrer la lourde valise était de grimper pliée en avant. J'étouffais dans mon épais pull-over jaune. Je n'osais pas regarder vers le bas, de peur de perdre le peu d'assurance que j'avais eu bien du mal à acquérir.

Des branches nous écorchaient le visage et les épaules. Nous avions les bras trop chargés pour nous protéger les yeux. Les orties tapies dans les buissons nous piquaient à travers nos vêtements et provoquaient de furieuses démangeaisons. Nous ne pouvions pas nous gratter. Dans un sens, nous avions de la chance. À toute autre époque de l'année, le feuillage aurait grouillé de sangsues. Les hommes comme les animaux sont alors envahis par ces tas de vase noirâtres. La seule manière de s'en débarrasser est de s'écorcher vif le morceau de peau auquel elles sont accrochées. Dans le froid de novembre, Dieu merci, il n'y avait pas de sangsues dans le maquis.

Nous montions toujours. Au Bhoutan, on a toujours l'impression qu'on ne parviendra jamais au sommet. Je voulais prendre des photos de notre expédition. J'ai réglé l'appareil et je l'ai tendu à l'un des ouvriers, qui n'avait encore jamais vu d'appareil-photo. J'ai posé ma valise et j'ai couru devant pour être dans l'image.

Quand j'ai dit «maintenant», il a pressé le bouton. À sa grande déception, il ne s'est rien produit. Pas d'explosion, pas de bruit, pas de magie, rien. Il a retourné l'appareil dans tous les sens, en se demandant pourquoi je m'étais donné tout ce mal.

Nous avons marché pendant trois heures. Je respirais mieux, mes jambes s'accoutumaient à l'effort, mais la brûlure des orties piquait toujours ma peau et j'avais très mal aux épaules à cause de ma lourde valise. Je prenais ma première leçon d'adaptation à un nouveau et magnifique pays. J'avais voulu la nature à l'état brut, préservée de l'homme, j'allais l'avoir. Quand on circule dans l'Himalaya, on est totalement à la merci de la nature. Chaque jour, des pélerins, des sherpas, des gens qui connaissent parfaitement la région perdent la vie à cause de glissements de terrain qui, soudain, emportent le sentier centenaire à des centaines de mètres plus bas, en même temps que leur existence. Cela fait partie de la vie en haute montagne. J'ai repensé à ces réceptions de Hollywood, aux bijoux, aux chichis et j'ai ri tout haut. Bhalla m'a regardée et m'a fait un clin d'oeil.

Le camion nous attendait de l'autre côté. C'était une ruine, il roulait à peine, mais au moins nous pourrions nous reposer. Nous nous sommes effondrés à l'arrière tandis qu'il s'engageait péniblement sur la route de Chasilakha, à deux heures environ.

Chasilakha est un centre animé de l'industrie de la construction. C'était le premier que je voyais au Bhoutan. Une centaine d'hommes y travaillaient; ils chargeaient les gravats, mélangeaient le ciment brut, sciaient à la main, tout en fumant l'inévitable cigarette qu'ils gardaient à la bouche. Un contremaître indien les dirigeait.

À côté d'un tas de gravats, le dos à la route, j'ai vu deux des femmes les plus extraordinaires qu'il m'ait été donné de rencontrer. Elles étaient grandes et fortes et coiffaient leurs longs cheveux épais à grands gestes. Elles étaient manifestement Indiennes. Je me suis demandé si on les avait engagées pour faire le bonheur des hommes de Chasilakha. Mais, à ma grande surprise, les travailleurs népalais ou bhoutanais s'approchaient d'elles un à un et semblaient attendre respectueusement leurs réactions après leur avoir rapporté l'état d'avancement des travaux.

Les femmes avaient enroulé leur luxuriante chevelure sur le haut de leur tête. Elles se sont levées, ont sorti des turbans de leurs poches et les ont mis. Évidemment, elles m'avaient paru extraordinaires : ce n'était pas du tout des femmes. C'étaient des Sikhs du Penjab. Des hommes grands et arrogants — j'en avais déjà vu, mais jamais sans leur turban.

Les responsables de la construction de la route étaient tous jeunes. Aucun ne semblait avoir plus de trente ans. Certains d'entre eux vivaient sur la route depuis deux ans : ils n'étaient jamais redescendus du sommet de la montagne. Ils habitaient dans des dortoirs en bois, avec des magazines de cinéma, des caisses de bière, de rhum, de scotch, de bourbon et de cognac — et des disques de jazz qu'ils passaient sur des phonographes à batterie. La musique et les magazines les empêchaient de devenir fous, l'alcool les empêchait d'avoir froid.

Larry, Bhalla et moi nous nous sommes installés sous la tente en toile qui servait de mess pour prendre un nouveau repas de ragoût et de piments. Une table de jeu regorgeait de bouteilles d'alcool, dont le débit rivalisait avec celui du Gange. Les ouvriers, originaires du Tibet, du Népal, d'Inde et du Bhoutan sont entrés et se sont assis. Ils ont commencé à manger. Bhalla les surveillait très attentivement. Me voir voyager seule avec Larry et Bhalla sidérait les ouvriers de Chasilakha. Certains faisaient des manières, d'autres mangeaient et regardaient et un Sikh a dû se dire que deux ans, cela suffisait, car il s'est approché de moi, m'a prise par le bras et m'a suggéré de passer la nuit avec lui dans son baraquement.

Pour prévenir le Sikh, Bhalla a dit : «Dorji nous a ordonné de ne pas nous attarder à Chasilakha». En entendant le nom du premier ministre, le Sikh a lâché mon bras et tous ont arrêté de boire. «Vous pouvez vous faire prendre en photo avec madame Parker si vous le désirez, mais ensuite nous nous mettrons en route.»

Le soleil s'était couché. La température était descendue bien en dessous de zéro. Il tombait une pluie glacée. Le Sikh est monté sur le marchepied de notre jeep. Par la fenêtre, il criait sa frustration. Bhalla l'a rejoint et l'a frappé. Il s'est écroulé dans la boue. Son turban a glissé, ses cheveux lui arrivaient à la taille.

L'air froid avait suffisamment dégrisé Larry et Bhalla pour qu'ils soient en mesure de conduire. Nous sommes partis. La route était dans un état épouvantable. Des torrents de boue s'écoulaient entre nos roues auxquelles nous avions fixé des chaînes. Nous avons progressé pendant deux heures dans les passes, les yeux douloureux. Il faisait trop noir pour voir jusqu'en bas du ravin.

Des rafales de vent glacé soufflaient dans les gorges. Je me demandais s'il ferait chaud lorsque nous arriverions à Paro. Il n'y avait de chauffage dans aucun des relais où nous avions fait étape.

Le fleuve Paro prenait sa source dans une gigantesque chute d'eau, à quelques kilomètres. Je m'en suis péniblement approchée en me demandant quelles masses d'eau, de neige et de glace étaient cause de ces chutes glacées. Le rhum m'avait donné soif. J'ai enlevé mes chaussures et je me suis penchée pour boire l'eau glacée. Bhalla et Larry buvaient du café chaud dans un Thermos. Je me suis penchée et j'ai pris appui sur un rocher. L'eau s'est précipitée et m'a fait tomber de tout mon long. Je me suis relevée en grelottant et en toussant. Ma décision était prise : ce serait mon dernier bain au Bhoutan.

Après avoir tremblé de froid pendant encore trois quarts d'heure, nous sommes arrivés dans la vallée de Paro. Il nous avait fallu deux jours et demi pour faire cent soixante kilomètres.

Chapitre 18

La vallée de Paro appartient aux confins mêmes de l'imagination. Comme tout le monde l'avait dit, elle aurait pu servir de décor au film *Horizons Perdus*. C'est un sanctuaire, niché au sein des hautes montagnes, un refuge pour les mortels intimidés par l'Himalaya.

Elle est ceinte de murailles de granit, qui expliquent que les peuples alentour la laissent à sa paix. En effet, plus loin ou plus haut, ce n'est que blizzard, crevasses profondes, glaciers et pics que nul ne peut conquérir.

Des fleurs sauvages poussaient dans la fine couche de neige qui recouvrait les pentes herbeuses des montagnes. Des ombres jouaient sur les rochers, au fond de la vallée. Un frisson superstitieux m'a secouée. Les étoiles scintillaient comme des diamants, si proches qu'on avait l'impression de pouvoir les toucher.

Le palais était fermé. On nous avait réservé des maisons d'hôtes, à environ un kilomètre et demi. Les murs en bois étaient décorés des armoiries de la famille royale bhoutanaise. Chacune des maisons était séparée des autres. On y entrait par deux marches en bois. Elles se détachaient sur le fond montagneux comme des maisons de poupée. Je m'installerais dans l'une, Larry et Bhalla dans une autre. Les autres maisons de poupée resteraient vides, sombres, telles des sentinelles dans le vent froid.

Bhalla m'a fait entrer dans ce qui serait mon foyer pendant tout mon séjour au Bhoutan. Un lit pliant de l'armée indienne recouvert d'un drap et d'une fine couverture kaki étaient les seuls meubles de la pièce rectangulaire. Il y avait une autre petite pièce, dont le sol était cimenté. Une caisse en bois recouvrait un trou creusé dans le ciment. C'étaient les toilettes. Un lavabo de porcelaine blanche était accroché au mur. De l'eau glacée coulait d'un tuyau et se répandait sur le sol. Il n'y avait ni lumière ni chauffage. De la peinture orange avait coulé des fresques murales dessinées à la main jusque sur la couverture kaki. Des volets de bois fermaient les fenêtres sans carreaux. Le vent de la montagne soufflait dans la chambre et sur mes vêtements humides.

Bhalla a éteint sa lampe de poche.

«De l'autre côté du chemin, il y a une pièce commune pour les invités. On y fait du feu», a-t-il dit pour me rassurer. «Venez vous réchauffer.»

Des sherpas accroupis dehors nous ont regardés. Leurs visages et leurs bras étaient recouverts d'une fine couche du charbon qu'ils brûlaient dans leurs huttes au toit de chaume. Un envahisseur, moi, était arrivé avec des bagages. Le lendemain, il faudrait trouver un endroit pour les ranger.

La porte de la maison commune était grande ouverte. Un feu de bois grondait dans une immense cheminée. Les flammes me jouaient des tours : ou bien j'avais des hallucinations ou bien un couple de Japonais revêtus du kimono de cérémonie attendait sur les marches.

Ils m'ont saluée : «*Irashaimas*, on nous a prévenus de votre arrivée et nous souhaitions vous souhaiter la bienvenue à Paro», ont-ils dit en japonais.

Le Japon m'a submergée — le rythme de la langue, l'odeur de fleurs de la femme, le gai brocard des kimonos, les manifestations tangibles et gracieuses de leur courtoisie traditionnelle.

Monsieur et madame Nishioka avaient été engagés par le gouvernement bhoutanais pour aider le pays à développer son agriculture. Nishioka-san avait occupé les mêmes fonctions au Népal pendant une année avant d'être appelé au Bhoutan. Il allait contribuer à la bonne réputation des Japonais dans toute l'Asie et au respect qu'ils inspirent.

Nishioka-san fabriquait des colombes en papier près du feu. Les Japonais font toujours quelque chose de leurs mains. Absorbé dans ses morceaux de papier déchirés, il confectionnait une oeuvre d'art avec des rebuts. Oksan observait en silence. La conversation languissait. J'étais réchauffée et j'ai décidé de prendre congé. J'avais fait un long voyage, j'avais besoin de dormir.

Je me suis déshabillée en trente secondes et j'ai bondi dans mon lit de camp taché en caleçons longs. J'espérais conserver la chaleur que j'avais emmagasinée auprès du feu jusqu'à ce que je m'endorme. Hélas non. Le froid me transperçait comme un pic à glace. Je ne savais pas comment j'allais passer la nuit. J'avais toujours souffert du froid, mais je ne m'étais jamais trouvée dans un climat aussi glacial. Je claquais des dents, j'étais complètement nouée à l'intérieur de moi-même. Allongée, je me demandais comment maîtriser ces sensations. Je n'allais pas passer toutes mes nuits dans cet état.

Je n'ai pas froid, je n'ai pas froid, me répétais-je, mais le froid m'avait envahie. Je n'arriverais à rien à partir de pensées négatives. Ce qu'il fallait contrôler, c'était la crainte du froid. Il me faudrait utiliser le moi intérieur dont avait parlé mon professeur de yoga. «Concentrez-vous sans but, disait-il. Il ne s'agit pas d'être comme ceci ou comme cela, mais simplement d'être. Lorsque vous souffrez ou que vous êtes dans une situation inconfortable, détendez-vous. Alors, vous vous fondrez dans l'environnement et ses lois, vous ne ferez plus qu'un avec lui et la fusion vous procurera le bien-être.»

J'ai essayé de détendre mes muscles et de maîtriser mon claquement de dents.

Puis je me suis souvenue du cercle orange.

«Votre esprit a un centre, disait le professeur de yoga. Il est la source de toutes vos pensées. C'est votre noyau, le centre de votre univers. Trouvez-le. Concentrez-vous. Cela viendra. Et alors détendez-vous. C'est la méditation. Rien ne doit distraire votre attention, consciente ou inconsciente. Ni la peur, ni la douleur, ni le chagrin, ni le froid. Rien. Restez fixée sur l'intérieur de vous-même. Vous le verrez. Il ressemblera à un minuscule soleil. Le soleil est le centre de tout le système solaire, le dispensateur de la vie sur toutes les planètes, dans tout l'univers. Il en va de même pour le vôtre.»

J'ai fermé les yeux et j'ai cherché le centre de mon esprit. Si seulement je pouvais trouver ce minuscule soleil. Je vais me concentrer sur le vrai soleil, me suis-je dit, sur le soleil que je connais, que j'ai vu. Je vais le trouver en moi et j'aurai chaud.

Je me suis évadée de la chambre. J'ai senti mes muscles se dénouer progressivement. Peu à peu, j'ai perdu la claire conscience de la pièce glaciale et des venteuses montagnes de granit.

Lentement, au centre de l'oeil de mon esprit, une minuscule boule ronde est apparue. Je la fixais, inlassablement. Puis j'ai eu l'impression de devenir la boule orange. Lentement, lentement, le cercle a grandi. Il semblait générer de la chaleur et de la lumière. La chaleur s'est répandue dans mon cou et dans mes bras, elle a finalement atteint mon ventre. Des gouttes de transpiration sourdaient de mon front. La lumière est devenue de plus en plus claire; je me suis assise sur le lit pliant, j'ai ouvert les yeux: je pensais que quelqu'un était entré avec une lumière. En sueur, je me suis rendue compte, à ma profonde stupéfaction, que la chambre était plongée dans l'obscurité. Je me suis recouchée. J'avais l'impression d'étinceler. Toujours en sueur, je me suis endormie. Le professeur avait raison; caché sous la surface était enfoui quelque chose de plus grand que mon moi extérieur.

Si seulement je pouvais le trouver et m'en servir plus souvent.

Chapitre 19

Le froid du matin était piquant, mais j'avais encore relativement chaud. À la montagne, on entend le plus léger bruit à des kilomètres de distance, comme si les sons naissaient dans les rayons du soleil.

Quatre visages bhoutanais couverts de suie me dévisageaient. Ils m'observaient, avec une curiosité avouée, tandis que j'ouvrais les yeux et que je bâillais. Je leur ai souri. Ils n'ont pas souri en retour, ils ont fixé la valise fermée posée par terre, puis la photo de Steve et de Sachie que j'avais affichée à côté de mon lit de camp.

Les pieds chaussés de bottes bhoutanaises, leurs robes couvertes de suie, ils se sont dirigés vers la valise. Je me suis assise dans mon lit et je leur ai fait signe de l'ouvrir. Un homme plutôt jeune l'a tranquillement ouverte et a commencé à fouiller dedans. Les yeux agrandis par l'étonnement, les quatre hommes ont touché chaque objet : brosse à dents, dentifrice, appareil-photo, soutien-gorge, culottes, épingles doubles, Kleenex, Kotex, Aspirine, bigoudis. En ce qui les concernait, tout cela aurait aussi bien pu provenir d'une autre planète. Les peuples des montagnes entretiennent avec la nature une relation si étroite et exclusive qu'ils ignorent tout des concepts matériels et intellectuels.

Ils ne savent pas ce que sont les «choses», et mieux encore, ils ignorent tout de l'importance accordée à la possession de ces «choses». Si leurs dirigeants interdisaient aux étrangers de pénétrer dans le pays, c'était surtout parce qu'ils considéraient ces étrangers comme porteurs d'un matérialisme aux antipodes de leur propre philosophie, et donc dangereux pour leur propre pouvoir.

Les hommes observaient le gâteau au chocolat en forme de coeur, couvert de poussière, et qui commençait à se répandre hors de sa boîte.

«Non, c'est pour Mary», ai-je dit en secouant la tête. Devant ce léger signe de réprobation de ma part, ils ont quitté la pièce. L'un d'entre eux est revenu presque immédiatement avec une tasse de thé au beurre de yak.

On entendait casser des pierres d'un bout à l'autre de la vallée. Les sentiers de la montagne étaient pleins de sherpas et d'ouvriers tibétains qui vivaient plus haut et descendaient chaque jour travailler sur la route. Les monts himalayens, tels de triomphants géants, dominaient tout l'environnement. Leurs masses monstrueuses m'emplissaient d'un sentiment d'insignifiance. Comment pourrais-je entrer en relation avec une telle puissance? Comment pouvait-on accorder de l'importance à la vie, et même à la sienne, à l'ombre d'une force aussi écrasante? Ce sentiment était irrépressible. Cela paraissait absurde de se préoccuper de sa propre individualité. Elle semblait tout simplement ne pas exister. Quelles relations les peuples des montagnes entretenaient-ils avec les géants? Ils avaient semblé les craindre, sur la route de Paro, mais c'était une crainte amicale, comme s'ils savaient que les montagnes étaient là pour toujours et ne recélaient donc pas de mystères.

Le secret était donc d'accepter sa propre insignifiance. Là, peut-être, résidait la vraie illumination, le vrai bonheur, le nirvana. Peut-être était-ce là ce que voulaient dire les yogis et les lamas lorsqu'ils parlaient de parvenir au néant. Peut-être la sérénité et l'harmonie surgissaient-elles du sentiment de sa propre insignifiance. Peut-être qu'essayer de prouver le contraire était justement ce qui provoquait les conflits intérieurs.

Mais, à regarder les maisons de poupée soigneusement peintes, nichées dans le sein des hautes montagnes, l'on se prenait à penser que les peuples des montagnes eux-mêmes n'avaient probablement pas complètement accepté l'idée de leur insignifiance. Chacune exprimait délicatement une individualité. Les toits de bois, sculptés à la main, se lançaient à l'assaut des nuages bas. Les drapeaux de prière qui s'agitaient doucement dans la brume ensoleillée étaient censés rappeler au Tout-Puissant les voeux de ceux qui les faisaient flotter. Et ils étaient convaincus que leurs prières seraient exaucées.

Les peuples des montagnes, même s'ils souffraient de maladies, s'ils perdaient des batailles contre les éléments, mouraient dans la totale ignorance de la civilisation et même, parfois, succombaient à la superstition de leur propre foi, semblaient avoir une irrépressible tendance à s'exprimer, tout en acceptant l'insignifiance de leur vie.

Après un petit déjeuner composé d'oeufs sur le plat cuits dans de l'huile de yak et du thé au beurre de yak pour les faire passer, Bhalla est arrivé en jeep devant la porte de la maison commune.

«Mary est à Ha, a-t-il dit. C'est elle qui, en tant que secrétaire de Dorji, est allée écouter les prédictions de l'Oracle pour l'année à venir. On l'attend ce soir.»

L'Oracle de Ha est un prêtre bouddhiste dont on dit qu'une divinité s'exprime par sa bouche. On le craint et on lui obéit aveuglément. L'Oracle avait prédit l'assassinat du précédent premier ministre, l'année d'avant. J'ai demandé à Bhalla comment Mary s'était rendue à Ha.

— À pied, a-t-il répondu. La vallée de Ha est bien au-dessus de Paro, près de la frontière chinoise. On ne peut y arriver autrement qu'à pied. Et par des chemins sur lesquels aucun animal ne s'aventurerait.

— Ça doit être une sacrée fille, ai-je dit.

— Vous verrez.

Des nuages de poussière ont recouvert nos cheveux et nos visages quand nous avons démarré. J'ai salué Nishioka-san, penché sur un plant de riz dans la vallée sèche et poussiéreuse. Il allait prouver que la fertilité est une question toute relative.

Nous avons abandonné la jeep en terrain plat et nous nous sommes engagés sur un pont étroit qui menait aux portes en pierre du dzong (monastère). Des moines bouddhistes nous ont accueillis et nous ont conduits dans la cour, en silence.

Le dzong clos de murs était le siège religieux et civil de la vallée de Paro, les prêtres et les autorités civiles gouvernant conjointement. Les massifs bâtiments en pierre étaient blanchis à la chaux et ornés de rouge profond. Dans un donjon adjacent, on gardait des prisonniers qui ne voyaient jamais la lumière du jour.

Personne n'a parlé quand nous sommes entrés dans la cour de pierre. Les prêtres et les lamas marchaient pieds nus, habillés d'épaisses robes brunes qui sentaient le moisi. L'on n'entendait que le son des cymbales d'un vieux lama assis par terre, les jambes croisées. Face à lui, vingt-six autres lamas répétaient une danse masquée, accompagnés par le son étouffé et surnaturel. Les danses évoquaient les tentations du diable. Les pieds nus frappaient le sol de pierre, les respirations se faisaient haletantes tandis que s'exprimaient les tentations mauvaises. Les lamas les plus âgés observaient, le visage impassible, les plus jeunes qui, un à un, s'effondraient face contre terre, soit qu'ils aient maîtrisé le mal, soit qu'ils y aient succombé, je ne sais pas.

Dans la salle de classe rectangulaire du monastère, des petits garçons (de futurs lamas) entonnaient des prières de leurs voix haut perchées et s'inclinaient à l'unisson sur leurs textes. Exactement au-dessus de leurs têtes, trônait une statue en bronze de Bouddha, entouré de dieux hindous, son regard serein posé sur eux.

Des poutres massives soutenaient un plafond d'une hauteur de huit mètres environ, des escaliers en bois menaient au toit en terrasse, aux magnifiques ornementations de cuivre travaillé.

Le grand-prêtre nous a fait visiter toutes les chapelles du monastère. Il s'inclinait profondément devant chaque statue du seigneur Bouddha et nous faisait signe de le suivre. Des dieux hindous somptueusement parés souriaient dans des niches creusées dans les murs tandis que nous présentions nos hommages à Bouddha qui, bien que prince hindou de naissance, s'est imposé les rigueurs des huit chemins menant au nirvána.

Dans le silencieux rectorat, on nous a servi le thé, sucré et mélangé à du riz et à du beurre de yak. En signe de considération pour son invitée étrangère, le grand-prêtre a attendu que j'aie terminé mon thé avant de commencer à boire le sien.

Dans toute l'Asie, prendre le thé obéit à un cérémonial. Son origine est légendaire. On raconte qu'un sage de l'Inde du Sud, du nom de Bodhidharma, s'est rendu en Chine au sixième siècle, pour méditer. En général, il méditait devant un mur nu. Durant l'une de ses périodes de méditation, il entra dans une vive colère contre lui-même, car il sentait le sommeil le gagner. Sa colère était si grande qu'il s'est coupé les paupières, de façon à ne plus jamais dormir et qu'il les a jetées. On dit qu'elles ont pris racine et qu'elles ont donné naissance à une plante jusqu'alors inconnue, le thé, dont les feuilles maintiennent éveillé.

En effet, le thé provient de la Chine du Sud et le sage Bodhidharma est l'un des fondateurs de la philosophie Zen. Aujourd'hui encore, ses disciples boivent du thé tandis qu'ils méditent.

J'ai bu tout mon thé. Bhalla et moi nous sommes inclinés devant le grand-prêtre et nous avons pris congé de lui et des lamas présents. Le chant des voix haut perchées a repris dans la salle de classe et les lamas ont recommencé à danser.

Bhalla et moi avons quitté le monastère à pied. Nous avons laissé la jeep et nous avons marché sur le flanc boisé de la montagne. Nous traversions à gué d'étroits cours d'eau, pieds nus, et nous essayions d'apercevoir la source de l'eau glacée, loin au-dessus de nous. L'air était si clair et si pur que je le ressentais comme un courant régénérateur qui me traversait. Des petits animaux jaillissaient de partout sur le sentier et, dans la forêt, les ours sauvages et les léopards attendaient la nuit. Plus haut, nous avons croisé les lépreux du Bhoutan. Leurs mains, leurs yeux, leur nez, des pans entiers de leurs visages étaient dévorés. D'autres, à un stade moins avancé de la maladie, avaient l'horreur inscrite dans le regard à l'idée de ce qui les attendait. Ils s'excluaient eux-mêmes de la société et n'approchaient jamais des villages; ils préféraient éviter le regard de ceux qu'ils effrayaient.

Du côté du village de Paro se tenait un marché primitif où l'on pouvait acheter des bottes bhoutanaises faites de peau de yak mâchée, des tissus aux vives couleurs, tissés à la main, de la farine d'enveloppe de maïs, du charbon et des piments. Des habits étaient accrochés à un ou deux étals : des pull-overs, des bonnets de laine. Comme le peuple des montagnes n'avait qu'un seul vêtement, dans lequel ils vivaient, travaillaient, mangeaient, dormaient et mouraient, les affaires n'étaient pas très bonnes.

Assises, de vieilles femmes mâchaient de la noix de Betel et mélangeaient les feuilles de betel à la pâte de citron. Ces gourmandises étaient empilées dans des paniers, elles les vendaient pour trois fois rien. Le citoyen du Bhoutan ne manque pas de moyens de s'intoxiquer. Il y en avait beaucoup et pour tout le monde.

Les pièces de monnaie ne sont ni rondes ni plates, ce qui les rend difficiles à mettre dans la poche; d'ailleurs, les robes des bhoutanais n'ont pas de poches. Ce sont des morceaux d'acier épais et tordus, lourds et encombrants. Ils datent du seizième siècle. On dirait plutôt des bijoux grossiers que des pièces de monnaie. On transporte sa nourriture et ses objets personnels dans des sortes de poches en paille dépassant des plis de la robe.

Les huttes sont construites sur pilotis, les animaux de la famille vivent en dessous. Les insectes et les mouches grouillent dans la paille où ont dormi les poulets et les chevaux. Dans la hutte brûle l'éternel feu de charbon dans une cheminée située au milieu de l'espace où l'on vit et où l'on dort. Il n'y a ni système d'écoulement, ni eau courante.

Au Bhoutan, il n'existe ni hôpitaux, ni docteurs, ni médecine. Les guérisseurs locaux traitent les maladies par des rituels. La foi joue un rôle si important qu'il arrive souvent que les malades guérissent. Malheureusement, ces méthodes se révèlent absolument inefficaces contre le choléra, la lèpre, la syphilis et la typhoïde.

Dorji m'avait expliqué à Calcutta que les dirigeants du Bhoutan répugnaient à laisser entrer la modernité dans leur société médiévale. Ce n'était pas uniquement le matérialisme qu'ils rejetaient. Ils ne voulaient ni industrialisation, ni machines, ni quelque équipement moderne que ce soit, qui détruiraient l'harmonie séculaire et troubleraient la paix du peuple. Ils ne voulaient pas d'échanges avec l'extérieur, trop de contraintes s'ensuivraient et le Bhoutan voulait rester indépendant. Mais Dorji déplorait que son pays refuse l'aide médicale et même la connaissance de la médecine. Son peuple était peut-être raisonnablement heureux, mais il était malade. Le pays avait besoin d'aide. Il était sous-peuplé. Les vies étaient précieuses, avait-il argumenté. Mais les dirigeants avaient refusé. Ils pensaient que même les médecins exerceraient une influence qui contaminerait le peuple.

Le citoyen du Bhoutan attendrait donc encore avant d'entrer dans l'ère moderne. La foi lui rendait la vie supportable. Du moment que ses dirigeants en avaient décidé ainsi, il acceptait l'adversité, de la nature ou des circonstances. Il faut avouer qu'en dépit de la saleté, de la maladie et de l'analphabétisme, malgré les tas d'excréments dans lesquels jouaient les enfants, malgré les pieds nus des adultes, dans la neige et dans la glace, les citoyens du Bhoutan avaient l'air serein et joyeux. Chaque individu, les yeux brillants et l'allure tranquille, semblait posséder le calme intérieur. Chaque jour, le soleil se couchait à environ quatre heures. La vallée se trouvait alors plongée dans la froide obscurité. La cheminée de la maison commune était la bienvenue. Un soir, Bhalla, Nishioka-san, Oksan et moi étions tranquillement assis autour du feu. La porte s'est ouverte en grand et j'ai aperçu le ciel étoilé.

Il a soudain poussé des jambes à l'une des étoiles et elle a flotté vers moi. C'était une femme, une des plus ravissantes que j'aie jamais vues. Peut-être était-ce l'une de ces «beautés au dos creux» dont les montagnards superstitieux disent qu'elles errent le long des chemins pour tenter les hommes. Leur beauté est irrésistible, mais si l'un des hommes y succombe, il mourra à l'aube. La nuit, les rochers et les ravins boisés appartiennent aux fantômes et aux esprits. Les mortels se réfugient dans des huttes en pierres et les yaks se cachent en attendant la sécurité du grand jour. Même les gens raisonnables, intelligents et éduqués y croyaient. Il y a des preuves — beaucoup de preuves. On a *vu* des gargouilles rouge sang dîner de coeurs humains; d'invisibles *yetti* écorchent la poitrine des pêcheurs et provoquent des troubles si complexes que la médecine occidentale n'y comprend rien. Récemment, un prince, influencé par l'occident, avait refusé de payer son tribut au Festival des Lumières. On disait qu'un roi mort habitait dans l'arbre imposant devant le palais royal. Par respect pour lui et pour son sommeil, on n'illuminait pas cet arbre pendant le Festival des Lumières. Le prince avait haussé les épaules et donné un coup de pied dans l'arbre en signe de mépris. Au matin, sa jambe était enflée et douloureuse, il ne pouvait pas marcher. Il était resté dans cet état pendant des jours et des jours jusqu'à ce qu'on envoie chercher un prêtre bouddhiste qui lui avait soutiré des excuses. À l'instant même où le prince demandait son pardon au roi mort, sa jambe était redevenue normale. On racontait qu'un intellectuel avait assisté à l'événement et que, épuisé par les questions sans réponse de l'Himalaya, il avait récemment pris la fuite.

Il était évident que moi aussi je succombais aux montagnes. Elles commençaient à m'hypnotiser et je n'avais qu'une envie, cesser de croire à la réalité.

La superbe apparition était à la porte. Elle portait la traditionnelle robe bhoutanaise et un collier de corail autour du cou. De fines gouttes d'eau brillaient dans ses cheveux ; quelques instants auparavant, c'étaient des flocons de neige. Une écharpe ceinturait étroitement sa taille et révélait une silhouette parfaite. Tandis qu'elle s'approchait de nous, son souffle semblait de cristal. Elle avait les bras nus et portait des sandales. Elle devait avoir dans les vingt-trois ans, ses yeux ressemblaient à des olives noires, sa peau était de sombre satin. Elle m'a tendu la main et s'est présentée en anglais.

«Bonsoir, je suis Mary MacDonald, la secrétaire de Llendhup Dorji dans la vallée de Paro et vous êtes mon actrice préférée. Est-ce que Jack Lemmon est aussi drôle dans la vie que dans ses films ?»

«Oh non ! me suis-je dit, ça ne va pas recommencer». Je n'avais pas fait le tour du monde en X jours, jusque dans l'Himalaya, pour m'entendre poser des questions sur le cinéma. Je suis revenue sur terre et j'ai répondu oui.

Mary avait fait vingt kilomètres à pied dans la neige profonde, près de la frontière chinoise, pour écouter l'Oracle. Elle était chrétienne, mais quand il s'agissait du Bhoutan, elle retombait dans des superstitions d'un autre âge. Les Bhoutanais croient que si l'oracle est complètement saoûl quand il se prononce, il n'a plus aucun contrôle sur ses prédictions et qu'il laisse donc la divinité s'exprimer librement à travers lui. Donc, nous a raconté Mary, on l'avait fait boire pendant quarante-huit heures avant qu'il ne pénètre dans le lieu de prière que l'on avait préparé pour lui.

Cette fois-ci, il était entré, il avait regardé autour de lui et il était devenu fou furieux en s'apercevant qu'aucun membre de la famille royale n'était là pour l'écouter. En criant comme un enragé, il avait agrippé les drapeaux de prière et les avait arrachés du sol. Le public, croyant que les dieux étaient vraiment en colère, avait frémi de terreur.

Des assistants avaient remis les drapeaux en place et l'Oracle avait recommencé. Il tremblait de tous ses membres, il bafouillait de façon incohérente et il avait à nouveau tenté d'arracher les drapeaux. Subitement, il avait retrouvé son contrôle et lancé un avertissement : la famille royale devait faire plus attention à ce qui se passait dans le monastère de Thiumphu (la capitale du Bhoutan). Il a rappelé aux assistants qu'il avait prédit avec dix-huit mois d'avance la lettre anonyme provenant du monastère de Thiumphu et qui avait provoqué l'assassinat de Jigme Dorji, le frère de Llendhup. Cela s'était passé. Les Dorji devaient prendre ses avertissements au sérieux.

Mary s'était précipitée à Ha pour rapporter l'incident à la famille royale. Elle avait appris que la famille royale était déjà partie, ce qui l'avait inquiétée. Mary n'était pas quelqu'un qui se laissait facilement impressionner. Ses manières directes donnaient un sentiment de sécurité et son rire naturel dissipait les craintes. Mais maintenant Mary était troublée.

Elle s'est mise à consulter les horoscopes avec une attention soutenue. Mary se décrivait comme un cocktail himalayen : elle avait du sang indien, bhoutanais, écossais et irlandais. Elle avait été élevée dans le catholicisme par deux vieilles tantes, au Kalimpong, un ex-territoire bhoutan cédé à l'Inde par un traité anglais. Malgré son éducation chrétienne, lorsque l'angoisse régnait, elle cédait à l'attrait des superstitions asiatiques. Bhalla, assis en silence, regardait le feu. Les serviteurs royaux, couverts de suie et bénévoles — ils considéraient qu'il était de leur devoir de servir la famille royale — dressaient la table pour le dîner.

Larry Llamo s'est précipité dans la maison. Il portait plusieurs chandails sous un parka et de hautes bottes.

«Je viens de recevoir un communiqué de Phuncholing. Je dois y retourner immédiatement, a-t-il dit. Probablement des problèmes sur la route.»

Mary et Bhalla ont échangé un regard lourd de sens, mais n'ont rien répondu. Manifestement, Larry voulait avoir l'air professionnel. «Je suis désolé de ne pas pouvoir rester plus longtemps avec vous.» Son sens du devoir passait avant tout. On pouvait compter sur lui, même s'il était amoureux.

Et Larry était évidemment amoureux de Mary.

Elle s'est vivement levée. Les mots qu'elle a adressés à Larry avant son départ ressemblaient à ceux d'une mère à son fils s'apprêtant à entreprendre un dangereux voyage. Bhalla m'a dit que personne n'avait jamais embrassé Mary, mais que chaque femme dont le mari connaissait Mary était jalouse d'elle. Bhalla a mis le tourne-disques portatif en route et «Come Fly with Me» a retenti dans la pièce tandis que Larry nous quittait.

Nous avons mangé notre habituel ragoût. On avait apporté de Phuncholong un mets nouveau, qui ressemblait à un condiment indien. J'en ai pris une énorme cuillerée. C'était exquis. Mary et Bhalla se sont servis de piments. Nous avons plaisanté et ri. L'appétit de Mary était un défi à sa ligne. Elle a englouti trois assiettes de l'épais ragoût, qu'elle a fait suivre de deux grosses plaques de chocolat que nous avions apportées de Calcutta. Le gâteau au chocolat en forme de coeur, recouvert de poussière et probablement moisi était toujours dans ma chambre. Je me suis levée de table et j'ai traversé l'herbe givrée pour aller le chercher.

L'air glacé m'a bondi au visage et mes oreilles ont commencé à bourdonner. Et le monde a basculé. Je me suis couverte de sueur et j'ai été prise de violentes nausées. Je voyais vaguement ma chambre, juste en face de moi. Les contours en étaient brouillés. Mes oreilles sonnaient de plus en plus fort, mon pouls s'accélérait, prenait le galop. Je n'ai eu que le temps de parvenir au trou creusé dans le ciment avant que la nausée ne me soulève et que je ne vomisse violemment.

Le vomi et la bile étaient noirs. J'avais l'impression qu'on me retournait l'estomac. J'étais terrorisée. On ne m'avait pas fait de vrai vaccin contre le choléra avant d'entrer au Bhoutan. Je ne disposais pas des deux semaines nécessaires; mais les médecins semblaient s'en moquer car, disaient-ils, le vaccin n'immunisait pas contre la maladie. La seule façon efficace de ne pas l'attraper était d'éviter les endroits où elle sévissait.

Les symptômes étaient réunis: forte fièvre, vomissements violents, déshydratation, vision brouillée, vertige, vomissements noirs et nausées irrépressibles. Je me suis écroulée sur le lit de camp. Une goutte de peinture jaune est tombée du plafond dans mon oeil.

De temps en temps, j'avais conscience de la présence de Mary et Bhalla. «Pas idée de ce que c'est. Apporte des serviettes froides. Elle a encore des haut-le-coeur. Ne la laisse pas tomber. Elle veut être toute seule.» Les serviteurs du palais me regardaient, le visage impassible, l'air cruellement inexpressif.

Mary et Bhalla me soutenaient, m'empêchaient de tomber, tandis que je ne cessais de m'effondrer sur le trou creusé dans le plancher. J'étais déshydratée, je mourais de soif. J'avais l'impression que l'odeur de la peinture jaune me suffoquait.

Un irrésistible sentiment de peur et de solitude m'a envahie. Pourquoi étais-je si seule? Pourquoi étais-je en train de vomir de la bile noire au sommet de l'Himalaya?

J'étais parcourue par des ondes de nostalgie de quelque chose que je ne pouvais pas définir. Je voulais monter de plus en plus haut dans les montagnes, chercher quelque chose de plus en plus loin, non pas pour renoncer à la terre mais pour embrasser de nouveaux mondes et faire partie de tout ce qui existait.

Tout sentait le vomi. Je me suis entouré le ventre de mes bras, pour tenter de contrôler la nausée. J'ai pensé à la femme Massaï qui se balançait d'avant en arrière en se tenant l'estomac et qui ne s'était même pas rendu compte qu'elle accouchait.

Je me suis demandé si les gens faisaient réellement partie les uns des autres, menant ensemble la bataille pour la vie. Si j'en apprenais plus sur moi-même, cela m'aiderait-il à mieux connaître les autres et réciproquement? Quand aurais-je donc terminé ma quête? Est-ce que je reconnaîtrais le moment où je saurais? Étais-je en train d'essayer de perdre mon identité ou de la trouver? Je ne savais pas.

Le vent s'infiltrait par les fentes des fenêtres. J'ai songé à Sachie et à ce qu'elle deviendrait s'il m'arrivait quelque chose. Et à Steve, qui avait toujours assumé mes voyages et ma quête. Était-ce de l'égoïsme de vivre de la manière qui me rendait le plus heureuse? Est-ce que je ne ferais pas mieux de restreindre mes besoins et mon esprit — mieux pour tout le monde y compris moi-même? La liberté était si solitaire, la plupart du temps. Et pourtant, quand je pensais à Sachie, je lui souhaitais la liberté. La liberté, les fenêtres grandes ouvertes afin que puissent entrer le vent et les défis. Je souhaitais qu'elle se connaisse elle-même grâce à la liberté. Et je souhaitais qu'elle comprenne que la sécurité est un leurre, qu'il n'y a aucun refuge sûr pour celui qui désire connaître la VÉRITÉ, quelle qu'elle soit, sur lui et sur les autres. J'espérais qu'elle s'apercevrait que la vie était assez importante pour mériter d'être vécue pleinement et qu'elle apprendrait qu'en dernière analyse, on vit exclusivement avec et en soi-même et que l'on n'a pas d'autre choix que d'être fidèle à son moi intérieur.

J'ai pensé à beaucoup de choses, mais finalement rien ne comptait sauf mon estomac. J'aurais donné n'importe quoi pour un bon estomac qui se serait tenu tranquille. C'était si simple : l'unique chose qui comptait pour moi, c'était de me sentir bien à nouveau. Pas Steve, ni Sachie, ni ma vie, ni mes idées, ni les films que je ferais ou les voyages que j'entreprendrais. Tout se résumait à une seule chose — ne plus vomir.

J'ai fini par être si épuisée que je me suis profondément endormie. Tant pis si je vomissais au lit, il fallait que je me repose.

Des jours ont dû passer. J'avais perdu tout sens du temps. Très progressivement, je me suis sentie mieux. La nausée avait cédé et quand j'ai enfin ouvert grands les yeux, j'étais absolument euphorique de n'être plus malade et de n'avoir plus de fièvre.

Mary et Bhalla ont ouvert la fenêtre. Un vent froid m'a caressé le visage. J'ai essayé de leur décrire l'état délicieux dans lequel je me trouvais.

Ils m'ont aidée à me lever. J'avais perdu tout sens de l'équilibre. Ils m'ont apporté du thé et de l'eau de source. J'aspirais à la lumière du soleil et à l'air frais des montagnes. Je voulais marcher jusqu'au sommet des monts que je voyais par la fenêtre. Pendant quelques jours, je me suis reposée sur les marches de la maison, en m'imprégnant avidement de tout ce qui m'entourait. J'ai lentement repris des forces. J'avais été malade un certain nombre de fois dans ma vie — une péritonite, une grippe asiatique qui m'avait donné plus de 41° de température — mais cette fois-ci avait été différente. Non pas parce que j'avais eu ou pas une maladie mortelle appelée choléra, mais simplement parce qu'il n'y avait personne pour m'aider. Le sentiment d'affronter complètement seule quelque chose de terrifiant était pire encore que la maladie elle-même.

J'avais l'impression d'avoir effectué toute seule un long voyage. Plus que jamais, je désirais connaître les «phénomènes» des peuples de la montagne. Maintenant que j'allais bien, je voulais rendre visite aux lamas — les mystiques lamas et leurs monastères, plus haut dans les flancs des grandes montagnes du Bhoutan.

C'est ainsi qu'un matin, Bhalla, Mary et moi nous nous sommes levés à cinq heures et demie pour grimper quatre mille cinq cents mètres plus loin, au Monastère de Taksang. Comme d'habitude, Mary portait une de ses robes aux vives couleurs et des sandales dans ses pieds nus. Moi, comme d'habitude, je grelottais. La technique du cercle orange ne me réussissait que la nuit, quand j'étais seule et que je pouvais me concentrer. Le reste du temps, sauf quand le soleil brillait, j'avais froid. Mon esprit semblait trop dispersé pour que je puisse me détendre et surmonter le sentiment d'avoir peur du froid.

En souriant, Mary m'a tendu une bouillote. Ses cheveux étaient trempés. «Je viens de me les laver dans la rivière», a-t-elle dit.

Accrochée à ma bouillote, je l'enviais autant qu'il est possible d'envier quelqu'un.

«Ne vous inquiétez pas, le soleil va se lever bientôt, a-t-elle dit. Vous aurez plus chaud et mes cheveux sècheront.»

Tremblante et grelottante, je suis montée sur le maigre cheval qui appartenait à l'un des sherpas. J'ai coincé mon journal sous la selle. J'avais les doigts trop engourdis pour écrire, de toute façon.

Nous nous sommes engagés sur l'étroit sentier et j'ai imaginé comme cela pouvait sembler ridicule de confier nos vies à ces chevaux, totalement impuissants devant l'éboulement des sentiers qui s'effondraient sous nos pas tous les cent mètres. Deux nonnes bouddhistes étaient tombées deux semaines auparavant, quasiment dans l'indifférence générale : les chutes dans le ravin étaient si fréquentes.

Nous nous sommes arrêtés à côté d'un lac. À quelque mille mètres au-dessus de nous un ermitage se détachait dans les nuages.

«Ce lama a passé sa vie entière à méditer en silence, a dit Bhalla. Un villageois lui apporte de la nourriture deux fois par semaine. C'est son seul contact avec d'autres êtres humains et sa seule source de nourriture. Mais il est si révéré, qu'il ne manquera jamais de rien. Les gens des montagnes croient que leurs dieux vivent dans le corps des lamas.»

Le lama est apparu sur le sentier, au-dessus de nous. Comme s'il ne nous voyait pas, il a semblé glisser vers nous. On aurait dit que ses pieds ne touchaient pas terre, qu'il volait au ras du sol, dans sa longue robe safran.

Nous étions au bord du lac. Avec un bâton, le lama a brisé la glace et creusé un trou dans le lac gelé. Puis il s'y est plongé jusqu'au cou, sans changer d'expression. Il y est resté pendant un quart d'heure, immobile, entouré de glace. Aucun de nous n'a fait un seul mouvement. Ensuite le lama est sorti de l'eau et s'est tenu sur le bord du lac, immobile, silencieux, comme s'il était en transe.

Bhalla m'a poussée du coude. De la vapeur s'échappait du corps du lama. En un instant, il s'est mis à transpirer. Il s'est retourné et il est tranquillement rentré dans son ermitage.

Bhalla m'a fait un clin d'oeil. «Il y a un autre de ces lamas, par ici, qui fait un truc incroyable. Assis sur une natte de paille, les jambes croisées dans la position du lotus, les mains sur les genoux, il monte à un mètre en l'air. Je l'ai vu. Il défie les lois de la gravité, c'est un vrai mystère.»

C'était une question que j'avais envie de poser depuis que j'étais arrivée. «Bhalla, je voudrais voir quelqu'un en lévitation. Est-ce vrai que cela existe? Mon professeur de Calcutta m'a dit que l'on peut inverser les pôles de gravité à l'intérieur de soi-même si l'on projette la concentration nécessaire vers une autre planète, au-dessus de nous. Il a dit que c'était une question d'énergie mentale que vous magnétisez, et que, par la concentration, vous pouviez être attiré par le pôle de gravitation d'une autre planète, défier l'attraction de la terre et vous élever au-dessus du sol.»

«Beaucoup de gens disent y avoir assisté, a dit Mary. On dit même que l'on peut y arriver pendant les premiers stades de l'illumination. Mais je ne sais s'ils l'ont vraiment vu ou s'ils croient l'avoir vu. En ce qui concerne le fait lui-même, j'exprime les mêmes réserves. Pendant la méditation, c'est assez banal d'avoir l'impression de flotter au-dessus de la terre. Plein de gens disent qu'ils ont éprouvé cette sensation après avoir atteint un certain état mental de relaxation et de paix : ils ne font plus uniquement partie de la terre, ils font un avec tout, y compris le ciel au-dessus d'eux. Je tends à croire que c'est une sensation plutôt qu'un fait. Dans l'Himalaya, il est difficile d'établir la différence. Je connais une tribu, par exemple, qui vit plus haut dans les montagnes et qui est censée ne manger que deux à trois fois par mois. À la place de nourriture, qui est rare à cette altitude, ils auraient appris à tirer leur substance des rayons ultraviolets du soleil. Ce n'est pas inconcevable, compte tenu de la quantité de propriétés et de vitamines qui sont contenues dans les rayons du soleil. Il existe une autre tribu, géographiquement protégée de tout contact avec l'extérieur, qui ignore tout de la maladie. Les gens y vivent jusqu'à cent cinquante ans et plus. Il y a tant de choses que nous ne comprenons pas, mais en lesquelles nous devons croire, car elles nous donnent de l'espoir.»

Nous sommes remontés à cheval et nous avons continué notre ascension.

On disait que mille ans auparavant, un lama monté sur un tigre s'était arrêté au bord de la falaise où s'élève maintenant le Monastère de Taksang et avait revendiqué le lieu comme sien. Il y avait médité seul pendant vingt ans. À sa suite, étaient venus des disciples qui tous restaient vingt ans. Depuis, la falaise s'appelait le Nid du Tigre. Un lama y vivait et montait la même garde. Selon la coutume, un villageois pourvoyait à sa nourriture.

On ne pouvait atteindre le monastère, qui s'élevait à quatre mille cinq cents mètres d'altitude, que par l'arrière, où serpentait un long sentier, large d'une trentaine de centimètres. Nos chevaux avaient beau faire extrêmement attention et être habitués aux rochers, ils trébuchaient parfois et tombaient sur un genou, couverts de sueur. Sur les plus fortes pentes, ils s'arrêtaient tous les mètres, soufflaient et attendaient avant de repartir. Nous sommes restés six heures à cheval, puis le soleil s'est couché.

Mary a levé le bras et nous nous sommes arrêtés. Nous étions à côté d'une chute d'eau. Nous sommes silencieusement descendus de cheval. L'eau était argentée. Des oiseaux jouaient dans l'écume. On aurait dit que les rayons du soleil tombaient des plumes des oiseaux dans l'eau et sur les rochers. Personne ne parlait. Je me sentais dans un état étrange. Je me suis assise et j'ai mangé un morceau de pain. Ce n'était pas l'altitude qui me donnait le vertige. J'étais déjà montée aussi haut. Quelque chose arrivait à mon esprit. C'était plus psychique que physique.

Les sherpas ont reconduit les chevaux en bas de la montagne. Nous ferions le reste de la montée à pied.

Le Monastère de Taksang était à environ trois cents mètres au-dessus de nous. L'air de la montagne me remplissait les poumons. Bhalla a cessé de fumer. Nous avons commencé à grimper. Mes chaussures de tennis à semelle de caoutchouc s'agrippaient fermement aux rochers. Mary a enlevé ses sandales. Bhalla s'est débrouillé comme il pouvait avec ses chaussures italiennes à bout pointu. À une quinzaine de mètres de la crête, des marches de pierre étaient creusées dans la falaise. Nous les avons gravies. Puis nous avons trouvé l'escalier qui menait au monastère, de grosses planches de bois lancées sur les rochers. Nous avons regardé au-dessus de nous : le lama du monastère nous attendait au sommet, sa robe brune flottant autour de lui dans le vent de la montagne. Il se détachait contre le ciel et nous a salués tandis que nous terminions notre ascension. Nous étions arrivés par derrière, personne ne l'avait prévenu de notre venue, il ne pouvait pas nous avoir vus. Il nous accueillait pourtant comme s'il attendait notre visite.

Je me suis redressée. Le vent me donnait l'impression de me traverser le cerveau plutôt que de circuler autour de ma tête. Je regardais les montagnes qui m'environnaient et la vallée qui s'étendait à mes pieds. Mais je ne regardais pas le spectacle, j'étais le spectacle. Je me suis assise sur une pierre, muette d'étonnement. J'avais l'impression que mes yeux se balançaient avec les arbres des montagnes, que j'étais devenue les cours d'eau de la montagne et la chute d'eau qui était juste en dessous de moi. J'étais saisie du désir irrépressible de prendre mon élan et de voler. J'étais certaine d'y arriver. J'avais perdu tout sens de la réalité. Tout se passait comme si mon esprit, indépendant de mon corps, planait sur la terre avec les vents, tourbillonnait avec eux, plongeait et remontait avec eux, jouait à leur rythme. Je me sentais libérée de moi-même. Lorsque le vent a changé de direction, cela ne m'a pas étonnée, car j'étais avec lui. *J'étais* le vent.

Je commençais à comprendre. Comme si ce vent était une langue. Je ne comprenais pas toutes les nuances, mais le sens général était clair. Je faisais partie de toutes choses. Je n'étais plus simplement moi, j'étais tout.

Était-ce de ce phénomène que tout le monde parlait? Était-ce cela que craignaient ceux qui parlaient de «vol de l'âme»?

J'ai regardé Mary et Bhalla. Tous deux semblaient hypnotisés. Ils fixaient sans ciller, les yeux à demi fermés, tout ce qui s'étendait à nos pieds. Eux aussi, ils semblaient libérés de leur corps, et prêts à monter et à descendre avec tout ce qui se passait dans leur esprit.

J'ai regardé le lama. Il me surveillait. Il avait l'air de comprendre, mais d'une façon détachée, impassible, comme s'il était le vent depuis vingt ans, depuis qu'il vivait au sommet de la montagne. Ce n'était plus un être humain. Il était tout. Son visage était ridé et creusé, mais il faisait très jeune.

Le lama a touché mon bras, puis celui de Mary et celui de Bhalla. Les yeux mi-clos, ils se sont levés et m'ont aidée à faire de même. Le lama nous a conduits dans la chapelle des audiences; la table à thé était dressée pour le nombre de personnes que nous étions. Il nous a bénis. Silencieusement, nous nous sommes assis et nous avons bu notre thé.

Le vent violent s'engouffrait dans les couloirs du monastère. Une grande statue de Bouddha veillait sur nous, le visage souriant tourné vers nous dans une expression de sagesse détachée, comme si le Bouddha était parvenu à un stade d'harmonie sereine et totale avec ce qui l'entourait.

Il y avait huit chapelles dans le monastère silencieux et venteux; le lama les avait construites de ses mains et décorées. Il priait trois fois par jour dans chacune d'entre elles. Il en creusait de nouvelles dans les flancs de la montagne, pour témoigner de sa foi. Le lama nous a fait visiter les chapelles. D'épaisses planches de bois permettaient de circuler de l'une à l'autre. En silence, nous nous inclinions devant chaque autel, nous touchions le sol de la tête, nous offrions l'hommage de nos prières et de pièces de monnaie. Des myriades de dieux hindous aux vives couleurs entouraient le Bouddha sur les autels. Le soleil perçait par de hautes et étroites fenêtres aux barreaux de bois. Sous les fenêtres, c'était le ravin. On aurait dit que le monastère était suspendu dans le vide. Consciemment, je me sentais suspendue avec le monastère.

Le lama nous a laissés devant un Bouddha, dans l'une des chapelles. Il est revenu quelques instants plus tard, les mains pleines de bouts de tissu safran.

«Ceci vous protègera». Le lama a ouvert les mains et nous a offert des bandes de tissu. «Elles sont bénies. Portez-les autour du cou jusqu'à ce qu'elles se désagrègent.»

Le tissu était rèche. J'ai obéi et je l'ai attaché autour de mon cou. Dans ce sanctuaire, le concept de protection ne semblait pas exister. En fait, plus rien n'avait le sens que je connaissais depuis toujours. C'en était fini du bien et du mal, du vrai et du faux. La peur avait disparu. Il n'y avait rien à craindre, puisque l'on se sentait faire partie de toutes choses. Tous les systèmes de références précédents semblaient flotter avec le vent.

Des nuages orange, bleu et pourpre étaient accrochés au monastère. Le soleil se couchait. Il était temps de partir. Dans une heure, le monastère serait baigné de brume. Nous allions faire presque toute la descente dans le noir.

Debout sur ses sommets rocheux, le lama nous a salués tandis que nous commencions à descendre les marches de pierre. La descente était plus rapide. Sur les pentes lisses, je me suis détendue et je me suis laissée glisser sur une centaine de mètres. Des ombres jouaient dans les falaises et dans les arbres qui nous surplombaient. Je souriais tellement à l'intérieur de moi, que je ne ressentais plus le besoin de respirer. Nous descendions en silence. Soudain Bhalla s'est arrêté. On entendait siffler, à mi-distance à peu près du bas de la montagne. Ces sifflements aigus servent aux peuples de la montagne à communiquer entre eux.

Mary m'a pris la main.

«Allumez une allumette pour chacun de nous», m'a demandé Bhalla en me tendant la boîte.

«Un léopard, a-t-il ajouté. Les sifflets nous préviennent. Marchez calmement, comme si tout allait bien. Les flammes l'effraieront.»

Mary a touché la bande de tissu safran qu'elle portait autour du cou. Bhalla ouvrait le chemin.

Les sifflements ont changé de hauteur et de direction. Nous descendions, en simulant l'indifférence et en allumant et rallumant des allumettes. Un terrain plat et découvert s'est ouvert devant nous. Nous avons couru vers nos chevaux.

Les sherpas avaient disparu. Bhalla a sifflé. Pas de réponse. «Faites un grand feu avec du bois mort, nous a ordonné Bhalla. Il faut que je remonte. Avec un feu derrière moi, je serai en sécurité.» Mary et moi avons fait le feu et nous avons attendu près des chevaux. Nous avons entendu siffler à nouveau, puis crier à voix rauque et Bhalla et les sherpas ont jailli de l'obscurité vers la sécurité du feu. Les sherpas avaient appâté le léopard en différentes directions afin de l'écarter de notre route. Dans le noir, ils s'étaient perdus. Accroupis près du feu, ils ont demandé du chocolat.

Absorbés chacun dans nos pensées, nous sommes remontés à cheval pour rentrer à Paro. Des feux brillaient dans les grottes de la montagne. Ils parsemaient l'obscurité de taches de lumière. Encore une fois le silence qui hypnotisait... J'ai senti les étoiles se reposer sur ma tête... Encore une fois, *j'étais* les étoiles... J'étais tout.

Le sherpa de tête a entonné une prière bouddhiste. Ses camarades ont repris avec lui. Les voix montaient et ricochaient sur les flancs des montagnes noires qui apparaissaient et semblaient soupirer dans la nuit. La cheminée de la maison commune brillait à distance, par la porte ouverte.

Cela faisait plaisir de la voir, mais je n'avais plus froid. Cette nuit était probablement la plus froide de toutes, mais je n'avais pas froid, puisque j'étais le froid. Je n'en avais plus peur. Mes dents ne claquaient plus, je n'étais plus complètement crispée, je n'avais pas besoin de courir en grelottant jusque dans la maison commune. J'aurais pu rester à cheval toute la nuit. Le vent de la nuit m'entourait. Encore une fois, il était en moi et non hors de moi. Je n'ai même pas pensé au cercle orange. Ce n'était plus nécessaire. C'était comme si le cercle orange était la première étape sur le chemin de la maîtrise de mon pouvoir intérieur. L'étape suivante concernait manifestement la relaxation et le sentiment de faire partie de toutes choses, qui remplaçaient les techniques pour maîtriser les sensations désagréables. La dernière étape devait être l'acceptation totale et complète, l'acceptation absolue. L'acceptation de tout ce qui existe et de tout ce qui existerait. Alors règnerait l'harmonie.

Chapitre 20

Mary et Bhalla chuchotaient à l'intérieur, au-dessus du feu, penchés sur une feuille de papier. Les flammes éclairaient leurs visages. Ils semblaient inquiets. Mary s'est enfin levée.

« Des explosions de dynamite sont prévues pour demain, a-t-elle dit simplement. Et pendant les deux semaines qui viennent. Nous devons quitter la vallée de Paro immédiatement. Dès le lever du jour. »

Partir ?

Je ne voulais poser aucune question. Mais je savais qu'il s'agissait d'autre chose que d'explosion à la dynamite. On m'avait renouvelé mon visa la veille.

Ainsi, c'en était fini. Juste au moment où je commençais à comprendre. Et juste quand je commençais à ressentir le sens de l'harmonie et de la fusion avec toutes choses, avec tout ce qui m'entourait et pas uniquement avec la nature, avec les gens, aussi. Je commençais à croire que je connaissais et comprenais vraiment Mary et Bhalla, grâce à mes nouvelles perceptions. Je communiquais avec eux ; parfois, j'avais la brève intuition *d'être* l'un d'eux.

Le soleil du matin s'est levé sur les glaciers. Aucun feu ne brûlait. Les collines étaient silencieuses. Aucun sherpa ne se hâtait sur les sentiers. On n'avait pas commencé à casser les pierres sur la route. Les serviteurs du relais avaient disparu.

Nous avons chargé nos bagages sur deux jeeps. Mary et moi sommes montées avec un chauffeur. Bhalla conduisait l'autre jeep, tout seul. Nous avons quitté le relais sans un regard en arrière, sans adieux, sans un instant de recueillement. Rien. Nous partions, un point c'est tout. Comme si c'était la chose la plus banale du monde que je sois allée à Shangri-La et qu'il était temps que la touriste reparte et continue son voyage.

Mary regardait droit devant elle. Le nuage de poussière soulevé par la jeep de Bhalla se déposait sur le pare-brise, nous irritait les yeux, le nez et la gorge. Elle avait les yeux rouges et des larmes coulaient le long de ses joues, creusant des sillons dans la poussière. Elle a fouillé sa robe et en a sorti le papier sur lequel elle et Bhalla étaient penchés la veille au soir. C'était une lettre de Larry Llamo, écrite de sa main.

Très chère Mary, quittez immédiatement le Bhoutan avec nos invités. On a arrêté beaucoup de gens. Personne n'y comprend rien. Venez tout de suite. Quoi qu'il puisse m'arriver, croyez à ces quelques mots et à mon amour.

Larry

Mary a essuyé ses larmes et a soupiré. «Il y a tant de choses que nous ne comprenons pas, a-t-elle dit enfin, depuis l'assassinat du précédent premier ministre. Ils ont pris l'assassin, mais personne ne sait s'il a agi de son propre chef ou s'il était l'instrument d'une conspiration. Il n'a jamais rien révélé.»

— Quel rapport avec ce qui arrive maintenant?

— Ce sont les partisans de Dorji qu'on arrête, a-t-elle répondu simplement.

— Qui les arrête?

— Dans notre royaume, il y a bien des questions sans réponse. Parfois, les conflits n'ont rien de politique. Ils peuvent surgir d'une intrigue de palais, de jalousies familiales, de relations avec les femmes ou les maîtresses. Nous avons eu un roi qui était sous la totale dépendance de sa maîtresse. On a dit qu'elle lui administrait un puissant philtre d'amour et qu'elle complotait contre lui. Elle était en mauvais termes avec la reine-mère, qui voulait exercer le pouvoir.

— Ce serait la famille royale qui ordonnerait les arrestations?

— Je ne sais pas. Nous savons que Dorji est allé en Suisse parler avec le roi. Nous savons qu'il y avait quelques différends entre eux, mais nous ne savons rien du résultat de leurs conversations, ni la raison des arrestations qui ont eu lieu à Phuncholing et sur la route.

Je pensais à la situation géographique stratégique du royaume : c'est l'un des états tampons de l'Inde avec la Chine, comme le Sikkhim et le Népal. Et pour la Chine, c'est un tremplin vers l'Inde et l'Asie du Sud. Topographiquement, ce sont les Chinois qui s'y adaptent le mieux, étant eux-mêmes des montagnards mongols.

— Mary, ai-je demandé, il y a beaucoup de Chinois au Bhoutan?

Elle regardait devant elle. «Je n'en sais rien.»

— Le peuple du Bhoutan n'aime pas beaucoup les Indiens, n'est-ce pas?

— C'est vrai, a répondu Mary. Nous voulons être Bhoutanais. Nous répugnons à l'influence indienne.

J'ai songé au consul américain à Calcutta, qui m'avait demandé de garder les yeux et les oreilles ouverts. Je me demandais ce qu'il avait voulu dire. Avait-on prémédité ce coup d'état en profitant de l'absence de Dorji? Les Américains étaient-ils impliqués? Y avait-il des Chinois à Thiumphu, la capitale du Bhoutan, ou plus au nord, vers la frontière chinoise? Avait-on interrompu mon séjour sous prétexte que nous étions censés aller à Thiumphu la semaine suivante? M'avait-on accordé mon visa à la Nouvelle Delhi uniquement pour que Dorji ne soupçonne pas que des troubles menaçaient son pays? Le roi avait-il ordonné les arrestations depuis la Suisse? Si oui, pourquoi?

Mary disait qu'elle ne savait rien. Nous ne pouvions que nous perdre en conjectures jusqu'à notre arrivée à Phuncholing. Et nous devions faire le dur voyage d'une seule traite.

À deux heures de Paro, les hommes continuaient de travailler sur la route comme si les nouvelles n'étaient pas parvenues jusque-là. Les hommes fumaient, les femmes cassaient des pierres et les enfants jouaient dans les flaques. Pour eux, c'était un jour comme les autres, dans l'Horizon Perdu.

C'est alors que nous avons entendu des moteurs au-dessus de nous. Le travail s'est arrêté et toutes les têtes se sont levées. Deux hélicoptères s'interposaient entre le soleil et nous.

Bhalla nous a rejointes en courant.

«Les hélicoptères royaux, a-t-il dit. Ils vont à Paro. Peut-être que Dorji est avec le roi. Vous croyez que nous devrions retourner à Paro?»

Mary a jeté un coup d'oeil à la lettre de Larry. «Je fais confiance à l'avertissement de Larry, a-t-elle indiqué. Il ne pouvait peut-être pas expliquer ses raisons, mais je crois qu'il faut que nous quittions le Bhoutan immédiatement.»

Mary était une jeune femme pleine d'assurance. Lorsque les jeux étaient faits, elle devenait manifestement le chef. Malgré sa radieuse beauté, elle était plus virile que la majorité des hommes qu'elle connaissait. Pour elle, les hommes étaient des gens avec qui on entretenait des relations d'égalité, franches, droites, amicales, fraternelles. Ce n'était pas des gens avec qui on flirtait en jouant de sa féminité. Devant la pression, ses réactions étaient fermes et elle ne compliquait pas les problèmes par des émotions féminines.

Bhalla n'a pas mis sa décision en question. Il est remonté dans sa jeep et nous sommes repartis.

Mary avait le regard perdu dans les nuages de poussière. On aurait dit qu'elle observait quelque chose.

«Je me demande si je me marierai un jour», a-t-elle dit subitement.

— Pourquoi?

— Parce que j'ai toujours fait ce que voulaient mes tantes. Elles n'ont jamais connu d'homme, elles pensaient que je ferais bien de suivre leur exemple.

«Je me suis donc consacrée aux aspects essentiels de la vie, a-t-elle expliqué. Vous savez, les langues (elle en parlait six couramment), les événements, les études et tout ça. Mes tantes m'ont envoyée faire mes études à Londres parce que le frère de Lenny Dorji, Rimp, me plaisait trop, à leur goût. Le temps que je revienne à Kalimpong, il avait épousé quelqu'un d'autre.»

— Vous l'aimiez?

— Comment le savoir? Je n'ai pas assez d'expérience des hommes. Enfin, mes tantes vont probablement me trouver un mari bientôt. Au moins, quelqu'un m'embrassera.

Elle s'est tue et a recommencé à regarder droit devant elle. J'ai essayé d'enlever la poussière de mon nez, de mes oreilles et de mes lèvres. La poussière me faisait souffrir à chaque fois que je respirais. Nous allions aussi vite que possible sur la route pleine d'ornières et de bosses. Les muscles tendus, nous nous agrippions aussi fermement que nous le pouvions. Une explosion a retenti devant nous, juste avant Chasilakha. Des rochers et des pans de colline sont tombés sur la route. Nous ne nous sommes pas arrêtés. Bhalla a accéléré et a roulé sur l'éboulement. En dessous, la route était solide. Nous l'avons suivi, sans prendre le temps de réfléchir et nous nous sommes retrouvés en sécurité, de l'autre côté du glissement.

Nous avons mis six heures pour atteindre Chasilakha. Les ingénieurs et les arrogants Sikhs étaient partis. Chasilakha était tranquille. Nous avons trouvé de l'eau bouillie et des pommes de terre froides dans la cuisine du relais. Mary et Bhalla ont mangé des piments et nous avons repris la route.

Nous sautions sur les bosses des flancs secs et poussiéreux de la montagne. Nous avions l'impression que les os du dos allaient nous transpercer la peau. Et pourtant, quelques semaines auparavant, tout n'était que boue et pluies torrentielles. Maintenant, seules les explosions de dynamite pouvaient nous barrer le passage. Peut-être qu'en bas on avait attendu pour déclencher les événements que le temps rende la route praticable. L'obscurité est tombée. La température a brusquement baissé et nous avons ralenti l'allure dans les virages.

Des phares sont apparus sur la route, en-dessous de nous.

«Descendez!» Mary m'a fait signe de me cacher. Notre chauffeur s'est écarté et a fait place à un convoi militaire qui montait. Il a salué au passage.

«Des soldats armés et des prisonniers civils» a-t-il annoncé, le visage impassible.

Mary a fouillé chaque jeep des yeux. Elle ne pouvait pas le savoir, mais nous avons appris plus tard que Larry Llamo était dans l'une des jeeps, menottes aux poignets. On le menait à la prison du Dzong de Thimphu. Il y serait enchaîné, pieds et mains, et torturé pendant deux semaines pour lui faire avouer que Dorji avait fomenté un complot contre le roi. Le mot qu'il avait écrit à Mary pour nous avertir d'avoir à quitter le pays avait été l'une des dernières choses qu'il avait faites avant d'être arrêté.

Après que la dernière jeep soit passée, nous avons repris notre voyage vers Phuncholing, la porte de l'Inde. Nous y sommes arrivés dix-sept heures après avoir quitté Paro. Et le cauchemar a commencé.

En approchant du village, nous avons été interpellés par des gardes armés, certains revêtus de l'uniforme kaki indien, d'autres des robes bhoutanaises. Tous manifestaient de l'arrogance et manipulaient des armes et des munitions.

Mary a bondi de la jeep et s'est adressé à un officier indien. «Qu'est-ce que tout cela signifie?» a-t-elle demandé sans aménité.

— Qui est avec vous? a-t-il rétorqué.

— Une invitée étrangère, une Américaine... Mary a hésité. Et Bhalla, conseiller du Premier ministre, qui l'accompagne.

En entendant le nom de Bhalla, les yeux de l'officier se sont mis à briller. «C'est Bhalla, dans l'autre jeep?»

Mary n'a pas répondu. «Où est le premier ministre Dorji?»

L'officier a vaguement souri. «Vous recevrez vos instructions au relais.»

Des gardes armés nous ont entourés et conduits au relais. Cet endroit avait ressemblé à un paradis. Aujourd'hui, c'était un baraquement. Des soldats allaient et venaient. Des lampes de poche trouaient l'obscurité, éclairant notre chemin; nous avons franchi la barrière blanche qui semblait si coquette lorsque nous y étions passés la première fois. Les fleurs sauvages avaient été piétinées et une sentinelle en armes se tenait devant la porte d'entrée.

Nerveusement, Bhalla a secoué la poussière de son pantalon, a redressé le col de sa veste de cuir et a monté les marches; il est passé devant la sentinelle et il est entré dans le salon. Mary et moi avons suivi. La sentinelle regardait droit devant elle, comme si elle ne nous voyait pas.

Les serviteurs étaient tapis dans la cuisine. Personne ne nous a salués. Personne n'a dit un mot. Bhalla s'est approché de l'un d'entre eux. «Qu'est-ce qui s'est passé? Qu'est-ce qui se passe?» Craintivement, le serviteur a ouvert la porte et s'est glissé hors de la cuisine. Bhalla en a questionné un autre, doucement. Mais il est parti aussi et tous les autres l'ont bientôt suivi. Bhalla est sorti derrière eux, j'ai entendu des bribes de conversation derrière la maison. Mary et moi attendions, assises sur des chaises en bois, à une table mise pour trois. La porte s'est ouverte en grand et Bhalla est entré, l'air très inquiet.

«Ils pensent que Dorji est encore en Europe. Certains de ses partisans ont pu s'enfuir à temps. Les autres ont été arrêtés.» Bhalla a regardé Mary, puis ses pieds. «Larry était dans l'une de ces jeeps que nous avons croisées sur la route.»

Mary a tressailli, puis elle s'est levée d'un bond, les yeux lançant des éclairs. «Il faut que nous quittions le pays immédiatement. Impossible d'attendre demain matin. Allons-y.»

L'air aussi naturel que possible, nous sommes sortis et nous nous sommes dirigés vers les jeeps. Des gardes armés, baïonnette au fusil, ont surgi de l'obscurité et nous ont immédiatement encerclés, dans un mouvement qui ressemblait à une chorégraphie. Mon estomac s'est retourné. La paix des hautes montagnes était bien loin. J'ai touché le chiffon rèche que le vieux lama m'avait donné.

Une lame étincelante brandie devant nos visages et sur nos têtes nous donnait un ordre clair : nous devions rentrer dans le relais.

Nous avons obéi.

Chapitre 21

On se serait cru dans un mauvais film. Selon le scénario, j'étais prisonnière dans l'Himalaya, avec deux personnages nommés Mary et Bhalla. Mais il n'y avait ni metteur en scène ni caméras. C'était la réalité et je me trouvais coincée dans un coup d'état, entre les factions opposées d'un complot politique auquel je ne comprenais rien, auquel d'ailleurs ni Mary ni Bhalla ne comprenaient grand-chose.

Nous étions assis tous les trois sur des chaises en bois dans la salle à manger du relais. Nos vestes de sherpas étaient recouvertes d'une fine poussière qui s'incrustait dans nos cheveux et dans nos cils. Les rochers avaient saccagé nos chaussures. Nos estomacs grondaient à l'unisson; nous avions faim et soif; nous étions morts de fatigue.

Un pas lourd a retenti sous le porche. La porte s'est ouverte et un garde est entré. Mary l'a reconnu. «Bonjour, Wanchuk», a-t-elle dit.

Il nous faisait face, debout, les jambes écartées, les mains sur les hanches, une mitraillette à l'épaule. Ses mollets renflés, revêtus de chaussettes tricotées à la main, émergeaient comme des arbres de laine de ses bottes en peau de yak. Une robe tissée à la main, noire, jaune et rouge, le recouvrait jusqu'au bas des cuisses.

— Pourquoi avons-nous été arrêtés? a demandé Mary en bhoutanais.

— Vous allez rester ici, a-t-il dit.

— Mais pourquoi? a insisté Mary.

Il l'a ignorée.

Bhalla, recroquevillé dans sa veste en cuir, n'a rien dit.

— Combien de temps allons-nous rester ici? ai-je demandé.

Wanchuk avait le regard vif, qui perçait sous les verres épais des lunettes perchées sur son nez mongol. Sans répondre à ma question, il s'est tourné vers Bhalla. «Et toi, tu es le conseiller de l'ex-premier ministre», a-t-il constaté. Bhalla a à peine bougé, le cuir de sa veste a couiné. Il a fixé ses chaussures, puis a levé les yeux sur Wanchuk.

— Viens avec moi, a ordonné Wanchuk.

Bhalla n'a pas bougé de sa chaise.

Mary s'est levée, a traduit ce qu'avait dit Wanchuk, a repoussé ses cheveux sur ses épaules, a sorti un peigne de sa sacoche et s'est retournée vers moi, comme si elle voulait savoir de quoi elle avait l'air. Ses yeux ont plongé dans les miens. Elle s'est penchée vers moi et a murmuré: «Ne le laissez pas l'emmener, même pour une minute.»

Avant j'étais inquiète. Maintenant j'étais tout simplement terrorisée. Ex-premier ministre? Dorji?

D'un geste mal assuré, je me suis levée et Mary a traduit ma question. «Pourquoi voulez-vous emmener monsieur Bhalla avec vous?»

— J'agis sur ordre de sa Royale Majesté, à Paro.

— Vous voulez dire que le *roi* a donné l'ordre de nous arrêter?

Wanchuk m'a regardée sans me voir et n'a pas répondu.

— Pourquoi ne parlez-vous pas avec monsieur Bhalla ici, plutôt que de l'emmener? Car nous avons besoin de nos autorisations de quitter le Bhoutan immédiatement et monsieur Bhalla est mon escorte.

Wanchuk a grogné.

Avec un regard vers Bhalla, Mary a continué, d'un ton ferme : «Je suppose que vous savez qui est cette femme, Wanchuk, et que si on lui fait le moindre mal, ou si elle est retenue contre son gré, l'Amérique pourrait s'en prendre à notre pays?»

Wanchuk m'a observée pendant un instant, le visage impassible. Puis il a resserré sa robe autour de lui et il est sorti en claquant la porte.

Nous avons soupiré de soulagement. J'essayais de comprendre ce qui se passait. «Qu'est-ce que c'est, Mary, de quoi s'agit-il?»

Le visage de Mary portait les traces de la plus vive inquiétude. Elle a secoué la tête. «Il y a dix-huit mois, a-t-elle commencé, j'étais dans cette même pièce avec Jigme, le précédent premier ministre, le frère de Dorji. Nous jouions aux cartes». Elle a traversé la pièce et a montré une chaise. «Jigme était assis exactement là. La porte de la cuisine était ouverte. Jigme venait de gagner un pot, avec un flush royal, et il riait quand on lui a tiré dessus du pas de la porte. Je l'ai pris dans mes bras, il était étendu, il saignait. On ne pouvait pas lui faire de transfusion de sang, pas ici. Si on avait pu, il ne serait peut-être pas mort...»

Mary s'était arrêtée. Ses yeux étaient tristes. «Et l'assassin?, ai-je demandé. On l'a attrapé?»

— Oui, plus tard, mais il n'a jamais parlé, n'a jamais dit s'il avait agi seul ou sur ordre. Le roi était horrifié. Il a nommé Dorji premier ministre.» Mary a secoué la tête tristement. «Jigme est mort dans mes bras. Ses derniers mots ont été «Servez bien le roi». Voilà tout ce que je sais.»

D'après ce qu'elle racontait et le peu que j'avais moi-même découvert sur le régime politique du Bhoutan, j'essayais de me faire une idée de la situation. Lorsque Mary avait averti Wanchuk d'éventuelles répercussions, ça ne lui avait fait aucun effet et je ne croyais pas que lui ou les autres gardes avaient la moindre idée de «qui j'étais»; ils devaient d'ailleurs s'en moquer éperdument. Pourtant, je n'arrivais pas à imaginer que j'étais personnellement en danger. S'il était vrai que Dorji avait été déposé, il était vrai aussi que j'étais son amie et que j'avais entrepris mon voyage sous ses auspices mais cela ne semblait pas une raison suffisante pour faire de moi une ennemie de l'état ou de quelque faction que ce soit. Mais Bhalla, lui, était un ami intime et un partisan de Dorji : dans n'importe quel soulèvement politique, il serait considéré comme suspect. C'était Bhalla qui les intéressait, Bhalla qui était en danger.

Tout cela est devenu parfaitement clair lorsqu'un garde est entré quelques minutes plus tard et a posé sur la table trois documents à l'allure officielle.

Il y avait deux autorisations de quitter le territoire, pour Mary et pour moi.

Le troisième ordonnait que Bhalla soit «remis aux autorités».

Nous les avons lus et nous nous sommes regardés, désespérés. Des serviteurs ont apporté de la nourriture. Ils ont silencieusement posé devant nous des pommes de terre, des piments et du ragoût, ainsi qu'un pot d'eau fraîche avec des glaçons.

Wanchuk est entré, nous a ordonné de manger, puis est ressorti.

Bhalla a secoué la tête. «Nous ne devons ni manger, ni boire», a-t-il dit à voix basse. «Je suis certain que la nourriture a été empoisonnée ou droguée.»

Cette pensée m'a donné le vertige. S'il avait raison, ma belle théorie selon laquelle je n'étais pas en danger n'était qu'une illusion. Mais ce n'était plus à moi que je pensais. Je savais que Bhalla était en danger et cela suffisait. Nous étions tous les trois dans le bain et c'était tous les trois qu'il fallait en sortir. Il était clair que, quoi que nous choisissions de faire, il fallait agir vite.

Mary a proposé un plan. «Où est le chauffeur de notre jeep?», a-t-elle demandé tout bas à Bhalla.

— Derrière la maison, terrorisé. Il ne veut même pas m'adresser la parole.

— Va le chercher, a dit Mary.

Bhalla a obéi.

Tremblant comme un chien grondé, le chauffeur est entré dans la pièce.

— Tu travailles toujours pour le premier ministre, lui a dit Mary d'un ton sec. Change de vêtements avec Bhalla.

Le chauffeur a levé son regard sur elle. Il s'est crispé.

— Fais ce que je dis, immédiatement, a ordonné Mary d'un ton sans réplique.

Le chauffeur s'est rendu de mauvaise grâce dans la salle de bains. Il a donné à Bhalla son chandail à col roulé et l'espèce de cagoule de laine qui lui couvrait tout le visage sauf les yeux. Bhalla les a mis, puis il est sorti de la maison par la fenêtre de la salle de bains.

Le chauffeur s'est assis avec nous ; il portait la veste en cuir de Bhalla.

Le plan de Mary était simple, il pouvait marcher. Nous savions que les jeeps étaient garées à l'arrière de la maison. Bhalla ferait semblant d'être notre chauffeur. Il se mettrait au volant et nous traverserions ainsi la frontière, tous les trois. Nous n'avions le temps d'emporter que l'essentiel. Dans la cuisine que nous avons traversée Mary et moi pour sortir, les serviteurs s'occupaient de la nourriture. Personne n'a fait mine de nous arrêter. Les gardes étaient tous devant la maison. Je tenais fermement mon sac à main, qui contenait mon passeport, mon journal, des photos, mon appareil et de l'argent. Le grand cadre en cuir avec la photo de Steve et de Sachie était au fond de ma valise. Il avait fait trois fois le tour du monde avec moi, m'avait tenu compagnie dans la solitude de chambres d'hôtels, de huttes indigènes ou de refuges himalayens. Il fallait maintenant que je l'abandonne. Pour me rassurer, j'ai vérifié la présence du chiffon safran autour de mon cou et des amulettes porte-bonheur que je portais en collier.

Bhalla attendait dans la jeep. Mary et moi avons chargé nos sacs à l'arrière et nous sommes montées. Nous avons démarré et nous avons fait demi-tour. Les gardes stationnés devant le porche d'entrée nous ont laissés passer. Ils savaient que Mary et moi étions autorisées à quitter le pays et, comme nous l'avions espéré, ils prenaient Bhalla pour notre chauffeur, qui nous emmenait à la frontière.

Nous n'avions parcouru qu'une trentaine de mètres quand Bhalla a brusquement freiné. «Ça ne marchera pas, Wanchuk est à la barrière. Il me reconnaîtra. Lorsque nous y serons, créez une quelconque diversion et, pendant ce temps, je me cacherai à l'arrière, sous les bagages. Il faudra que l'une de vous conduise la jeep pour traverser la frontière.»

Mary et moi avons sauté de la jeep et nous nous sommes précipitées vers la barrière en hurlant des insultes à Wanchuk, aux gardes, aux baïonnettes et à l'outrecuidance de quiconque prétendrait nous faire quitter le pays sans Bhalla.

«Lorsque nous serons en Inde, ai-je crié, vous répondrez de la disparition de Bhalla.»

Wanchuk et les gardes autour de lui restaient parfaitement immobiles. D'autres gardes sont arrivés du relais, pour s'enquérir de la raison de tout ce vacarme. Personne n'observait la jeep. J'ai pris mon appareil et je les ai mitraillés de mon flash. Éblouis, ils clignaient des yeux et se frottaient les paupières pour tenter de se débarrasser des éclairs brillants. Je n'avais plus de pellicule depuis une semaine, mais les flashes suffisaient.

Un bref regard par-dessus nos épaules nous a rassurées: Bhalla était caché sous les bagages.

Toujours en proie à une indignation toute féminine, Mary et moi sommes remontées dans la jeep. J'avais les genoux tremblants. Wanchuk et les gardes encore éblouis par les éclairs des flashes et troublés par notre explosion de colère, nous ont laissé passer. Mary a pris le volant et a passé une vitesse. Nous nous sommes mises en route.

Les trois cents mètres qui nous séparaient de la frontière, nous les avons parcourus comme dans un rêve. La nuit sans étoiles sentait la violence. Je ne comprenais pas d'où elle provenait; ce que je désirais le plus, c'était de l'éviter. J'ai entendu Bhalla crier de l'arrière: «S'ils essaient de vous arrêter à la frontière, foncez dans la barrière de bambou». J'ai frissonné. Mary a lancé un regard sceptique à Bhalla. Il était en proie à la panique. L'Indien à la voix douce, échappé des feux de bouse des rues de Calcutta, était bien décidé à s'accrocher à sa nouvelle vie, quelles que soient les conséquences.

Nous roulions et j'ai acquis un certain détachement: je me regardais moi-même, fonçant dans l'obscurité en réfléchissant à une solution ou à une autre. Je ne pouvais effacer Steve et Sachie de mon esprit. Je les voyais. Ils disaient: «Fais attention». À haute voix, j'ai demandé à Steve: «Et toi, qu'est-ce que tu ferais?»

C'est Mary qui a répondu: «On verra».

Le son de sa voix m'a fait craindre le pire. Si elle perdait son sang-froid à la dernière minute, comment pourrais-je l'empêcher d'appuyer à fond sur l'accélérateur? Et si elle tentait de forcer le barrage, qu'arriverait-il? Ils tireraient, voilà tout. Je n'en doutais pas. Évidemment, je pouvais sauter en marche. J'en serais quitte pour quelques fractures. Je regrettais de ne pas avoir pris le volant. Au moins, j'aurais eu la possibilité de décider de mon propre destin.

La barrière de bambou était à quelques mètres. Mary l'a éclairée pleins phares. Des palmiers bordaient la route, de chaque côté. Entre les arbres, des gardes, baïonnette au fusil. Ils ont avancé sur la route et nous ont barré le passage.

Sous les bagages, Bhalla a retenu son souffle.

«Fonce, fonce», a-t-il dit.

J'ai regardé Mary. Qu'allait-elle faire? Mon coeur battait à tout rompre. Si seulement c'était moi qui conduisais la jeep! Je détestais l'idée d'être à la merci de la panique de quelqu'un d'autre. Mary s'est retournée.

«Tais-toi, Bhalla, je ne peux pas forcer le barrage. Ils nous tireraient dessus, tu le sais. Je m'arrête.»

Elle a arrêté la jeep et le moteur. Ce n'est qu'en entendant le moteur s'éteindre que j'ai pu respirer à nouveau. Bhalla n'a pas bougé.

Les militaires ont encerclé la jeep et nous ont examinées. J'ai essayé de sourire. Le chef a crié un ordre à Mary.

«Il dit que Bhalla a disparu et que nous devons retourner au relais», a traduit Mary.

«Eh bien, faisons demi-tour et allons-y», ai-je dit, heureuse d'avoir au moins échappé à la violence.

Mary hésitait. Oh, non, me suis-je dit, elle ne va quand même pas essayer. Elle a remis le moteur en route et a enclenché une vitesse. Les gardes se sont écartés.

Je ne savais pas et je ne sais toujours pas, quelles étaient les intentions de Mary, car en un éclair, tout a changé.

Le chef a hurlé quelque chose, l'air furieux. Mary s'est immobilisée. Avant que je ne puisse poser la moindre question, les gardes se sont à nouveau précipités vers la voiture. Soudain, deux valises m'ont cognée derrière la tête et sont tombées sur mes genoux. Avec un cri aigu, Bhalla s'est débarrassé des bagages qui l'encombraient et s'est glissé hors de la jeep par l'arrière. Il est tombé à genoux dans la rizière et a roulé hors de notre vue.

J'ai hurlé : «Bhalla, revenez!» J'avais très peur qu'ils lui tirent dessus.

Une autre jeep s'est arrêtée dans un crissement de pneus. Wanchuk en est descendu d'un bond, il était rouge de fureur. Il a crié quelque chose à Mary, puis aux gardes. Fusils et baïonnettes en position de combat, ils ont couru dans la rizière. La chasse était ouverte.

Les lames d'acier étincelaient de temps à autre dans les champs. On entendait courir les soldats essoufflés.

Je n'en croyais pas mes yeux. Les gardes cherchaient leur proie à longues enjambées de prédateurs, la sueur coulait de leur front et de leur menton. Ils étaient censés être bouddhistes et d'esprit raffiné. Pourquoi agissaient-ils comme des bêtes sauvages?

Des cris d'excitation ont retenti dans l'obscurité. Les gardes fourrageaient au-dessus de quelque chose. Bhalla a crié. Le gibier était pris. La chasse était terminée.

Des gardes armés poussaient Bhalla devant eux. Son visage et ses bras étaient maculés de boue. On lui avait passé des menottes et mis un chiffon grisâtre en guise de bâillon. Ses yeux noirs étaient brûlants de crainte — un animal pris au piège, effrayé par la mort, mais la préférant encore à un autre destin qui lui serait réservé. Il s'agitait de façon désordonnée, le corps plié en deux comme si le piège l'avait pris à hauteur de la taille. Je pouvais presque entendre battre son coeur. Ses poignets, bouclés dans les menottes, battaient contre ses hanches tandis que les gardes le faisaient avancer.

Il nous a aperçues, Mary et moi, debout devant la jeep. Il s'est redressé. Dans ses yeux se lisait la conscience d'avoir joué et d'avoir perdu, mais ce dont il souffrait le plus était d'avoir perdu sa dignité. Avec un haussement d'épaules et un demi-sourire embarrassé, il a levé ses mains liées, comme s'il voulait nous serrer la main et nous dire adieu.

Je n'ai pas pu le supporter. J'ai oublié ma propre sécurité, les gardes et les raisons qu'ils pouvaient avoir de l'arrêter, Wanchuk, tout. J'ai arraché le foulard que j'avais sur la tête, j'ai couru vers Bhalla et je me suis attachée à ses poignets.

Wanchuk s'est immobilisé, stupéfait, la bouche ouverte. «Si vous arrêtez monsieur Bhalla et que vous l'emmenez en prison, alors il faudra que vous m'emmeniez aussi, ai-je dit. Je ne quitterai pas le Bhoutan sans lui.»

Debout à côté de la jeep, Mary m'a apporté son soutien. «Je suis d'accord», a-t-elle dit.

Les yeux de Bhalla se sont remplis de larmes. Personne n'a fait un geste pour nous séparer. Wanchuk était toujours immobile, le visage crispé. Apparemment, il lui fallait un moment de réflexion. Comme il ne voyait pas bien quel ordre donner, il en est revenu à sa première injonction. «Retournez au relais», a-t-il aboyé.

— Je veux téléphoner à Calcutta. Puisque vous me retenez ici, j'ai au moins le droit de prévenir mes amis que je suis saine et sauve.

— Vous êtes libre de partir, a dit Wanchuk.

— Je ne suis pas libre de partir seule, ai-je répliqué. Le premier ministre Dorji a donné l'ordre à Bhalla de me faire entrer et sortir du Bhoutan. En ce qui me concerne, Dorji est toujours premier ministre et Bhalla est toujours mon escorte.

Wanchuk m'a regardée et il a cligné des yeux.

Nous sommes retournés au relais, qui était vide. Bhalla s'est détendu et nous nous sommes assis côte à côte, toujours attachés, sur des chaises en bois. Le ragoût et les pommes de terre avaient refroidi sur la table, les glaçons avaient fondu. Nous les contemplions. Les dossiers de bois nous entraient dans les reins. Nous étions trop fatigués pour nous tenir droits.

Mary, debout près de la porte, regardait dehors. Aucun de nous ne parlait. Le silence de Bhalla recouvrait tout ce qu'il n'était pas capable d'exprimer.

Chapitre 22

Le temps qu'on nous autorise à sortir du relais pour aller téléphoner, il était trois heures du matin. Mary, Bhalla et moi avons suivi un garde en armes à travers la rizière creusée de rigoles pour atteindre la cabane où se trouvait l'unique téléphone du Bhoutan. La poussière volait en spirales dans le vent sec. De hautes herbes et des petits buissons entouraient le poteau téléphonique d'une hauteur bien supérieure à celle de la cabane. Ses fils traversaient le sud du Bhoutan, l'Assam, l'est du Bengale et le Pakistan avant d'arriver en Inde et à Calcutta où j'espérais atteindre Martin et Bhulu, ou peut-être Glenda Dorji.

Nous avons dû frapper très fort à la porte pour réveiller les deux opérateurs indiens, profondément endormis. Ils nous ont ouvert la porte en frissonnant tandis que l'air froid de la nuit pénétrait dans la cabane.

«Nous voulons téléphoner à Calcutta», a dit Mary, d'un air sévère.

Les gardes sont entrés derrière nous et se sont assis sur des sortes de matelas de bambou, sans dire un mot aux opérateurs. Ça sentait la sueur et la mécanique. Un des opérateurs a coiffé le casque primitif qui se trouvait à côté du standard. «La ligne est coupée», a-t-il dit en enlevant les écouteurs. Mary s'est avancée vers la table et les a pris. Elle a branché une ligne et j'ai entendu le son réconfortant d'une ligne téléphonique.

— Qu'est-ce que cela signifie? Cette ligne fonctionne! a-t-elle dit d'un ton sans réplique.

— C'est la ligne de Paro. Vous avez dit que vous vouliez Calcutta.

— Passez-nous Calcutta, immédiatement, je vous prie, a exigé Mary.

L'opérateur a branché plusieurs fils et a attendu. «Il y a une conversation sur la ligne. C'est occupé.»

— Nous attendrons, a dit Mary. Nous nous sommes assis. Les gardes s'étaient relevés et les opérateurs se sont réinstallés sur leurs couches de bambou. Un quart d'heure plus tard, Mary a repris les écouteurs et leur a ordonné d'essayer à nouveau.

— Il y a une conversation sur la ligne, a répété l'opérateur.

Nous y sommes restés une heure et demie. Quand il n'y avait pas de conversation en cours, les opérateurs prétendaient que c'était occupé, ou que la ligne ne fonctionnait pas. Ils nous ont reliés deux fois à Thiumphu et une fois à Chasilakha, probablement pour nous faire croire qu'ils essayaient vraiment. Les gardes ne tenaient pas en place. Le jeu devenait ridicule. À la fin, je me suis levée, entraînant Bhalla. J'avais oublié que nous étions toujours attachés.

Je voulais essayer d'obtenir la communication moi-même. J'ai détaché le foulard et je suis allée au standard. À ma grande surprise, les opérateurs m'ont aidée à brancher la bonne ligne et j'ai entendu l'opératrice de Calcutta. Je lui ai donné le numéro de Martin et de Bhulu. J'ai entendu un bruit de lutte derrière moi. Les gardes avaient tranquillement attendu que mon attention soit distraite, ils avaient remis son baîllon à Bhalla et ils l'entraînaient dehors. Mary hurlait. J'ai lâché les écouteurs, je me suis précipitée dehors et je me suis accrochée au col roulé de Bhalla. Les gardes l'ont lâché.

À nouveau, nous nous sommes tous entassés dans la cabane, gardes, opérateurs et prisonniers. Personne n'a fait un geste pour m'arrêter quand j'ai repris les écouteurs et que j'ai répété le numéro à l'opératrice de Calcutta. Les gardes fumaient. Mary se tenait entre eux et Bhalla. Bhalla, à nouveau attaché à mon poignet, a enlevé son bâillon et a tiré la langue aux gardes. Il reprenait de l'assurance. Les gardes lui ont soufflé la fumée au visage.

Le numéro ne répondait pas. J'ai raccroché et je m'apprêtais à recommencer.

— Vous avez téléphoné. Ça suffit, maintenant, a dit l'un des gardes.

— Laissez-moi essayer encore une fois, ai-je demandé gentiment. Je voudrais simplement les rassurer sur mon sort. Le garde m'a tourné le dos et j'ai donné le numéro de Glenda Dorji à l'opératrice. Cette fois, ça a répondu.

— Glenda?

— Shirley!

— Oui. Pouvez-vous nous aider... La ligne était morte. Un des gardes avait débranché. Je l'ai regardé et il a souri.

Mary s'est penchée vers moi et m'a parlé à voix basse. La veuve de Jigme Dorji vivait seule à Phuncholing depuis l'assassinat de son mari. Elle ne savait toujours pas qui était responsable de sa mort, ni pourquoi on l'avait tué. Mary semblait croire que Tess — ou Tess-ala comme on l'appelait au Bhoutan en signe de tendresse, pourrait nous aider.

— Notre invitée étrangère souhaite rencontrer la femme de l'ancien premier ministre, a dit Mary aux gardes. Ils n'ont émis aucune objection. Après notre rencontre avec Tess, j'ai compris pourquoi.

À cinq heures du matin, on nous a conduits à sa maison. Mary a frappé à la fenêtre de la chambre à coucher. Pas de réponse. Elle a frappé encore, en appelant Tess-ala et un rideau s'est soulevé. Tess a regardé dehors. «Qu'est-ce que c'est? Que voulez-vous?»

— Pouvez-vous nous aider, s'il vous plaît, Tess-ala?, a demandé Mary calmement.

— Non.

Manifestement, cette réponse a choqué Mary. «Laissez-nous vous parler un instant. Nous savons que nous vous dérangeons en plein sommeil, mais nous n'avons pas dormi depuis deux jours.»

— Non.

— S'il vous plaît, Tess-ala, sinon, ils vont nous emmener au Dzong.

Tess s'est éloignée de la fenêtre. Nous sommes allés attendre à la porte d'entrée. Un quart d'heure est passé, puis un autre. Nous entendions des voix derrière la maison, mais quand Mary a voulu aller voir ce qui se passait, un garde lui a barré le chemin. La porte s'est enfin ouverte et Tess nous a fait signe d'entrer, sans aucun enthousiasme. Nous avons aperçu Wanchuk à la porte de derrière.

— Bien. Et maintenant, pourquoi m'avez-vous réveillée? a demandé Tess en anglais. C'était une femme mince, plutôt séduisante, âgée d'environ trente-cinq ans, aux manières raffinées et revêtue d'une chemise de nuit européenne.

Mary lui a expliqué ce qui se passait. Tess a feint la surprise. «Je ne sais rien de tout cela», a-t-elle dit.

— Mais Wanchuk a bien dû vous dire quelque chose, a rétorqué Mary. Ne pouvez-vous pas demander une autorisation de sortie pour Bhalla?

Tess a ouvert la porte d'un placard. «Voulez-vous des fruits?», a-t-elle demandé en sortant une coupe d'oranges et de pommes. Elle a lentement épluché une orange, en laissant tomber les peaux sur sa chemise de nuit, sans nous regarder. Que pouvait-elle bien penser? Bhalla avait été l'un des hommes de confiance de son mari et, depuis l'assassinat, il était proche de Llendhup Dorji, son beau-frère. Tess savait parfaitement qui il était et dans quelle situation dangereuse il se trouvait.

Elle a penché la tête en une attitude d'innocence féminine toute orientale. «Je ne peux pas comprendre pourquoi les autorités auraient fait ce que vous me racontez», a-t-elle dit à Mary en la regardant dans les yeux et en indiquant par un geste qu'en ce qui la concernait, la conversation était terminée.

Mary a respiré profondément et a traversé la petite pièce encombrée pour aller s'asseoir à côté de Tess. Elle semblait avoir du mal à se contrôler. Elle a obligé Tess à la regarder et elle lui a parlé rapidement, en bhoutanais. Tess écoutait, en mangeant tranquillement son orange. Alors Mary s'est mise à pleurer. Elle a pris Tess par la main et l'a entraînée dans sa chambre à coucher. Une discussion animée a eu lieu. À un moment, Mary est sortie et a sangloté dans une autre pièce. Bhalla a tressailli et s'est abîmé dans la contemplation de ses chaussures. Les gardes attendaient dehors.

Quand Mary est revenue dans le salon, l'aube pointait : elle avait perdu la partie. «Allons-nous-en», a-t-elle dit. Je lui ai demandé ce qui s'était passé, mais elle n'a pas voulu en parler. Elle a simplement dit que parfois elle avait profondément honte des dirigeants de ce royaume qu'elle aimait tant. Rien d'autre.

Épuisés, nous sommes retournés au relais. Même les gardes avaient l'air fatigué. Quant à Wanchuk, j'ai remarqué avec plaisir qu'il ne semblait plus tenir sur ses jambes.

Il y avait deux lits de camp dans la chambre à coucher. Pas de draps ni de couvertures, mais au moins nous pouvions nous écrouler quelque part. Les gardes sont restés dans la salle à manger, où ils se sont endormis. Mary et moi nous avons pris les lits de camp et Bhalla s'est étendu par terre.

Phuncholing était calme. Le coup d'état bhoutanais attendrait le matin, comme les parties d'échec en Asie. Je n'entendais que le grondement de mon estomac. Il y avait bien longtemps que nous n'avions rien mangé.

Je ne me rappelle pas exactement à quoi je rêvais. Je me rappelle simplement avoir *senti* que je n'étais pas seule. J'ai ouvert les yeux.

Deux gardes poussaient Bhalla de leurs baïonnettes tandis qu'un autre lui fermait la bouche. Deux autres le tiraient hors de la pièce. La scène était trop ridicule pour être vraie. Je ne sais pas ce que j'aurais fait si j'avais pris la peine de réfléchir. J'ai réagi instinctivement. J'ai bondi hors de mon lit et je me suis précipitée sur les gardes, en agitant les bras comme une sorcière, en louchant et en tirant la langue comme un vampire pris de folie. Et j'ai hurlé : «Bahhhhhhhhhhh» Les gardes m'ont regardée et, bouche bée, stupéfaits, ils ont lâché le pauvre Bhalla et se sont enfuis. Bhalla m'a regardée à son tour et a failli mourir de rire. «Voilà exactement, a-t-il réussi à articuler, ce qu'on appelle la tactique des tigres de papier.»

Des cris ont retenti dans l'entrée. Mary s'est assise sur son lit. Quelqu'un a ouvert grand la porte. Deux gardes sont entrés en vociférant. «Relevez-vous», a dit Mary. «C'est pour ça qu'ils hurlent. Ils nous disent de nous relever et de nous en aller, tous les trois. Ils sont fous de rage, mais ils disent que nous sommes libres et que Wanchuk nous attend au quartier général.»

Tout arrivait si vite. Des odeurs de nourriture venaient de la cuisine; les serviteurs avaient repris leur poste. J'ai demandé si je pouvais aller dans la salle de bains. «Non». Bhalla voulait enlever la boue de ses vêtements. «Non». On nous a entraînés dehors. La matinée était fraîche. Les oiseaux gazouillaient dans les arbres, les fleurs sauvages semblaient avoir repris vie.

«Transportons nos bagages tant que c'est possible, avant qu'ils ne changent d'avis», a dit Mary. Nous avons entassé toutes nos affaires dans une jeep. Les gardes surveillaient chacun de nos mouvements avec impatience. Nous mourions de faim et d'envie de la nourriture que nous sentions, mais il valait mieux obéir aux gardes et nous présenter devant Wanchuk immédiatement.

La fureur de Wanchuk était à son comble lorsque nous avons comparu devant lui. Il était écarlate. «La reine a donné l'ordre de vous libérer. On va vous conduire à la frontière.»

— Tous les trois? ai-je demandé.

Il a bondi de son siège et a hurlé : «Oui, oui, oui, tous les trois... Allez-vous-en, allez-vous-en, maintenant!» Il montrait Bhalla du doigt.

Bhalla est allé à la porte, s'est retourné, a retenu son souffle et, de son bras droit, a fait un magnifique bras d'honneur à Wanchuk.

Aucun doute, il avait repris de l'assurance. À tel point que son geste avait presque l'air digne. Mary a un peu rougi. Nous avons éclaté de rire et nous avons couru vers notre jeep. Bhalla s'est installé au volant, a enclenché une vitesse et nous avons foncé vers la frontière. Les gardes ne nous ont même pas arrêtés pour regarder nos passeports. Ils ont soulevé la barrière de bambou et nous ont salués.

Phuncholing s'estompait, les drapeaux de prière disparaissaient dans les nuages de brume qui recouvraient les cahutes du village.

Nous avons cessé de rire. Nous ne parlions pas. Nous foncions, dans la chaleur d'Assam. On sentait à nouveau les fortes odeurs du bas-pays. Dans la principauté de Cooch Behar, les arbres à pluie et les manguiers étaient recouverts de feuilles où chantaient des milliers d'oiseaux, aux voix aussi aiguës que des instruments de musique. Nous avancions vers le sud et des pigeons verts s'enterraient eux-mêmes dans les branches d'arbres chargés de baies rouges. Des enfants bruns et brillants jouaient dans les rizières qui entouraient les lagons. Des millions de voix semblaient parler en même temps : c'était l'Inde que j'entendais à nouveau. La vallée de Paro était loin et haut derrière nous. Bhalla s'est tourné vers moi : «Je vous remercie», a-t-il dit d'une voix pressante. «Je ne vous reverrai probablement pas avant que vous ne quittiez l'Inde, mais je vous remercie pour ma vie. Dorénavant, elle vous appartient, pour toujours.» Ses yeux sombres se sont remplis de larmes; il s'est tu brusquement.

Je regardais le paysage. Le soleil se levait. Le vent chaud des hautes montagnes commençait à souffler. Je ne voulais pas pleurer. Je ne pouvais pas assimiler tout ce qui était arrivé. Tant pis si je n'en comprenais pas les raisons. Ce qui comptait, c'était l'intimité qui existait entre Mary, Bhalla et moi. Mon coeur se serrait à l'idée de quitter bientôt ces gens que j'aimais tant. Je ne voulais pas que s'achève l'expérience que j'avais vécue à les connaître. Ni celle que j'avais vécue en me connaissant mieux moi-même. Maintenant, ils faisaient partie de moi, et moi d'eux — pour toujours probablement — que je les revoie un jour ou non.

Comme dans les montagnes, je sentais le vent jouer dans ma tête. Que me disait-il? J'avais presque l'impression de pouvoir le saisir. Il murmurait quelque chose sur le fait de toucher chaque chose et chaque être, car le vent s'infiltre partout. Il me rappelait que tous les êtres humains faisaient partie les uns des autres, que nous sommes un tout inextricablement lié, que nous nous rencontrions ou non. Le vent tourbillonne et avance en caressant toutes choses, sans jamais revenir en arrière : il y a encore tant à voir devant lui. Je pensais aux endroits où j'étais allée, aux gens que j'avais appris à connaître, à comprendre et à aimer — les Massaï en Afrique, les enfants des rues en Inde, les prostituées à Paris, les professionnels du cinéma à Hollywood, les Japonais, les noirs du Mississippi, mes propres parents en Virginie et mon mari et ma fille qui, comme moi, semblaient être partout.

Mon regard s'est fixé sur Mary et Bhalla. Le chagrin de quitter ceux que l'on aime n'est que le prélude à une meilleure compréhension de soi-même et des autres.

Mary s'est penchée vers moi et m'a touché la main. J'ai passé mon bras autour des épaules de Bhalla. Le vent rugissait devant nous et je me demandais si je le rattraperais jamais.